SEIS ANOS DEPOIS

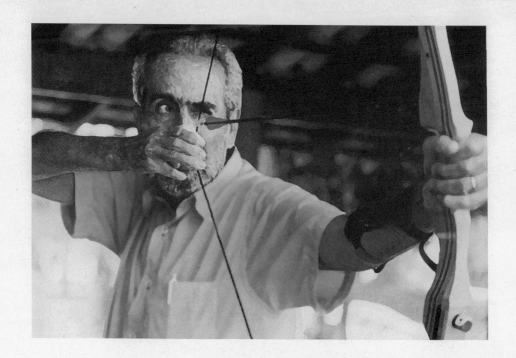

O ARQUEIRO

GERALDO JORDÃO PEREIRA (1938-2008) começou sua carreira aos 17 anos, quando foi trabalhar com seu pai, o célebre editor José Olympio, publicando obras marcantes como *O menino do dedo verde*, de Maurice Druon, e *Minha vida*, de Charles Chaplin.

Em 1976, fundou a Editora Salamandra com o propósito de formar uma nova geração de leitores e acabou criando um dos catálogos infantis mais premiados do Brasil. Em 1992, fugindo de sua linha editorial, lançou *Muitas vidas, muitos mestres*, de Brian Weiss, livro que deu origem à Editora Sextante.

Fã de histórias de suspense, Geraldo descobriu *O Código Da Vinci* antes mesmo de ele ser lançado nos Estados Unidos. A aposta em ficção, que não era o foco da Sextante, foi certeira: o título se transformou em um dos maiores fenômenos editoriais de todos os tempos.

Mas não foi só aos livros que se dedicou. Com seu desejo de ajudar o próximo, Geraldo desenvolveu diversos projetos sociais que se tornaram sua grande paixão.

Com a missão de publicar histórias empolgantes, tornar os livros cada vez mais acessíveis e despertar o amor pela leitura, a Editora Arqueiro é uma homenagem a esta figura extraordinária, capaz de enxergar mais além, mirar nas coisas verdadeiramente importantes e não perder o idealismo e a esperança diante dos desafios e contratempos da vida.

SEIS ANOS DEPOIS
HARLAN COBEN

Título original: *Six Years*
Copyright © 2013 por Harlan Coben
Copyright da tradução © 2014 por Editora Arqueiro Ltda.

Todos os direitos reservados. Nenhuma parte deste livro pode ser utilizada ou reproduzida sob quaisquer meios existentes sem autorização por escrito dos editores.

tradução: Ricardo Quintana

preparo de originais: Rachel Agavino

revisão: Ana Lúcia Machado, Rafaella Lemos e Renata Dib

projeto gráfico e diagramação: Valéria Teixeira

capa: Elmo Rosa

impressão e acabamento: Cromosete Gráfica e Editora Ltda.

CIP-BRASIL. CATALOGAÇÃO NA PUBLICAÇÃO
SINDICATO NACIONAL DOS EDITORES DE LIVROS, RJ

C586s   Coben, Harlan, 1962-
    Seis anos depois / Harlan Coben [tradução de Ricardo Quintana]; São Paulo: Arqueiro, 2020.
    272 p.; 16 x 23 cm

    Tradução de: Six Years
    ISBN 978-65-5565-031-0

    1. Ficção americana. I. Quintana, Ricardo. II. Título.

            CDD 813
20-65575   CDU: 82-3(73)

Todos os direitos reservados, no Brasil, por
Editora Arqueiro Ltda.
Rua Artur de Azevedo, 1.767 – Conj. 177 – Pinheiros
05404-014 – São Paulo – SP
Tel.: (11) 2894-4987
E-mail: atendimento@editoraarqueiro.com.br
www.editoraarqueiro.com.br

Para Brad Bradbeer
Sem você, caro amigo, não haveria Win

capítulo 1

Sentei-me no último banco da igreja e fiquei assistindo à única mulher que amaria na vida se casar com outro homem.

Natalie estava de branco, claro, e linda de morrer. Sua beleza sempre fora ao mesmo tempo frágil e levemente forte e, ali no altar, parecia etérea, quase sobrenatural.

Ela mordia o lábio inferior. Lembrei-me daquelas manhãs de preguiça quando, depois de fazermos amor, Natalie vestia minha camisa azul e então descíamos. Nós nos sentávamos à mesa do café e líamos o jornal, até que ela pegava um bloco e começava a desenhar. Enquanto fazia um esboço meu, mordia o lábio daquele jeito.

Meu coração parecia estar sendo rasgado em dois.

Por que eu tinha vindo?

Você acredita em amor à primeira vista? Nem eu. Mas acredito numa grande atração à primeira vista, mais que física. Acho que de vez em quando – em uma ou duas ocasiões na vida – nos sentimos fascinados por uma pessoa, de forma muito profunda, primordial e imediata, um encanto mais que magnético. Foi assim com Natalie. Às vezes não passa disso. Em outras cresce, esquenta e se transforma numa chama gloriosa, que sabemos ser verdadeira e destinada a durar para sempre.

Muitas vezes nos enganamos, achando que o fascínio inicial vai durar eternamente.

Pensei, com ingenuidade, que ficaríamos juntos para sempre. Eu, que nunca havia de fato acreditado em compromisso e sempre fizera de tudo para escapar a seus grilhões, soube na mesma hora – bem, depois de uma semana na verdade – que aquela era a mulher que acordaria ao meu lado todos os dias. Era a mulher que eu protegeria, mesmo que fosse necessário sacrificar a minha vida. A mulher – sim, sei quanto isso parece banal – sem a qual não conseguiria fazer nada, que tornaria importantes até as coisas mais corriqueiras.

Eu sei, tão meloso que dá vontade de vomitar, né?

Um pastor de cabeça muito bem raspada estava falando, mas o sangue latejando em meus ouvidos tornava impossível entender suas palavras. Eu tinha os olhos fixos em Natalie. Queria que ela fosse feliz. Não era hipocrisia, aquela mentira que contamos a nós mesmos com frequência porque, na verdade, se nosso amor não nos quer mais, desejamos que seja infeliz. Eu estava sendo sincero. Se acreditasse mesmo que ela seria mais feliz sem mim, deixaria que partisse, por mais doloroso que fosse. Mas não acreditava que Natalie seria mais feliz, apesar do que tinha dito ou feito. Ou talvez isso fosse outra racionalização, outra mentira, que eu contava a mim mesmo.

Natalie mal me olhou, mas vi sua boca se enrijecer. Ela sabia que eu estava lá. Mantinha os olhos no futuro marido. Seu nome, eu descobrira recentemente, era Todd. Odeio esse nome. Todd. Era provável que as pessoas o chamassem de Toddy.

O cabelo de Todd era comprido demais e ele tinha aquela barba por fazer que algumas pessoas consideram moderna e outras, como eu, abominam. Seu olhar passeava tranquilo e satisfeito pelos convidados até parar... bem, em mim. Deteve-se por um segundo, me avaliando, até chegar à conclusão de que eu não valia o esforço.

Por que Natalie voltara para ele?

A dama de honra era a irmã dela, Julie. Estava de pé no altar, segurando um buquê com as duas mãos e, nos lábios, um sorriso sem vida, mecânico. Nunca nos conhecemos, mas eu tinha visto fotos suas e ouvira as duas falando ao telefone. Ela também parecia perplexa com aquilo. Tentei fitar seus olhos, mas eles pareciam estar a um quilômetro de distância.

Voltei a olhar para o rosto de Natalie e foi como se pequenos explosivos detonassem dentro do meu peito. Tinha sido uma péssima ideia. Quando o padrinho entregou as alianças, meus pulmões começaram a falhar, tornando difícil respirar.

Chega.

Eu tinha que ver isso com meus próprios olhos, acho. Descobri da pior forma possível que precisava disso. Meu pai tinha morrido de um infarto fulminante fazia cinco meses. Nunca tivera problemas de coração e, para todos os efeitos, estava em ótima forma. Lembro-me de estar sentado na sala de espera do hospital, de ser chamado ao consultório do médico e de receber a notícia devastadora – e de me perguntarem, ali e na funerária, se eu queria ver o corpo. Recusei. Pensei que não queria me lembrar dele deitado numa maca ou num caixão. Preferia guardar a lembrança de como ele havia sido.

Mas, conforme o tempo passava, comecei a ter problemas para aceitar sua morte. Meu pai era tão vibrante e cheio de vida! Dois dias antes de ele morrer, tínhamos ido a um jogo de hóquei do New York Rangers – meu pai comprava os ingressos para a temporada inteira – e a partida fora prorrogada. Gritamos, torcemos e, caramba, como ele podia estar morto agora? Parte de mim começou a se perguntar se não teria havido algum engano ou se aquilo tudo não era uma grande farsa e talvez meu pai ainda estivesse vivo. Sei que não faz o menor sentido, mas o desespero consegue mexer conosco e, se damos a ele algum espaço, respostas alternativas começam a surgir.

Outra parte de mim ficou obcecada pelo fato de eu nunca ter visto o corpo do meu pai. Não quis cometer o mesmo erro outra vez. Mas, para continuar com a comparação ruim, agora eu tinha visto o cadáver. Não havia necessidade de checar o pulso.

Tentei ir embora o mais discretamente possível, o que não é muito fácil quando se mede 1,98 metro e se tem um físico "de lenhador", para usar uma expressão de Natalie. Tenho as mãos grandes. Ela as adorava. Segurava-as nas suas e percorria as linhas da minha palma com a ponta do dedo. Falava que eram mãos de verdade, de homem. Também as desenhara porque dizia que contavam minha história – minha criação operária, meu esforço para pagar os estudos no Lanford College, trabalhando como segurança numa casa noturna local, e também o fato de que agora eu era o professor mais jovem do departamento de Ciência Política.

Saí cambaleando da pequena capela branca para o ar cálido de verão. Verão. Será que não tinha passado disso? Um romance de verão? Em vez de dois jovens lascivos buscando atividade sexual num acampamento, éramos dois adultos procurando solidão num retiro – ela, para criar sua arte, e eu, para escrever minha dissertação de ciência política –, que se conheceram, apaixonaram-se loucamente e, agora que o outono estava chegando... Bem, o que é bom dura pouco. Todo o nosso relacionamento teve esse caráter irreal, os dois distantes de suas vidas normais e sujeitos ao lugar-comum que acompanha essas situações. Talvez por isso tenha sido tão extraordinário. Talvez o fato de só termos ficado juntos nessa bolha afastada da realidade tenha tornado nossa relação melhor e mais intensa. Talvez eu estivesse apenas exagerando.

Por trás das portas da igreja, ouvi gritos animados e aplausos. Aquilo me arrancou do meu estupor. A cerimônia havia terminado. Todd e Natalie eram agora o Sr. e a Sra. Barba Por Fazer. Em breve, desceriam o corredor em direção à saída. Será que as pessoas jogariam arroz? Todd provavelmente não iria gostar disso. Iria estragar o cabelo e ficar preso na barba.

Eu não precisava ver mais nada.

Dirigi-me para os fundos da capela branca, saindo de cena bem na hora em que as portas se abriram. Olhei para o vazio. Nada ali, a não ser, claro, espaço vazio. Havia árvores ao longe. Os chalés ficavam do outro lado do morro. A capela era parte do retiro para artistas onde Natalie estava. O meu era mais à frente na estrada, um retiro para escritores. Ambos eram antigas fazendas de Vermont que ainda cultivavam alguns produtos orgânicos.

– Oi, Jake.

Virei-me em direção à voz familiar. Bem ali, a não mais de 10 metros de distância, estava Natalie. Olhei rapidamente para seu anular esquerdo. Como se lesse meus pensamentos, ela levantou a mão para mostrar a aliança.

– Parabéns – falei. – Fico muito feliz por você.

Ela ignorou o comentário.

– Não acredito que você está aqui.

Abri os braços.

– Soube que ia ter uns salgadinhos maravilhosos. É difícil resistir.

– Engraçadinho.

Dei de ombros enquanto meu coração virava pó e era levado pelo vento.

– Todo mundo falava que você não viria – disse Natalie. – Mas eu sabia que sim.

– Eu ainda amo você.

– Eu sei.

– E você ainda me ama.

– Não, Jake. Está vendo?

Ela agitou a mão com a aliança na frente do meu rosto.

– Querida? – Todd e sua barba surgiram de repente. Ele me viu e franziu a testa. – Quem é esse?

Mas estava na cara que ele sabia.

– Jake Fisher – falei. – Parabéns pelo casamento.

– De onde o conheço?

Deixei Natalie responder. Ela pôs a mão sobre o ombro dele de um jeito reconfortante e disse:

– Jake posa para vários de nós. Você provavelmente o reconheceu de alguns trabalhos.

Ele continuava com a testa franzida. Natalie se colocou entre nós dois e falou:

– Você pode nos dar só um segundo? Já estou indo.

Todd olhou para mim. Não me mexi. Não recuei um passo sequer. Não olhei para o outro lado.

De má vontade, ele disse:

– Ok. Mas não demore.

Lançou-me mais um olhar duro e deu meia-volta, contornando a capela. Natalie se virou para mim. Apontei na direção em que Todd havia desaparecido.

– Ele parece ser divertido.

– Por que você está aqui?

– Precisava dizer que a amo – falei – E que sempre vou amar.

– Acabou, Jake. Siga em frente. Você vai ficar bem.

Eu não disse nada.

– Jake?

– O que foi?

Ela inclinou um pouco a cabeça. Sabia o estrago que aquele gesto causava em mim.

– Prometa que vai nos deixar em paz.

Continuei ali, parado.

– Prometa que não vai nos seguir, telefonar nem mandar e-mail.

A dor no peito aumentou, incisiva e pesada.

– Prometa, Jake. Prometa que vai nos deixar em paz.

Seus olhos estavam fixos nos meus.

– Ok. Eu prometo.

Sem mais uma palavra, Natalie se afastou, voltando para a frente da capela, em direção ao homem com quem acabara de se casar. Fiquei ali mais um instante, tentando recuperar o fôlego. Quis ter raiva, não dar bola, deixar para lá e pensar que era ela quem estava perdendo. Tentei isso tudo. Cheguei até a tentar ser maduro em relação àquilo, mas sabia que era uma técnica de enrolação para não precisar encarar o fato de que ficaria com dor de cotovelo pelo resto da vida.

Permaneci ali, atrás da capela, até perceber que todos tinham ido embora. Então dei meia-volta. O pastor de cabeça raspada estava lá fora, nos degraus. Assim como a irmã de Natalie, Julie. Ela pôs a mão no meu braço.

– Você está bem?

– Estou ótimo – respondi.
O pastor sorriu para mim.
– Que belo dia para um casamento, não acha?
Pisquei à luz do sol.
– Acho que sim – falei, antes de ir embora.
Faria o que Natalie me pedira. Iria deixá-la em paz. Pensaria nela todos os dias, mas nunca telefonaria, não tentaria me aproximar nem a procuraria on-line. Manteria a promessa.
Por seis anos.

capítulo 2

SEIS ANOS DEPOIS

Embora eu não tivesse como saber disso na hora, a maior mudança da minha vida chegaria entre 15h29 e 15h30.

Minha aula de Política do Pensamento Moral para a turma dos calouros tinha terminado naquele instante. Eu estava saindo do Bard Hall. O dia de aulas chegara ao fim. O sol estava forte em Massachusetts naquela tarde fresca. Um jogo de *frisbee* rolava na quadra. Os alunos estavam espalhados por todos os cantos, como se dispersados pela mão de um gigante. Ouvia-se música a todo volume. Era como se o panfleto do campus dos sonhos tivesse ganhado vida.

Adoro dias assim. Mas quem não gosta?

– Professor Fisher?

Virei-me ao ouvir o chamado. Sete estudantes estavam sentados na grama, num semicírculo. A garota que falou estava no meio.

– Gostaria de se juntar a nós? – perguntou.

– Obrigado, mas tenho que atender alguns alunos agora – respondi, com um sorriso.

Continuei andando. Eu não podia ficar, embora fosse adorar me sentar com eles num dia glorioso como aquele – quem não gostaria? As linhas que separavam professores e alunos eram muito tênues e, me desculpem, por mais cruel que isso soe, eu não queria ser *aquele* professor, se é que me entendem, que anda demais com os alunos, frequentando ocasionalmente festinhas de fraternidades e às vezes oferecendo uma cerveja no fim do jogo de futebol. Um professor deve dar apoio e ser acessível, mas não é colega ou pai.

Quando cheguei a Clark House, a Sra. Dinsmore me cumprimentou com a carranca habitual. Uma típica megera, ela era a recepcionista do departamento de Ciência Política desde o tempo do governo Hoover, acho. Tinha no mínimo 200 anos, mas era tão impaciente e desagradável quanto alguém com metade dessa idade.

– Boa tarde, minha linda – falei. – Algum recado?

– Na sua mesa – respondeu a Sra. Dinsmore. Até sua voz era mal-humorada. – E a mesma fila de sempre já se formou na sua porta.

– Ok, obrigado.

– Parece até que está havendo um teste para algum musical lá.

– Entendi.

– O seu antecessor nunca foi acessível assim.

– Ah, que isso, Sra. Dinsmore? Eu sempre vinha visitá-lo aqui quando era aluno.

– Sim, mas pelo menos a sua bermuda tinha um comprimento adequado.

– E isso a decepcionava um pouco, não é?

A Sra. Dinsmore fez o possível para não sorrir.

– Suma da minha frente, está bem?

– Pode confessar.

– Quer levar um chute na bunda? Saia daqui.

Mandei um beijo para ela e entrei pela porta dos fundos a fim de evitar a fila de alunos que me procuravam às sextas-feiras. Dou duas horas de atendimento "não agendado" uma vez por semana, de três às cinco da tarde. Era um horário aberto, nove minutos por aluno, sem planejamento, sem precisar marcar com antecedência. Eles apenas aparecem – são atendidos em ordem de chegada. O tempo é cronometrado. São nove minutos. Nem mais nem menos, depois um minuto para sair e deixar que o próximo aluno entre. Se for preciso mais tempo, se eu estiver orientando uma tese ou algo assim, a Sra. Dinsmore marca uma hora para um encontro mais longo.

Às três em ponto mandei entrar a primeira aluna. Ela queria discutir teorias de Locke e Rousseau, dois cientistas políticos mais conhecidos agora por suas reencarnações no seriado *Lost* do que por suas teorias filosóficas. O segundo aluno não tinha nenhum motivo para estar ali, a não ser – e estou sendo grosseiro – encher o saco. Às vezes eu sentia vontade de levantar a mão e perguntar: "por que, em vez de vir aqui, você não faz uns biscoitos para mim?" Mas me controlava. A terceira queria reclamar da nota; achava que seu trabalho B+ devia ser um A-, quando na verdade estava mais para um simples B.

Era assim mesmo. Alguns vinham à minha sala para aprender, outros para impressionar, reclamar, conversar – tudo bem. Não faço julgamentos com base nesses encontros. Seria errado. Trato todos os alunos que passam por essa porta da mesma forma, porque estamos aqui para *ensinar*, se não for ciência política, talvez um pouquinho de pensamento crítico ou até –

pasmem! – algo sobre a vida. Se os estudantes já nos chegassem completamente formados e sem inseguranças, qual seria a graça?

– Vai continuar B+ – falei, depois que ela terminou sua arenga. – Mas aposto que você vai conseguir aumentar sua nota no próximo trabalho.

O despertador do relógio tocou. Sim, como eu disse, o tempo é cronometrado. Eram exatamente 15h29. Por isso que, ao olhar para trás, para tudo o que viria a acontecer, sabia com precisão quando tinha começado – entre 15h29 e 15h30 da tarde.

– Obrigada, professor – falou ela, levantando-se para ir embora.

Levantei-me também.

Minha sala não havia mudado nada desde que eu me tornara chefe do departamento quatro anos antes. Eu a herdei de meu antecessor e mentor, o professor Malcolm Hume, secretário de Estado durante um governo, chefe de gabinete em outro. Havia ainda aquela maravilhosa essência de desordem acadêmica – globos antigos, livros enormes, manuscritos amarelados, pôsteres descolando das paredes, retratos emoldurados de homens barbudos. Não tinha escrivaninha na sala, só uma grande mesa de carvalho para doze pessoas, o número exato de alunos na minha turma de doutorandos.

Havia bugigangas por todos os lados. Não me dei o trabalho de redecorar o espaço – não em homenagem ao meu mentor, como muitos pensam, mas porque, em primeiro lugar, eu era preguiçoso e não me sentia nem um pouco incomodado com a decoração antiga; em segundo, não tinha um estilo pessoal nem fotografias de família para pendurar. Tampouco ligava para essa bobagem de "o escritório é o reflexo do homem" ou, se ligava, o homem era aquele mesmo. E terceiro, sempre achei que as quinquilharias conduziam à expressão individual. Existe algo na esterilidade e na organização que inibe a espontaneidade dos estudantes. Aquelas bugigangas pareciam acolher a liberdade de expressão dos meus alunos – o ambiente já é confuso e bagunçado, pareciam pensar, então que dano as minhas ideias ridículas poderiam causar?

Mas, acima de tudo, era porque eu tinha preguiça e não me importava.

Nós dois nos levantamos da grande mesa de carvalho e apertamos as mãos. Ela segurou a minha um segundo a mais do que o necessário, então a retirei com rapidez intencional. Não, isso não acontece o tempo todo. Mas acontece. Estou com 35 anos agora, mas, quando comecei aqui – o jovem professor de 20 e poucos –, isso ocorria com mais frequência. Lembra-se daquela cena de *Os caçadores da arca perdida* em que uma aluna escrevia "te amo" nas pálpebras? Algo parecido aconteceu comigo no meu primeiro semestre. Só que o pronome não era "te", mas "me", e o verbo começava com C. Não me gabo disso. Nós, professores, estamos numa posição de muito poder. Os homens que caem nessa ou acreditam ser, de alguma forma, dignos dessa atenção (sem querer ser sexista, mas quase sempre são homens) em geral são mais inseguros e carentes do que qualquer aluna com complexo de Édipo.

Quando me sentei à espera do próximo aluno, olhei para o computador no lado direito da mesa. O protetor de tela da faculdade estava ativo. Era algo tipicamente universitário, acho. À esquerda, havia uma exibição de slides da vida no campus, jovens de todas as raças, religiões, credos e gêneros se divertindo, interagindo uns com os outros, com os professores, fazendo atividades extracurriculares. O banner no alto mostrava a logo da universidade e os prédios mais famosos, inclusive a prestigiosa capela Johnson, uma versão em grande escala daquela onde eu vira Natalie se casar.

Na parte direita da tela, via-se um *feed* de notícias da instituição.

– E aí, professor, como vão as coisas? – perguntou Barry Watkins, o próximo aluno da fila, ao entrar.

Nesse mesmo instante, vi um obituário entre as notícias que me fez parar.

– Oi, Barry – falei, com os olhos ainda na tela – Sente-se.

Ele obedeceu e pôs os pés em cima da mesa. Sabia que eu não me incomodava. Barry vinha todas as semanas. Conversávamos sobre tudo e nada. Suas visitas eram mais uma espécie de terapia do que qualquer outra coisa que tivesse a ver com o universo acadêmico, mas por mim estava perfeitamente bem.

Olhei mais de perto para o monitor. O que me fizera parar tinha sido a fotografia do falecido, do tamanho de um selo. Não o reconheci – não àquela distância –, mas parecia jovem. De certa forma, isso não era incomum nos obituários. Muitas vezes a faculdade, em vez de conseguir uma foto recente, escaneava a do anuário. No entanto, mesmo com uma olhada rápida, pude ver que esse não era o caso. O corte de cabelo não era dos anos 1960 ou 1970. A foto não era em preto e branco, como eram as dos anuários até 1989.

Entretanto, somos uma faculdade pequena, mais ou menos uns quatrocentos alunos por curso. A morte não era incomum, mas, talvez por causa do tamanho da instituição ou pela minha ligação com ela, tanto como estudante quanto como professor, sempre me senti envolvido de alguma forma quando alguém morria.

– Ei, professor?

– Um segundo, Barry.

Eu estava tomando o tempo dele. Uso um cronômetro portátil que imita um placar, desses que se vê nas quadras de basquete, com gigantescos números vermelhos. Um amigo tinha me dado de presente, achando que, por causa do meu tamanho, eu devia ter sido jogador de basquete. Nunca joguei, mas adorava o relógio. Estava automaticamente ajustado para uma contagem regressiva de nove minutos e agora marcava 8:49.

Cliquei na pequena foto. Quando ela abriu, ficando maior, consegui conter um arquejo.

O nome do morto era Todd Sanderson.

Eu havia bloqueado o último nome de Todd da memória – o convite dizia apenas "Casamento de Todd e Natalie!" –, mas conhecia aquele rosto. Não tinha mais a barba. Na foto, ele aparecia barbeado, com o cabelo raspado à máquina. Perguntei-me se teria sido por influência de Natalie – ela sempre reclamava que minha barba malfeita irritava sua pele – e depois me espantei por estar pensando numa coisa tão idiota.

– O tempo está passando, profe.

– Um segundo, Barry. E não me chama de profe.

A notícia dizia que Todd tinha 42 anos. Era um pouco mais velho do que eu imaginava. Natalie tinha 34, um ano a menos que eu. Achei que ele tivesse uma idade mais próxima da nossa. Segundo o obituário, havia sido um ponta de linha ofensivo no time de futebol e ficara entre os finalistas na seleção para a bolsa Rhodes. Impressionante. Formou-se com louvor no departamento de História, fundou uma instituição de caridade chamada Novo Começo e, durante o último ano de curso, fora presidente da Psi U, minha fraternidade.

Todd não só era ex-aluno da minha faculdade como também tínhamos sido da mesma fraternidade. Como eu não sabia de nada disso?

Havia mais, muito mais... Porém fui para a última linha:

> O enterro será domingo em Palmetto Bluff, Carolina do Sul, perto de Savannah, Geórgia. Sr. Sanderson deixa esposa e dois filhos.

Dois filhos?

– Professor Fisher?

Havia algo estranho na voz de Barry.

– Desculpe, eu só estava...

– Não, cara, não tem problema. Você está bem?

– Sim, tudo bem.

– Tem certeza? Você está branco, cara. – Barry pôs os pés no chão e as mãos sobre a mesa. – Escute, posso voltar outra hora.

– Não.

Tirei os olhos do monitor. Aquilo teria que esperar. O marido de Natalie morrera jovem. Era triste, trágico até, mas isso não tinha nada a ver comigo. Não era motivo para cancelar o trabalho ou causar um inconveniente aos meus alunos. É claro que eu havia ficado muito surpreso, não só com a morte de Todd, mas também com o fato de ele ter estudado na mesma universidade que eu. Era uma coincidência um tanto bizarra, acho, mas nenhuma revelação capaz de destruir o mundo.

Talvez Natalie gostasse dos caras de Lanford.

– Então, o que me conta? – perguntei a Barry.

– Você conhece o professor Byrner?

– Claro.

– Ele é um idiota.

Era verdade, mas eu não podia dizer aquilo.

– Qual é o problema?

Não tinha visto a causa da morte no obituário. Muitas vezes as notícias do campus não informavam. Mais tarde eu olharia outra vez. Se não estivesse lá, talvez pudesse encontrar um obituário mais completo na internet.

Mas por que eu iria querer saber mais? Que diferença fazia?

Era melhor ficar longe daquilo.

De todo modo, isso teria que esperar até o fim do horário de atendimento. Terminei com Barry e segui em frente. Tentava deixar de lado os pensamentos sobre o obituário e me concentrar nos alunos. Eu não estava me sentindo bem, mas eles não notavam. Em geral não conseguem imaginar que os professores têm suas próprias vidas, da mesma forma que não podem conceber os pais fazendo sexo. Por um lado, aquilo era bom. Por outro, sempre os faço lembrar que devem olhar para além de si mesmos. Uma característica da condição humana é que todos pensamos que somos singularmente complexos, ao passo que os outros são mais fáceis de compreender. Não é verdade, claro. Todos têm seus sonhos, esperanças, vontades, desejos e mágoas. Todos têm um tipo próprio de loucura.

Minha cabeça flutuava. O tempo parecia se arrastar, como se eu fosse o aluno mais entediado na aula mais chata de todas. Quando deram cinco horas, voltei à tela do computador. Encontrei o obituário completo de Todd Sanderson.

Nada. Não diziam a causa da morte.

Curioso. Às vezes era possível encontrar uma pista na área de doações sugeridas. Podiam pedir que, em vez de mandar flores, as pessoas fizessem uma doação à Sociedade Americana Contra o Câncer ou algo do gênero. Mas não havia nada do tipo. Também não tinha nenhuma referência à ocupação de Todd, mas e daí?

A porta da sala se abriu e Benedict Edwards, professor do departamento de Ciências Humanas e meu amigo mais próximo, entrou. Não se deu o trabalho de bater, mas nunca precisou fazer isso. Nós nos encontrávamos às sextas, às cinco horas, e íamos a um bar onde, quando estudante, eu trabalhara como segurança. Na época era novo, reluzente e moderno. Agora estava velho e decadente.

Na aparência, Benedict era praticamente o oposto de mim: baixo, de ossatura fina e afrodescendente. Os olhos eram aumentados por óculos com lentes grossas, parecidos com os de proteção usados no departamento de Química. Apollo Creed, do filme *Rocky*, devia ser a inspiração para seu bigode grande demais e para o corte de cabelo afro, meio afetado. Ele tinha dedos finos, como os de uma mulher que tocasse piano e pés de causar inveja a uma bailarina – e nem mesmo um cego poderia confundi-lo com um lenhador.

Apesar disso tudo – ou talvez justamente por isso –, Benedict era um "matador" e pegava mais mulheres que um *rapper* com um sucesso nas rádios.

– Qual é o problema? – perguntou ele.

Abri mão de dizer "nada" ou de perguntar "como você sabe que há algum problema?" e fui direto ao ponto:

– Você já ouviu falar de Todd Sanderson?

– Acho que não. Quem é?

– Um ex-aluno. Seu obituário está nas notícias.

Virei o monitor para ele. Benedict ajustou os óculos.

– Não o conheço. Por quê?

– Você se lembra da Natalie?

Uma sombra cruzou seu rosto.

– Não ouço você falar no nome dela desde...

– Eu sei, eu sei. Enfim, esse é... ou era... o marido dela.

– O cara por quem ela trocou você?

– Sim.

– E agora ele está morto?

– Parece que sim.

– Então – disse Benedict, arqueando uma sobrancelha –, ela está solteira de novo?

– Como você é sensível.

– Estou preocupado. Você é o meu melhor companheiro de farra. Eu tenho um papo que as mulheres adoram, claro, mas você é boa-pinta. Não quero perder sua companhia.

– Que sensível – repeti.

– Você vai ligar para ela?

– Para quem? – perguntei.

– Condoleezza Rice. De quem você acha que estou falando? Natalie.

– Sim, claro. E dizer algo como: "Ei, o cara por quem você me trocou morreu. Vamos pegar um cinema?"

Benedict estava lendo o obituário.

– Espera.

– O quê?

– Aqui diz que ela tem dois filhos.

– E daí?

– Isso complica um pouco as coisas.

– Quer parar?

– Estamos falando de dois filhos. Ela pode estar gorda agora. – Benedict olhou para mim com seus olhos enormes. – Então, como será a aparência de Natalie hoje em dia? Dois filhos. Deve ter encorpado, não?

– Como é que eu vou saber?

– Ué, como todo mundo. Pelo Google, Facebook, essas coisas.

Balancei a cabeça.

– Nunca fiz isso.

– O quê? Todo mundo faz isso. Caramba, faço isso com todas as minhas ex-namoradas.

– E a internet consegue suportar todo esse tráfego?

Benedict sorriu.

– Preciso de um servidor só para mim.

Mas havia algo triste por trás daquele sorriso. Lembrei-me de uma vez num bar, quando Benedict bebeu mais que de costume e peguei-o olhando para uma fotografia meio amassada que mantinha escondida na carteira. Perguntei quem era. "A única garota que amei", respondeu-me ele, com a voz arrastada. Depois tornou a guardar a foto atrás do cartão de crédito e, apesar das minhas insinuações, nunca mais disse uma palavra sobre o assunto.

Ele dera esse mesmo sorriso naquela ocasião.

– Prometi a Natalie – falei.

– Prometeu o quê?

– Que os deixaria em paz. Que nunca os procuraria nem os incomodaria.

Benedict ficou pensando naquilo.

– Parece que você cumpriu a promessa, Jake.

Eu não disse nada. Benedict havia mentido. Ele não procurava os perfis das ex-namoradas no Facebook ou, se o fazia, não era com muito entusiasmo. Uma vez, porém, quando entrei em sua sala – assim como ele, eu nunca batia –, vi-o usando o Facebook. Dei uma olhada rápida e notei que estava no perfil da mesma mulher cuja foto ele levava na carteira. Benedict fechou o navegador depressa, mas aposto que visitava muito aquela página. Todo dia, talvez. Aposto que via todas as fotos novas da única mulher que amara. Aposto que acompanhava sua vida agora, espiava a família dela, o homem que dividia sua cama. E devia olhar para eles da mesma forma que tinha fitado a fotografia na carteira. Não tenho provas de nada disso, é só um palpite, mas não acho que esteja muito longe da verdade.

Como falei antes, todos temos as nossas loucuras.

– O que você está tentando dizer? – perguntei.

– Só estou falando que toda essa história de "eles" acabou.

– Natalie não faz parte da minha vida há muito tempo.

– Você acredita mesmo nisso? – perguntou Benedict. – Ela também fez você prometer se esquecer do que sentia?

– Pensei que você estivesse com medo de perder seu melhor parceiro.

– Você não é tão boa-pinta assim.

– Seu filho da mãe.

Ele se levantou.

– Nós, professores de humanas, sabemos de tudo.

Então, Benedict me deixou sozinho. Levantei-me e fui até a janela. Olhei para o gramado. Observei os alunos caminhando e, como costumava fazer diante de um problema, perguntei-me que conselho daria a um deles se estivesse no meu lugar. De repente, sem aviso, veio tudo à tona de uma vez só – a capela branca, o penteado dela, o jeito como mostrou o dedo anular, todo o sofrimento, a ausência, as emoções, o amor, a dor. Meus joelhos falsearam. Eu achava que tinha deixado de gostar dela. Natalie me destruíra, mas eu havia recolhido os pedaços, colado outra vez e seguido em frente.

Era idiota ter esses pensamentos agora. Além de egoísta e inapropriado. Ela acabara de perder o marido e eu, imbecil, estava preocupado com as implicações que isso teria para mim. Deixe para lá, disse a mim mesmo. Esqueça Natalie e toda essa história. Siga em frente.

Mas eu não conseguia. Não era da minha natureza.

Tinha visto Natalie pela última vez num casamento. Agora a veria num funeral. Algumas pessoas perceberiam certa ironia nisso – eu não era uma delas.

Voltei para o computador e reservei um voo para Savannah.

capítulo 3

O PRIMEIRO SINAL DE QUE HAVIA alguma coisa errada foi durante o elogio fúnebre.

Palmetto Bluff estava mais para um condomínio gigante com guarita do que para uma cidade. O "vilarejo" recém-construído era bonito, limpo, bem cuidado, historicamente preciso – tudo isso dava ao lugar um ar de esterilidade, uma sensação de falsidade, como no Epcot Center da Disney. Tudo parecia perfeito demais. A reluzente capela branca – sim, mais uma – se erguia sobre um morro tão pitoresco que parecia uma foto. O calor, no entanto, era bem real – uma coisa viva, que emanava uma umidade tão densa que parecia uma cortina de fumaça.

Outro efêmero momento de lucidez me fez questionar o que eu estava fazendo ali, mas descartei-o. Já estava lá mesmo, o que tornava a pergunta inútil. O hotel de Palmetto Bluff parecia um cenário cinematográfico. Entrei no bar bonitinho e pedi um uísque puro a uma garçonete bonitinha.

– Você veio para o funeral? – perguntou ela.

– Sim.

– Trágico.

Assenti e olhei para a minha bebida. A garçonete bonitinha entendeu a dica e não disse mais nada.

Orgulho-me de ser um homem esclarecido. Não acredito em fatalidade, destino ou em nenhuma dessas superstições bobas. No entanto, ali estava, justificando minha conduta impulsiva precisamente dessa maneira. Eu *devia* estar aqui, disse a mim mesmo. Fui forçado a pegar aquele voo. Não sabia por quê. Tinha visto com meus próprios olhos Natalie se casando com outro homem, e ainda assim, mesmo agora, não conseguia aceitar aquilo. Sentia necessidade de um desfecho. Seis anos antes, Natalie me dera o fora com um bilhete dizendo que ia se casar com o ex-namorado. No dia seguinte, recebi um convite para o casamento. Não era de espantar que isso tudo ainda parecesse... incompleto. Agora eu estava ali, na esperança de encontrar, se não um encerramento, uma conclusão.

É impressionante como conseguimos racionalizar tudo quando queremos muito alguma coisa.

Mas o que exatamente eu queria ali?

Terminei a bebida, agradeci à garçonete bonitinha e, cauteloso, me dirigi à capela. Mantive-me afastado, é claro. Eu podia ser horrível, insensível e estar movido por um interesse pessoal, mas não a ponto de incomodar uma viúva enterrando o marido. Fiquei atrás de uma árvore – um palmiteiro, é claro –, sem ousar sequer dar uma espiada nos presentes.

Ao ouvir o hino fúnebre de abertura, percebi que o caminho estava tão livre quanto seria possível. Uma olhada rápida confirmou essa impressão. Todos se encontravam dentro da capela. Fui até lá. Um coral gospel cantava. Em uma palavra, era magnífico. Sem saber muito bem o que fazer, tentei abrir a porta, vi que não estava trancada (óbvio) e empurrei-a. Baixei a cabeça ao entrar, colocando a mão no rosto como se estivesse me coçando.

Foi um disfarce horrível, eu sei.

Nem havia necessidade. A capela estava lotada. Fiquei no fundo, com os que haviam chegado atrasados e não encontraram lugar para sentar. O coral terminou de cantar e um homem – não sei se era pastor, sacerdote ou o quê – subiu ao púlpito. Começou a falar sobre como Todd era "um médico atencioso, bom vizinho, amigo generoso e um maravilhoso pai de família". Médico. Não sabia disso. O homem salientou as qualidades de Todd – a caridade, a personalidade carismática, o coração generoso, a capacidade de fazer qualquer um se sentir especial, a disponibilidade para arregaçar as mangas e começar a trabalhar sempre que alguém, fosse amigo ou desconhecido, precisasse de ajuda. Considerei aquilo um discurso fúnebre padrão – temos o hábito de supervalorizar os mortos –, mas via as lágrimas nos olhos dos presentes, a forma como assentiam a cada palavra, como se fosse uma canção que só eles pudessem ouvir.

De minha posição lá no fundo, tentei vislumbrar Natalie lá na frente, mas havia muitas cabeças no caminho. Não queria chamar atenção, então parei. Além disso, eu já tinha entrado na capela, dado uma olhada e ouvido palavras elogiosas sobre o falecido. Não era o bastante? O que mais havia para eu fazer ali?

Era hora de partir.

– Nosso primeiro discurso – disse o homem no púlpito – será de Eric Sanderson.

Um adolescente pálido – calculei que tivesse uns 16 anos – se levantou e foi até o púlpito. Meu primeiro palpite foi de que Eric devia ser sobrinho de Todd Sanderson (e, por extensão, de Natalie), mas esse pensamento se mostrou errado assim que o garoto começou a falar.

– Meu pai foi meu herói...

Pai?

Precisei de alguns segundos. Nosso cérebro costuma ter dificuldade de retornar depois que toma determinado caminho. Quando era criança, meu pai me contou uma charada achando que eu fosse gostar. "Pai e filho sofrem um acidente de carro. O pai morre. O garoto é levado às pressas para o hospital. Quem está de plantão diz: 'Não posso operar esse menino. Ele é meu filho.' Como pode ser?" É isso que quero dizer com os caminhos do cérebro. Para a geração do meu pai, essa charada devia ser difícil, mas, para as pessoas da minha idade, a resposta – quem estava de plantão era a mãe do garoto – era tão óbvia que me lembro de soltar uma gargalhada.

Aquela era uma situação parecida. Eu me perguntava como um homem que só estava casado com Natalie havia seis anos podia ter um filho adolescente. Resposta: Eric era filho só de Todd, não dela. Ou ele já fora casado ou no mínimo tivera um filho com outra mulher.

Mais uma vez tentei ver Natalie na primeira fila. Entortei o pescoço, mas a mulher ao meu lado soltou um suspiro exasperado por eu estar invadindo seu espaço. Lá no púlpito, o filho de Todd, Eric, estava arrasando. Falava bonito e com emoção. Não havia um par de olhos secos na capela, exceto o meu.

E agora? Ficaria ali? Daria os pêsames à viúva, deixando-a confusa e perturbando seu luto? E quanto a mim, esse egoísta? Queria de fato ver o rosto dela outra vez? Queria vê-la chorando a perda do amor da sua vida?

Melhor não. Olhei para o relógio. Tinha reservado o voo de volta para aquela noite. Sim, bate e volta. Simples e fácil, nada de passar a noite e gastar com hotel. Um desfecho econômico.

Havia os que diziam o óbvio sobre mim e Natalie – que eu idealizara nosso tempo juntos de maneira irracional. Entendo. Sendo objetivo, percebo que esse argumento é válido. Mas o coração não é objetivo. Eu, que venerava os grandes pensadores, teóricos e filósofos do nosso tempo, nunca me rebaixaria a usar um axioma tão batido quanto *eu apenas sei*. Mas eu *sei mesmo*. Sei o que Natalie e eu fomos. Vejo claramente, sem o menor borrão, e por isso não consigo avaliar o que nos tornamos.

Resumindo, ainda não entendo o que aconteceu entre nós.

Quando Eric terminou e voltou a se sentar, o som de soluços baixinhos ecoou pela reluzente capela branca. O clérigo que presidia o funeral retornou ao púlpito e fez o gesto universal de "de pé, por favor". A congregação começou a se levantar e aproveitei para sair. Fiz o caminho de volta até o palmiteiro. Encostei-me no tronco, ficando fora de vista para os que estavam na capela.

– Você está bem?

Virei-me e vi a garçonete bonitinha.

– Sim, estou bem, obrigado.

– Grande homem, o doutor.

– É – falei.

– Vocês eram próximos?

Não respondi. Minutos depois, as portas da capela se abriram. O caixão foi empurrado para fora, ao sol forte. Quando chegou perto do carro funerário, os responsáveis por carregá-lo, entre eles o filho, Eric, cercaram-no. Uma mulher usando um grande chapéu preto vinha atrás. Tinha o braço em torno de uma garota de cerca de 14 anos. A seu lado, vinha um homem alto. Ela se apoiou nele. Achei que deviam ser o irmão e a irmã, mas era apenas um palpite. O caixão foi erguido e colocado na traseira do carro funerário. A mulher de chapéu preto e a garota foram levadas até a primeira limusine. O possível irmão alto abriu a porta para elas. Eric entrou em seguida. Fiquei observando o restante dos presentes começar a sair.

Nenhum sinal de Natalie ainda.

Achei só um pouco estranho. Já tinha visto as duas situações. Às vezes a esposa era a primeira a sair, atrás do caixão, com uma das mãos sobre ele. Em outras ocasiões era a última, esperando que a capela esvaziasse antes de enfrentar o caminho até a porta. Lembro que minha mãe não quis falar com ninguém no funeral do meu pai. Saiu por uma porta lateral para evitar encontrar a família e os amigos.

Eu observava as pessoas saindo. Seu sofrimento, como o calor do sul, havia se tornado uma coisa viva. Era sincero e palpável. Não estavam ali só por cortesia. Gostavam daquele homem. Estavam abaladas com sua morte. O que eu esperava? Que Natalie tivesse me trocado por um perdedor? Não era melhor tê-la perdido para esse médico adorado em vez de um sedutor cretino?

Boa pergunta.

A garçonete ainda estava parada ao meu lado.

– Como ele morreu? – sussurrei.

– Você não sabe?

Balancei a cabeça. Silêncio. Virei-me para ela.

– Assassinado – falou.

A palavra ficou suspensa no ar úmido, recusando-se a ir embora. Eu a repeti:

– Assassinado?

– Sim.

Abri a boca, fechei-a, tentei outra vez.

– Como? Quem?

– Foi baleado, acho. Não tenho certeza sobre essa parte. A polícia ainda não sabe quem foi. Acham que foi um assalto frustrado. Você sabe, o cara invadiu a casa sem saber que tinha gente lá.

Senti um torpor. Todas as pessoas tinham saído da capela. Olhei fixamente para a porta e esperei Natalie aparecer.

Mas isso não aconteceu.

O homem que havia presidido a cerimônia saiu, fechando a porta atrás de si. Ele acomodou-se no banco da frente do carro funerário, que deu a partida. A primeira limusine o seguiu.

– Tem alguma saída lateral? – perguntei.

– O quê?

– A capela. Tem outra porta?

Ela franziu a testa.

– Não. Só essa.

O cortejo se pôs em movimento. Onde estava Natalie?

– Você não vai ao cemitério? – perguntou-me a garçonete.

– Não – respondi.

Ela pôs a mão no meu braço.

– Parece que você está precisando de um drinque.

Não havia o que discutir. Fui meio que cambaleando atrás dela em direção ao bar e desabei no mesmo banco de antes. Ela me serviu outro uísque. Eu mantinha os olhos no cortejo, na porta da capela, na pequena praça da cidade.

Nada de Natalie.

– Meu nome é Tess.

– Jake – falei.

– Como você conheceu o Dr. Sanderson?

– Estudamos na mesma universidade.

– Sério?

– Sim. Por quê?

– Você parece mais novo.

– E sou. Ele já era ex-aluno.

– Ah, ok, faz sentido.

– Tess?

– Sim?

– Você conhece a família do Dr. Sanderson?

– O filho dele, Eric, namorou minha sobrinha. É um bom garoto.

– Quantos anos ele tem?

– Dezesseis, talvez 17. Que tragédia. Ele e o pai eram muito ligados.

Não sabia como tocar no assunto, então fui direto:

– Você conhece a esposa do Dr. Sanderson?

Tess inclinou a cabeça de lado.

– Você não conhece?

– Não – menti. – Nunca a encontrei. Só nos conhecíamos de alguns eventos na universidade. Ele ia sozinho.

– Você parece muito comovido para um cara que só o conhecia de alguns eventos na universidade.

Não sabia como responder àquilo, então protelei, tomando um grande gole de uísque. Em seguida falei:

– É que, bem, não a vi no funeral.

– Como sabe?

– O quê?

– Você acabou de dizer que não a conhece. Como saberia?

Cara, não sou mesmo bom nisso.

– Vi umas fotos.

– Não deviam ser boas.

– Como assim?

– Ela estava lá. Saiu logo depois do caixão, com Katie.

– Katie?

– A filha deles. Eric estava carregando o caixão. Depois o irmão do Dr. Sanderson saiu com Katie e Delia.

Lembrava-me delas, claro.

– Delia?

– A esposa do Dr. Sanderson.

Minha cabeça começou a rodar.

– Achei que o nome dela fosse Natalie.

Ela cruzou os braços e franziu a testa para mim:

– Natalie? Não. O nome dela é Delia. Ela e o Dr. Sanderson começaram a namorar ainda na época da escola. Cresceram aqui perto dessa rua. Estavam casados havia séculos.

Eu apenas a encarava.

– Jake?

– O quê?

– Tem certeza de que está no enterro certo?

capítulo 4

Fui PARA O AEROPORTO E PEGUEI o voo seguinte de volta para casa. O que mais eu podia fazer? Acho que poderia ter me aproximado da pobre viúva, ao lado da sepultura, e lhe perguntado por que, seis anos antes, seu adorado e falecido marido havia se casado com o amor da minha vida. Mas, naquele momento, isso pareceu inadequado. Sou um cara muito sensível.

Assim, com uma passagem não reembolsável – e um salário de professor –, tendo que dar aula no dia seguinte, além do atendimento aos alunos, entrei relutante num desses aviões comerciais, pequenos demais para caras do meu tamanho, dobrando as pernas de um jeito que os joelhos quase encostavam no queixo, e voltei para Lanford. Moro no campus, num alojamento impessoal de tijolos desbotados. Com um pouco de generosidade, a decoração poderia ser chamada de "funcional". Era limpo e confortável, com um desses conjuntos de estofados encontrados em lojas de beira de estrada. O efeito geral, na minha opinião, era mais patético do que feio, mas isso pode ser apenas o que digo a mim mesmo. A pequena cozinha tinha micro-ondas e forno elétrico – havia um forno convencional também, mas acho que nunca o usei – e a máquina de lavar louça estava sempre com defeito. Como não é difícil imaginar, não recebo muita gente em casa.

Isso não quer dizer que eu não namore nem tenha relacionamentos sérios. Mas a maioria dessas relações têm prazo de validade de três meses. Alguns poderiam achar significativo o fato de eu e Natalie termos ficado juntos pouco mais de três meses, mas eu não acho. Não vivo com dor de cotovelo. Não choro antes de dormir nem nada disso. Digo a mim mesmo que já superei. Mas sinto um vazio, por mais sentimental que isso possa parecer. E – gostem ou não – ainda penso nela todos os dias.

E agora?

O homem que havia se casado com a mulher dos meus sonhos era, ao que tudo indicava, casado com outra – sem contar que agora estava morto. Em outras palavras, Natalie não estava no funeral do marido. Isso parecia exigir algum tipo de reação da minha parte, não?

Lembrei-me da promessa que fizera seis anos antes. Natalie tinha dito: "Prometa que vai nos deixar em paz." *Nos.* Não a ele ou a ela. Nós. Mesmo com o risco de parecer frio e excessivamente literal, não havia mais "nós".

Todd estava morto. Isso queria dizer que a promessa (se é que ela ainda existia, uma vez que não havia mais "nós") deveria ser considerada nula e sem efeito.

Liguei meu computador velho e digitei Natalie Avery na ferramenta de busca. Apareceu uma lista de links. Comecei a abri-los, mas logo desanimei. A antiga página de sua galeria ainda mostrava algumas pinturas. Nada havia sido acrescentado em... bem, seis anos. Encontrei alguns artigos sobre inauguração de exposições e coisas assim, mas também era tudo antigo. Cliquei no botão de mais resultados. Havia duas entradas de um catálogo de endereços. Um era de uma mulher chamada Natalie Avery, de 79 anos, casada com um homem chamado Harrison. A outra tinha 66, e o marido se chamava Thomas. Havia ocorrências comuns que podemos encontrar para quase qualquer nome – sites de genealogia, páginas de colégios e de ex-alunos de universidade, esse tipo de coisa.

Mas, no fim das contas, não encontrei nada de relevante.

O que teria acontecido com a minha Natalie?

Resolvi procurar Todd Sanderson no Google e ver o que conseguia descobrir. Ele de fato era médico – cirurgião, mais especificamente. Impressionante. O consultório ficava em Savannah, Geórgia, e ele era membro do Memorial University Medical Center. Sua especialidade era cirurgia plástica. Eu não sabia dizer se isso significava a solução de casos sérios de lábio leporino ou apenas implantes de silicones nos seios. Também não sabia que importância isso poderia ter. O Dr. Sanderson não se interessava muito por redes sociais. Não tinha conta no Facebook, no LinkedIn ou no Twitter.

Havia algumas menções a Todd Sanderson e a esposa, Delia, em vários eventos de uma obra de caridade chamada Novo Começo, mas a maioria delas forneceu pouquíssimas informações. Tentei fazer uma busca com o nome dele e de Natalie. Não consegui nada. Recostei-me e pensei por um instante. Depois me inclinei para a frente e pesquisei o filho, Eric Sanderson. Ele era só um garoto, então achei que não encontraria muita coisa, mas ele devia ter um perfil no Facebook. Comecei por ali. Era comum que adultos optassem por não ter uma conta no Facebook, mas ainda não encontrei um estudante que não estivesse na rede.

Em poucos minutos encontrei: Eric Sanderson, Savannah, Geórgia.

A foto do perfil, muito comovente, mostrava Eric com o falecido pai, Todd. Os dois tinham sorrisos largos e tentavam segurar alguma espécie de peixe enorme e pesado. Pai e filho pescando, imaginei, sentindo uma pontada típica de quem quer ser pai. O sol se punha atrás deles, os rostos na sombra, mas era possível sentir a alegria irradiando pela tela do computador. Um pensamento estranho me ocorreu.

Todd Sanderson era um bom homem.

Sim, era apenas uma fotografia e sei como as pessoas podem fingir sorrisos ou cenários familiares completos, mas senti bondade ali.

Examinei o restante das fotos de Eric. A maioria era dele com os amigos – afinal, ele era um adolescente! – na escola, em festas, eventos esportivos, etc. Por que hoje em dia todo mundo faz biquinho ou sinais com as mãos para tirar foto? O que isso significa? Pensamento idiota, mas a mente vai aonde quer.

Havia um álbum intitulado apenas FAMÍLIA, com fotos de vários anos. Eric era bebê em algumas. A irmã também aparecia. Depois tinha a viagem à Disney, outras pescarias de férias, jantares de família, cerimônia de crisma, jogos de futebol. Vi tudo.

Todd não aparecia de cabelo comprido em nenhuma delas. E estava sempre de barba feita.

O que isso significava?

Eu não tinha ideia.

Cliquei no mural de Eric, ou seja lá como se chama aquela página principal. Havia dezenas de mensagens de condolências.

> Seu pai era o melhor, sinto muito.

> Se houver alguma coisa que eu possa fazer...

> Descanse em paz, Dr. S. Você era o máximo.

> Nunca vou me esquecer de quando seu pai cuidou da minha irmã.

Depois vi uma que me fez parar:

> Que tragédia mais sem sentido. Nunca vou entender a crueldade dos seres humanos.

Cliquei em "mostrar postagens mais antigas". Depois de seis publicações, encontrei uma que me chamou atenção:

Espero que peguem o infeliz que fez isso e acabem com ele.

Abri uma ferramenta de busca e tentei descobrir mais sobre o caso. Não demorei a deparar com um artigo:

HOMICÍDIO EM SAVANNAH
Cirurgião local assassinado

Popular cirurgião e filantropo local, o Dr. Todd Sanderson foi morto em casa, na noite de ontem. A polícia acredita que foi um assalto frustrado.

Alguém tentou abrir a porta, mas estava trancada. Ouvi o barulho do capacho sendo levantado – com uma originalidade ímpar, escondo a chave reserva embaixo dele. Logo em seguida a tranca foi acionada e a porta se abriu. Benedict entrou.

– Ei – disse ele. – Surfando na internet para ver pornografia?

Franzi a testa.

– Ninguém mais usa a palavra "surfando".

– Sou das antigas. – Benedict foi até a geladeira e pegou uma cerveja. – Como foi a viagem?

– Surpreendente – respondi.

– Conte tudo.

Contei. Benedict era um ótimo ouvinte. Era do tipo que presta atenção em cada palavra, concentrado em você e em mais nada – e não interrompe. Isso não é forçado nem algo que guarde apenas para os amigos mais íntimos. As pessoas o fascinam. Eu diria que esse é o ponto forte de Benedict como professor, porém seria mais apropriado dizer que é seu ponto forte como conquistador. Mulheres solteiras dispensam muitas cantadas, mas nunca dão um fora em cara que realmente leva a sério o que elas dizem. Candidatos a garanhão, tomem nota.

Quando terminei, Benedict tomou um gole de cerveja.

– Uau. Quero dizer... uau. É tudo que posso falar.

– Uau?

– É.

– Você tem certeza de que não é professor de inglês?

– Você sabe – disse ele, devagar – que muito provavelmente existe uma explicação lógica para tudo isso, certo?

– Por exemplo?

Ele coçou o queixo.

– Talvez Todd seja um desses caras com mais de uma família, que uma não sabe sobre a outra.

– Hum?

– Devassos inescrupulosos que têm um monte de esposas e filhos. Uma mora em Denver, por exemplo; a outra, em Seattle. Ele divide o tempo entre elas, que não sabem de nada. Vemos isso no *Dateline* o tempo todo. São bígamos. Ou polígamos. E conseguem levar a farsa durante anos.

Fiz uma careta.

– Se essa é a sua explicação lógica, adoraria ouvir a absurda.

– Está certo. Mas o que você acha de ouvir a mais óbvia?

– A explicação mais óbvia?

– Sim.

– Vá em frente.

Benedict abriu os braços.

– Não é o mesmo Todd.

Não falei nada.

– Você não lembra o último nome dele, certo?

– Certo.

– Tem certeza de que é o mesmo homem? Todd não é o nome mais incomum do mundo. Pense nisso, Jake. Você vê uma foto seis anos depois, sua cabeça lhe prega uma peça e, *voilà*, você acha que é seu arqui-inimigo.

– Ele não é meu arqui-inimigo.

– *Não era* seu arqui-inimigo. Ele morreu, lembra? Isso o coloca no passado. Mas, sério, você quer a explicação mais óbvia? – ele se inclinou para a frente. – Tudo isso não passa de um caso de homônimos.

É claro que eu já havia pensado nisso. Tinha até considerado a hipótese da bigamia. As duas faziam mais sentido que... O quê? Que outra explicação poderia haver, fosse ela óbvia, lógica ou absurda?

– E aí? – perguntou Benedict.

– Faz sentido.

– Viu?

– Esse Todd Sanderson, médico, parecia diferente do Todd de Natalie. O cabelo era mais curto. O rosto bem barbeado.

– O que eu falei?

Olhei para o lado.

– Que foi?
– Não sei se acredito nisso.
– Por que não?
– Para começar, ele foi assassinado.
– E daí? No máximo isso apoia a teoria da poligamia. Ele conheceu a garota errada e fim de papo.
– Ora, convenhamos, você não acredita mesmo que essa seja a explicação.
Benedict se recostou. Apertou o lábio inferior entre os dedos.
– Ela trocou você por outro homem.
Esperei que ele dissesse mais alguma coisa. Como não o fez, falei:
– Sim, doutor. Óbvio, isso eu sei.
– Foi difícil para você. – Ele parecia triste agora, nostálgico. – Eu entendo. Entendo melhor do que você imagina.
Pensei na fotografia, no amor que ele perdera, em como tantas pessoas andam por aí com algum tipo de mágoa e nunca demonstram.
– Vocês dois estavam apaixonados – continuou ele. – Então você não consegue aceitar isto: como ela pôde trocar você por outro?
Franzi a testa outra vez, mas sentia um aperto no peito.
– Você tem certeza de que não é professor de psicologia?
– Você quer tanto isso, essa segunda chance, a oportunidade de redenção, que não consegue enxergar a verdade.
– E que verdade é essa, Benedict?
– Ela se foi – disse ele, apenas. – Largou você. Nada vai mudar isso.
Engoli em seco, tentando aceitar aquela realidade cristalina.
– Acho que não é só isso.
– Como assim?
– Não sei – admiti.
Benedict pensou por um momento.
– Mas vai tentar descobrir, não vai?
– Sim – respondi. – Mas não hoje. E provavelmente nem amanhã.
Benedict deu de ombros, levantou-se e pegou outra cerveja.
– Então vamos em frente. Qual é o próximo passo?

capítulo 5

Eu não tinha a resposta para essa pergunta e já estava ficando tarde. Benedict sugeriu que fôssemos a um bar encher a cara. Achei que poderia ser uma ótima distração, mas tinha trabalhos para corrigir, então dispensei o convite. Consegui ler uns três até perceber que minha cabeça não estava ali e que naquele momento fazer isso não seria justo com meus alunos.

Preparei um sanduíche e joguei o nome de Natalie na internet de novo, dessa vez numa busca de imagens. Encontrei uma foto antiga dela, com uma pequena apresentação. A imagem mexeu comigo, então fechei. Achei também alguns de seus velhos quadros. Muitos eram das minhas mãos e do meu tronco. Lembranças dolorosas nunca chegam suavemente – elas arrombam a porta e entram todas ao mesmo tempo. A maneira como ela inclinava a cabeça, o sol entrando pela claraboia do estúdio, o ar de concentração em seu rosto, o sorriso brincalhão quando fazia um intervalo. Essas memórias quase faziam com que eu me contorcesse de dor. Sentia tanto a falta dela que o sofrimento ia muito além do físico. Durante seis anos eu havia bloqueado aquilo, mas, de repente, a saudade voltou numa enxurrada, com tanta força quanto no dia em que fizemos amor pela última vez, no chalé daquele retiro.

Droga.

Queria vê-la e não estava nem aí para as consequências. Se Natalie fosse capaz de olhar nos meus olhos mais uma vez e me dispensar, bem, eu lidaria com isso depois. Mas agora não. Não esta noite. No momento, só precisava encontrá-la.

Ok, devagar. Pense direito. O que preciso fazer? Primeiro, tenho que descobrir se Todd Sanderson é o Todd da Natalie. Havia muitas evidências que sugeriam, conforme Benedict tinha apontado de forma muito clara, que esse era um simples caso de homônimo.

Como comprovar ou invalidar essa hipótese?

Eu precisava saber mais sobre ele. Por exemplo, o que o Dr. Todd Sanderson, de Savannah, muito bem casado e pai de dois filhos, estaria fazendo num retiro para artistas, em Vermont, seis anos antes? Precisava ver mais fotos dele, pesquisar seu passado, começando por...

Começando por aqui. Em Lanford.

Era isso. A faculdade mantém o arquivo de cada aluno, que só pode ser acessado pelo próprio ou com sua permissão. Consultei o meu alguns anos atrás. No geral, não havia nada de relevante, mas, no meu primeiro ano, o professor de espanhol – disciplina que acabei abandonando – suspeitava que eu tivesse problemas de "adaptação" e que talvez fosse bom que eu visitasse o psicólogo da universidade. Isso era besteira, claro. Eu sou péssimo em espanhol – as línguas estrangeiras são meu calcanhar de aquiles acadêmico – e era permitido largar uma matéria no primeiro ano para manter a média. A observação estava com a própria letra do professor, o que de certa forma a tornava pior.

Aonde eu queria chegar?

Se eu conseguisse dar um jeito de ver a ficha de Todd, poderia haver alguma coisa nela que me dissesse algo a seu respeito. "Como o quê?", você poderia me perguntar. E eu responderia: "Não tenho a mínima ideia." Ainda assim, já era um começo.

E o que mais?

O óbvio: checar Natalie. Se a encontrasse ainda feliz e casada com Todd, deixaria tudo isso de lado imediatamente. Esse era o caminho mais direto, não era? Mas como fazer isso?

Continuei a pesquisa on-line, na esperança de encontrar um endereço ou uma pista, mas não havia nada. Sei que, em tese, temos toda a nossa vida registrada na internet hoje em dia, mas descobri que esse não era o caso. Se uma pessoa quisesse, poderia ficar à sombra. Era necessário esforço, mas de fato podia-se permanecer desconectado.

Mas por que alguém se daria esse trabalho?

Pensei em ligar para a irmã dela se encontrasse o número, mas o que iria dizer? "Oi, hum, aqui é Jake Fisher, ex-namorado da sua irmã. O marido da Natalie morreu?"

Seria um contato difícil.

Lembrava-me de ter ouvido uma conversa telefônica entre as duas, na qual Natalie dissera a Julie: "Espere só até você conhecer meu namorado maravilhoso..." De fato acabamos nos conhecendo. Mais ou menos. No casamento de Natalie com outro homem.

O pai já tinha morrido. Com a mãe eu teria o mesmo problema que com a irmã. Com os amigos de Natalie... também seria complicado. Tínhamos passado nosso tempo juntos em retiros de Kraftboro, Vermont. Eu estava lá para escrever minha dissertação de ciência política, e ela fazia suas obras de arte ali do lado, numa mistura de fazenda com retiro. Minha ideia era passar seis semanas. Fiquei o dobro desse tempo – primeiro porque conheci Natalie e segundo porque, depois disso, perdi a concentração no trabalho. Eu nunca visitara sua cidade natal, no norte de Nova Jersey, e ela só fora ao campus me ver uma vez, muito rapidamente. Nosso relacionamento tinha ficado naquela bolha em Vermont.

Quase posso vê-lo assentindo agora. Ah, você acha que isso explica tudo. Foi um romance de verão, construído num mundo de fantasia, sem responsabilidade nem realidade. Sob essas condições, é fácil para o amor e a obsessão florescerem sem fincar raízes, murchando e morrendo quando o frio de setembro chegasse. Natalie, sendo a mais intuitiva de nós dois, entendeu e aceitou essa verdade. Eu não.

Entendo esse sentimento. Só posso dizer que está errado.

O nome da irmã de Natalie era Julie Pottham. Seis anos antes, era casada e tinha um filho pequeno. Procurei-a na internet. Dessa vez não demorou muito. Morava em Ramsey, Nova Jersey. Anotei o número de telefone num pedaço de papel – como Benedict, eu também podia ser tradicional – e contemplei-o. Do lado de fora da janela, ouvia estudantes rindo. Era meia-noite. Tarde demais para telefonar. De qualquer forma, parecia melhor amadurecer aquela ideia. Nesse meio-tempo, tinha trabalhos a corrigir. Também precisava preparar uma aula para o dia seguinte. Havia uma vida para tocar.

◆ ◆ ◆

Nem adiantava tentar dormir. Concentrei-me no trabalho. A maioria dos textos era de um tédio estarrecedor, escrita para se encaixar nos critérios básicos exigidos por um professor do ensino médio. Eram alunos de primeira que sabiam escrever trabalhos para tirar "A+", bastava ver os parágrafos de abertura, as frases introdutórias, a argumentação, todo o aparato que torna um ensaio sólido e ridiculamente chato. Como já mencionei, minha tarefa é ensiná-los a pensar de forma crítica. Para mim, isso sempre foi mais importante do que fazê-los se lembrar das teorias específicas de filósofos como, por exemplo, Hobbes ou Locke. Queria não só que eles pensassem fora da caixa, mas que arrebentassem a caixa.

Alguns estavam conseguindo. A maioria ainda não. Mas se todos conseguissem de cara, qual seria o sentido do meu esforço?

Por volta das quatro da manhã, fui para a cama fingir que pegaria no sono. Não peguei. Às sete, havia decidido: ligaria para a irmã de Natalie.

Lembrei-me do sorriso robótico na capela branca, o rosto pálido, o modo como Julie me perguntou se eu estava bem, como se de fato entendesse. Ela poderia ser uma aliada.

Além do mais, o que eu tinha a perder?

Na noite passada estava muito tarde para ligar. Agora, era cedo demais. Tomei banho e me preparei para a aula de Estado de Direito, às oito horas, no prédio Vitale. Telefonaria para a irmã de Natalie assim que terminasse.

Achei que daria aula como um sonâmbulo. Claro que estava sonolento e, sejamos realistas, oito da manhã era muito cedo para a maioria dos alunos. Mas não naquele dia. A aula estava mais do que animada, os estudantes levantavam as mãos, argumentavam e contra-argumentavam com firmeza, mas sem animosidade. Não tomei partido. Apenas moderava e me admirava. A turma estava a mil. Em geral, durante a primeira aula, o relógio se arrastava. Mas nesse dia tive vontade de levantar a mão, agarrar aquele ponteiro idiota e impedi-lo de correr. Adorei cada momento. Os noventa minutos passaram voando e, mais uma vez, pensei em como era sortudo por ter esse trabalho.

Sorte no emprego, azar no amor. Ou algo assim.

Fui para a minha sala dar o telefonema. Parei na mesa da Sra. Dinsmore e a brindei com meu sorriso mais sedutor. Ela franziu a testa e perguntou:

– Isso funciona com as mulheres solteiras de hoje em dia?

– O quê? O sorriso de arrasar?

– É.

– Às vezes.

Ela balançou a cabeça.

– E dizem para a gente não se preocupar com o futuro! – A Sra. Dinsmore suspirou e ajeitou uns papéis. – Ok, finja que me deixou toda excitada e nervosa. O que você quer?

Tentei afastar a imagem dela "toda excitada e nervosa". Não foi fácil.

– Preciso dar uma olhada na ficha de um aluno.

– Tem a permissão dele?

– Não.

– Por isso o sorriso sedutor.

– Exatamente.

– É algum dos seus alunos atuais?

Abri de novo o sorriso.

– Não. Nunca foi meu aluno.

39

Ela arqueou uma sobrancelha.

– Na verdade, ele se formou há vinte anos.

– Você está brincando, não está?

– Pareço estar brincando?

– Na verdade, com esse sorriso, você parece que está com prisão de ventre. Qual é o nome do aluno?

– Todd Sanderson.

Ela se recostou e cruzou os braços.

– Não acabei de ler o obituário dele no *feed* de notícias?

– Sim.

A Sra. Dinsmore observou meu rosto. O sorriso havia desaparecido. Segundos depois, ela tornou a pôr os óculos de leitura e disse:

– Vou ver o que posso fazer.

– Obrigado.

Entrei na minha sala e fechei a porta. Não havia mais desculpas. Já eram quase dez da manhã. Peguei o pedaço de papel e olhei o número que tinha anotado na noite anterior. Segurei o telefone, apertei a tecla para conseguir uma linha de ligação externa e digitei.

Eu tinha ensaiado o que ia dizer, mas nada me parecera razoável. Então percebi que teria que improvisar. O telefone tocou duas vezes, depois três. Provavelmente Julie não iria atender. Ninguém mais atendia telefones fixos, ainda mais se o número fosse desconhecido. O identificador de chamadas mostraria Lanford College. Não sabia se isso a incentivaria ou desencorajaria a atender.

No quarto toque, alguém pegou o telefone. Segurei o aparelho com mais força e esperei. Uma mulher disse com voz hesitante:

– Alô?

– Julie?

– Quem fala, por favor?

– Aqui é Jake Fisher.

Silêncio.

– Fui namorado da sua irmã.

– Como é mesmo o seu nome?

– Jake Fisher.

– Nós nos conhecemos?

– Mais ou menos. Quero dizer, nós dois estávamos no casamento de Natalie...

– Não estou entendendo. Quem é você exatamente?
– Antes de Natalie se casar com Todd, ela e eu estávamos, hum... saindo juntos.

Silêncio.

– Alô? – insisti.
– Isso é alguma piada?
– O quê? Não. Em Vermont. Sua irmã e eu...
– Não sei quem você é.
– Você costumava falar muito com ela ao telefone. Cheguei a ouvi-las conversando sobre mim. Depois do casamento, você pôs a mão no meu braço e perguntou se eu estava bem.
– Não tenho ideia do que você está falando.

Eu segurava o fone com tanta força que tive medo de quebrá-lo.

– Como disse, Natalie e eu...
– O que você quer? Por que está me ligando?

Uau, essa era uma boa pergunta.

– Queria falar com a Natalie.
– O quê?
– Só queria ter certeza de que ela está bem. Vi o obituário de Todd e achei que talvez devesse me aproximar e, não sei, oferecer minhas condolências.

Mais silêncio. Deixei que durasse o máximo que consegui.

– Julie?
– Não sei quem você é nem do que está falando. Nunca mais ligue para cá. Entendeu? Nunca mais.

E então desligou o telefone.

capítulo 6

Tentei ligar outra vez, mas Julie não atendeu.

Eu não conseguia entender. Será que ela tinha mesmo se esquecido de mim? Parecia improvável. Será que a assustei ligando assim do nada? Não sabia. A conversa toda havia sido surreal e estranha. Se ela tivesse dito que Natalie não queria ouvir falar de mim ou que eu estava enganado, que Todd estava vivo, seria diferente. Mas ela nem sabia quem eu era.

Como isso era possível?

O que fazer agora? Em primeiro lugar, me acalmar. Respirar fundo. Precisava continuar nas duas frentes: descobrir a história do falecido Todd Sanderson e encontrar Natalie. A segunda tornava a primeira desnecessária. Se eu a encontrasse, ficaria sabendo de tudo. Perguntava-me como fazer isso. Já a tinha procurado na internet e não descobrira nada. A irmã também parecia não levar a lugar algum. O que fazer então? Eu não sabia, mas será que é tão difícil assim conseguir um endereço hoje em dia?

Tive uma ideia. Entrei na página do campus e chequei o horário dos professores. A professora Shanta Newlin tinha aula em uma hora.

Liguei para o ramal da Sra. Dinsmore.

– Você acha que consegui a ficha tão rápido assim?

– Não, não é isso. Você sabe onde está a professora Newlin?

– Ora, ora. O dia está ficando cada vez mais interessante. Você sabe que ela está noiva, certo?

Eu deveria ter adivinhado.

– Sra. Dinsmore...

– Não exagere na sua coleção de calcinhas. Ela está tomando café com os orientandos no Valentine.

Valentine era a cantina do campus. Fui até lá voando. Era estranho fazer isso. Um professor universitário tem que estar sempre atento. Manter a cabeça erguida. Sorrir ou acenar para os alunos. Lembrar-se do nome de todos. Andar pelo campus envolvia um reconhecimento estranho. Eu poderia dizer que não me importava com isso, mas confesso que gostava da atenção que recebia e a levava muito a sério. Então, mesmo naquele momento, apressado e ansioso, fiz questão de não decepcionar nenhum aluno.

Evitei passar pelos dois refeitórios principais, exclusivos para os estudantes. Os professores que às vezes preferiam se juntar a eles me pareciam um tanto desesperados. Havia limites, embora muitas vezes fossem vagos, frágeis e arbitrários. Mas ainda assim eu os estabelecia e me mantinha do meu lado. A professora Newlin, sempre elegante, fazia a mesma coisa, e era por isso que eu tinha certeza de que ela estaria em um dos refeitórios privados, reservados para esse tipo de interação professor-aluno.

Ela estava no refeitório Bradbeer. No campus, cada prédio, sala, cadeira, mesa, prateleira e azulejo recebia o nome de um benfeitor. Algumas pessoas implicavam com isso. Eu gostava. Aquela instituição coberta de heras era bastante isolada, como deveria ser. Não fazia mal deixar um pouco da realidade e da força do dinheiro entrar vez por outra.

Olhei pela janela. Shanta Newlin me viu e levantou um dedo para que eu esperasse um instante. Assenti e aguardei. Cinco minutos depois a porta se abriu e os alunos saíram. Quando eles se foram, Shanta disse:

– Venha comigo. Tenho que ir a um lugar.

Acompanhei-a. Shanta Newlin tinha um dos currículos mais impressionantes que eu já vira. Ela se formara em Stanford, com a bolsa Rhodes, e cursara direito em Colúmbia. Depois trabalhara para a CIA e para o FBI, antes de assumir uma subsecretaria de Estado no último governo.

– Então, o que foi?

Shanta era sempre direta. Logo que ela chegou ao campus, jantamos juntos. Não foi um encontro, mas um "vamos ver se queremos ter um encontro". Há uma diferença sutil. Depois do jantar, ela preferiu não seguir adiante e não fiquei chateado.

– Preciso de um favor – falei.

Shanta assentiu, um sinal para que eu fizesse meu pedido.

– Estou procurando uma pessoa. Amizade antiga. Já tentei todos os métodos normais: Google, ligar para a família, tudo. Não consigo o endereço.

– E você imaginou que, com meus antigos contatos, eu poderia ajudar.

– Mais ou menos – falei. – Na verdade, é exatamente isso.

– Qual é o nome dela?

– Não disse que era uma mulher.

Shanta franziu a testa.

– Nome?

– Natalie Avery – respondi.

– Quando foi a última vez que a viu ou soube de seu paradeiro?

– Há seis anos.

Shanta continuou caminhando em seu estilo militar – ereta, rígida e muito rápida.

– É ela, Jake?

– Como?

Seus lábios se abriram num pequeno sorriso.

– Sabe por que não quis seguir em frente depois do nosso primeiro encontro?

– Não foi bem um encontro – falei. – Foi mais "vamos ver se queremos ter um encontro".

– Como é que é?

– Deixe para lá. Imaginei que você não tivesse querido continuar porque não estivesse interessada.

– Imaginou errado. Foi isto que percebi naquela noite: você é um grande cara, engraçado, inteligente, tem um emprego fixo e lindos olhos azuis. Sabe quantos caras solteiros e héteros já conheci com todas essas características?

Como eu não sabia o que dizer, fiquei calado.

– Mas pude sentir. Talvez tenha a ver com o fato de eu ser uma detetive treinada. Observo a expressão corporal das pessoas. Procuro pequenos sinais.

– Pôde sentir o quê?

– Você era uma mercadoria danificada.

– Meu Deus, obrigado.

Ela deu de ombros.

– Certos homens arrastam uma asa por amores antigos, e alguns, não muitos, ficam completamente incapazes de voar. Isso os transforma em problemas para quem vem depois.

Não falei nada.

– E então, essa Natalie Avery que você de repente está desesperado para encontrar... É ela esse amor antigo?

Que sentido faria mentir?

– É.

Ela parou e me olhou.

– E dói muito?

– Você não faz ideia.

Shanta Newlin balançou a cabeça, afastando-se de mim.

– Até o final do dia terei o endereço dela para você.

capítulo 7

Na televisão, o detetive sempre volta à cena do crime. Ou, pensando bem, talvez seja o criminoso que faz isso. Não importa. Eu estava num beco sem saída, então tive a ideia de voltar ao lugar onde tudo começara.

Os retiros em Vermont.

Lanford ficava a apenas uns 45 minutos da fronteira de Vermont, mas depois eram mais duas horas para chegar aonde Natalie e eu nos conhecemos. O norte de Vermont é rural. Fui criado na Filadélfia, e Natalie era de Nova Jersey. Não conhecíamos uma vida rural como aquela. Sim, um observador imparcial poderia sugerir que, num local tão isolado, o amor floresceria de forma irreal. Posso concordar ou alegar que, na ausência de outras distrações – como, por exemplo, qualquer coisa –, o amor poderia sufocar sob o peso do excesso de convivência, dando assim prova de algo mais profundo que uma paixão de verão.

O sol estava começando a se pôr quando passei pelo meu antigo retiro na Rota 14. A "fazenda de subsistência" de seis acres era administrada por Darly Wanatik, escritor-residente que fazia a leitura crítica do trabalho dos hóspedes. Para os que não sabem, agricultura de subsistência é aquela que apenas satisfaz as necessidades básicas do agricultor e de sua família, sem excedente para o mercado. Em suma: cultiva-se, come-se, mas não se vende. E para os que não sabem o que é um escritor-residente ou que qualidades ele deve ter para criticar um trabalho, isso significava que Darly era o dono da propriedade e escrevia uma coluna semanal de compras, o *Kraftboro Grocer*. O retiro abrigava seis escritores por vez. Cada um tinha um quarto na casa principal e um "chalé de trabalho" para escrever. Todos nos encontrávamos à noite, durante o jantar. Só isso. Não havia internet, TV, telefone; eletricidade, sim; mas nada de carro, nem um luxo sequer. Vacas, ovelhas e galinhas vagavam pela propriedade. No início era relaxante e apreciei aquela solidão desconectada, durante uns... três dias. Depois meus neurônios começaram a enferrujar. A ideia era a seguinte: se você fizer um autor se sentir entorpecido pelo tédio, ele vai correr para o caderno de anotações ou para o laptop e produzir páginas e mais páginas. Funcionou durante um tempo, mas depois parecia que eu tinha sido colocado numa solitária. Certa vez passei uma tarde inteira observando uma colônia de formigas carregando uma casca de pão pelo chão do meu "chalé de trabalho". Fiquei tão apaixonado por essa amostra de diversão que coloquei estrategicamente mais cascas de pão em diversos pontos, a fim de criar corridas de revezamento para insetos.

O jantar com os colegas de retiro não era nenhum alívio. Eram todos pseudointelectuais pedantes escrevendo o próximo grande romance americano, e quando o assunto da minha dissertação não ficcional veio à tona, caiu sobre a velha mesa da cozinha com o estrondo de um saco de bosta de jumento. Às vezes, esses grandes romancistas faziam leituras dramáticas da própria obra. Eram textos pretensiosos, entediantes, umas porcarias autorreferenciais escritas num estilo que poderia ser descrito como "olhem para mim! *Por favor*, olhem para mim!". Nunca falei isso, claro. Enquanto liam, eu ficava sentado com uma expressão estudadamente arrebatada no rosto, balançando a cabeça vez por outra a fim de parecer inteligente, engajado e para não pegar no sono. Um cara chamado Lars estava escrevendo um poema de seiscentas páginas sobre os últimos dias de Hitler no bunker, narrado do ponto de vista do cachorro de Eva Braun. Sua primeira leitura consistiu em dez minutos de latidos.

– Isso dá o clima – explicou ele, o que estaria correto se sua intenção fosse nos fazer ter vontade de lhe dar um soco na cara.

O retiro artístico de Natalie era diferente. Chamava-se Colônia de Renovação Criativa e tinha uma atmosfera muito mais hippie, paz e amor. Eles faziam intervalos trabalhando no cultivo de uma horta orgânica (e não estou me referindo só a alimentos). Reuniam-se à noite em torno de fogueiras e cantavam músicas de paz e harmonia, que deixariam até Joan Baez de saco cheio. Desconfiavam de estranhos (talvez por causa do "cultivo orgânico"), e alguns funcionários mostravam-se fechados, como se fizessem parte de um culto. A propriedade tinha mais de 40 hectares – com uma casa principal, chalés de verdade, com lareiras e varandas particulares, uma piscina projetada para parecer um lago, uma cantina com um café fantástico e uma ampla variedade de sanduíches que pareciam brotos cobertos por lascas de madeira –, fazendo fronteira com a cidade de Kraftboro, e havia uma capela branca onde, se quisessem, as pessoas podiam se casar.

A primeira coisa que notei foi que a entrada não tinha mais sinalização. A placa com o nome Renovação Criativa em cores vibrantes desaparecera, como uma propaganda de colônia de férias para crianças. Uma corrente grossa bloqueava a entrada de veículos. Parei, desliguei o motor e saltei. Havia várias placas de ENTRADA PROIBIDA, mas elas sempre estiveram ali. No entanto, com aquela corrente nova e sem as boas-vindas do retiro, adquiriam um tom mais sinistro.

Eu não tinha certeza do que fazer.

Sabia que a casa principal ficava a uns 400 metros da entrada. Podia deixar o carro ali e andar. Mas que sentido havia nisso? Fazia seis anos que não ia ali. O retiro devia ter vendido o terreno e o novo proprietário queria privacidade. Isso talvez explicasse tudo.

Mesmo assim, parecia haver algo errado.

Que mal faria ir até lá e bater à porta?, pensei. Mas a corrente grossa e as placas de "entrada proibida" não eram exatamente um sinal de boas--vindas. Ainda estava tentando decidir o que fazer quando um carro da polícia parou do lado do meu. Dois policiais saltaram. Um era baixinho e parrudo, todo malhado. O outro era alto e magro, cabelos penteados para trás e bigodinho de ator do cinema mudo. Os dois usavam óculos escuros de aviador, o que me impedia de ver seus olhos.

O baixinho e parrudo levantou um pouco a calça e disse:

– Posso ajudar?

Ambos me lançaram olhares duros. Ou pelo menos foi o que achei, já que não podia ver seus olhos.

– Eu queria visitar o retiro Renovação Criativa.

– O quê? – perguntou o Parrudo. – Para quê?

– Porque preciso renovar a minha criatividade.

– Você está bancando o engraçadinho comigo?

A voz era impaciente e ríspida. Não gostei da atitude dele. Tampouco a entendi, exceto pelo fato de que eram policiais numa cidade pequena e eu provavelmente fosse a primeira pessoa que podiam perturbar por outro motivo que não o consumo de bebida alcoólica por menores de idade.

– Não, senhor – respondi.

O Parrudo olhou para o Magrelo, que permaneceu em silêncio.

– Você deve estar com o endereço errado.

– Tenho certeza de que é aqui – falei.

– Não tem nenhum retiro Renovação Criativa aqui. Fechou.

– Qual dos dois? – perguntei.

– Dos dois o quê?

– O endereço está errado ou o retiro fechou?

O Parrudo não gostou daquilo. Tirou os óculos escuros e apontou com eles para mim.

– Você está dando uma de espertinho para cima de mim?

– Estou tentando encontrar meu retiro.

– Não sei de retiro nenhum. Essas terras pertencem à família Drachman há... o que, Jerry, cinquenta anos?

– No mínimo – respondeu o Magrelo.

– Estive aqui seis anos atrás – insisti.

– Não sei de nada sobre isso – falou o Parrudo. – Só sei que você está numa propriedade particular e, se não sair, vou levá-lo para a cadeia.

Olhei para os meus pés. Não estava na entrada de veículos nem em propriedade particular alguma. Estava na estrada.

O Parrudo se aproximou, invadindo meu espaço pessoal. Confesso que estava assustado, mas havia aprendido uma coisa nos anos em que trabalhara como segurança na porta de bares: nunca demonstre medo. Isso é algo que sempre se escuta relacionado ao reino animal e, podem acreditar, não existe animal mais selvagem que um homem "relaxando" na noite. Então, apesar de não gostar do que estava acontecendo, de não me encontrar em posição de vantagem e de estar tentando pensar numa forma segura de sair daquela situação, não recuei quando o Parrudo veio para cima de mim. Ele não gostou nem um pouco da minha reação.

– Quero ver a sua identidade.

– Por quê? – perguntei.

O Parrudo olhou para o Magrelo.

– Jerry, verifique a placa do carro dele no sistema.

Jerry assentiu e retornou à viatura.

– Por que isso? Não estou entendendo. Vim aqui procurar um retiro.

– Você tem duas alternativas – disse o Parrudo. – Primeira – começou ele, erguendo um dedo gordo –, você me mostra sua identidade sem contestar. Segunda – ele levantou outro dedo –, vai preso por invasão de propriedade.

Nada disso estava certo. Olhei para uma árvore atrás de mim e vi o que parecia ser uma câmera de segurança apontada em nossa direção. Não gostei nem um pouco daquilo. Mas não se ganha nada resistindo a um policial. Precisava manter minha boca fechada.

Comecei a enfiar a mão no bolso para pegar a carteira quando o Parrudo levantou a sua e disse:

– Calma. Devagar.

– O que foi?

– Enfie a mão no bolso, mas sem movimentos bruscos.

– Você está brincando, né?

Lá se foi a ideia de manter minha boca fechada.

– Estou com cara de quem está brincando? Use apenas dois dedos. Polegar e indicador. Devagar.

A carteira estava no fundo do bolso da frente. Tirá-la com dois dedos demorou mais do que deveria.

– Estou esperando – disse ele.

– Só um segundo.

Por fim, peguei a carteira e a entreguei a ele, que começou a revistá-la. Quando viu minha credencial do Lanford College, olhou para a foto, depois para mim e franziu a testa.

– É você?

– Sim.

– Jacob Fisher.

– Todos me chamam de Jake.

Ele fez uma careta para a foto.

– Eu sei – falei. – É difícil capturar meu charme selvagem em fotos.

– Você tem uma carteira de faculdade.

Não era uma pergunta, por isso não respondi.

– Você parece meio velho para ser estudante.

– Não sou estudante. Sou professor. Está vendo onde diz "funcionário"?

O Magrelo voltou do carro. Balançou a cabeça. Entendi que aquilo significava que a verificação da minha placa não dera em nada.

– Por que um professor bacana viria até nossa cidadezinha?

Lembrei-me de uma coisa que vi na televisão uma vez.

– Preciso pôr a mão no bolso de novo. Tudo bem?

– Para quê?

– Você vai ver.

Peguei meu celular.

– Para que você precisa disso? – perguntou o Parrudo.

Apontei-o para ele e acionei a câmera de vídeo.

– Esta gravação está sendo transmitida para o meu computador. – Era mentira. Estava sendo registrada apenas no telefone, mas dane-se. – Tudo que está dizendo e fazendo pode ser visto pelos meus colegas. – Mais mentiras, mas das boas. – Eu gostaria muito de saber por que você precisou ver minha identidade e está fazendo tantas perguntas sobre mim.

O Parrudo tornou a pôr os óculos, como se isso fosse esconder sua raiva.

Apertava os lábios com tanta força que eles tremiam. Devolveu minha carteira e disse:

– Recebemos uma queixa de invasão. Apesar de encontrá-lo numa propriedade particular e de escutar essa história sobre um retiro que não existe, resolvemos deixá-lo partir apenas com uma advertência. Por favor, saia deste terreno. Tenha um bom dia.

O Parrudo e o Magrelo voltaram à viatura. Sentaram-se na frente e esperaram até que eu entrasse no meu carro. Não havia mais o que fazer ali. Entrei no veículo e dei a partida.

capítulo 8

NÃO FUI MUITO LONGE.

Dirigi até o vilarejo de Kraftboro. Se acontecesse ali uma súbita onda de investimentos e novas construções, poderia se tornar uma cidade pequena. Parecia o cenário de um filme antigo. Fiquei esperando encontrar um quarteto vocal usando chapéus de palha. Havia um armazém geral (a placa dizia ARMAZÉM GERAL mesmo), um velho "moinho de pedra" com um "centro para visitantes" sem funcionários, um posto de gasolina onde também funcionavam uma barbearia, que contava com uma única cadeira, e um café-livraria. Natalie e eu íamos sempre lá. Era pequeno, não havia muito o que ver, mas tinha uma mesa de canto na qual nos sentávamos para ler o jornal e tomar café. Cookie, uma padeira que havia fugido da cidade grande, dirigia o negócio com a companheira, Denise. Ela sempre colocava para tocar *Redemption's Son*, de Joseph Arthur, ou *O*, de Damien Rice. Depois de um tempo, Natalie e eu começamos a considerá-los – sim, é piegas – os "nossos" discos. Perguntei-me se Cookie ainda estaria lá. Natalie considerava seus bolinhos os melhores do mundo. Mas ela adorava qualquer bolinho. Para mim, eram todos iguais.

Viu? Tínhamos nossas diferenças.

Estacionei na rua e comecei a fazer o mesmo caminho que fizera seis anos antes. O acesso de madeira tinha cerca de 100 metros. Vi a capela branca na propriedade de onde eu acabara de ser expulso. Algum tipo de cerimônia ou encontro estava terminando. Observei os participantes franzindo os olhos para o sol que se punha. Pelo que eu sabia, a capela era ecumênica. Parecia mais um local de reuniões do que uma casa de profunda adoração religiosa.

Esperei sorrindo, como se fizesse parte daquilo, Sr. Simpatia, acenando com a cabeça enquanto uma dúzia de pessoas passava por mim. Examinei seus rostos, mas não reconheci nenhum de seis anos atrás. O que, aliás, não era nenhuma surpresa.

Uma mulher alta com um coque bem preso esperava nos degraus da capela. Eu me aproximei, ainda sorrindo.

– Posso ajudá-lo? – ofereceu ela.

Boa pergunta. O que eu esperava encontrar ali? Não tinha exatamente um plano.

– Está procurando o reverendo Kelly? Ele não está aqui agora.

– A senhora trabalha aqui? – perguntei.

– Mais ou menos. Sou Lucy Cutting, a oficial de registro. Sou voluntária. Fiquei parado ali.

– Posso ajudá-lo com alguma coisa?

– Não sei como dizer... – comecei. – Há seis anos vim a um casamento aqui. Conhecia a noiva, mas não o noivo.

Seus olhos se estreitaram um pouco, mais por curiosidade do que por desconfiança. Prossegui:

– E recentemente vi o obituário de um homem chamado Todd. Esse era o nome do noivo.

– Todd é um nome bastante comum – disse ela.

– Sim, claro, mas havia também uma fotografia. Sei que isso é estranho, mas parecia o mesmo homem que vi se casando com minha amiga. O problema é que nunca soube o sobrenome dele, por isso não tenho certeza. Se for ele, gostaria de dar os pêsames a ela.

Lucy Cutting coçou o rosto.

– O senhor não pode telefonar?

– Adoraria, mas não posso. – Ser honesto nesse momento me pareceu uma boa ideia. – Para começar, não sei onde Natalie, a noiva, está. Não sei onde mora. Ela adotou o sobrenome do marido, acho. Não consigo encontrá-los. Além disso, para ser completamente sincero, tive uma história com ela.

– Entendo.

– Então, se o nome que vi no obituário não for o do marido...

– Seu contato pode não ser bem-vindo – completou ela.

– Isso mesmo.

A mulher ficou pensando.

– E se de fato for o marido?

Dei de ombros. Ela coçou mais um pouco o rosto. Tentei não parecer ameaçador, mas acanhado, o que não é fácil para alguém do meu tamanho. Eu estava quase batendo os cílios, como uma menininha.

– Eu ainda não estava aqui há seis anos.

– Ah.

– Mas podemos dar uma olhada no livro de registros. Eles sempre o mantiveram impecável, com cada casamento, batismo, comunhão, *brit milá*, tudo.

Brit milá?

– Seria ótimo.

Ela me fez descer as escadas.

– O senhor se lembra da data do casamento?

Claro que eu lembrava. Disse-lhe a data exata.

Chegamos a um pequeno escritório. Lucy Cutting abriu um arquivo, procurou e tirou um dos livros de registros. Enquanto o folheava, notei que ela estava certa. A documentação era impecável. Havia colunas para as datas, o tipo de evento, os participantes, horários de início e término – tudo escrito com uma letra que poderia estar num caderno de caligrafia.

– Vamos ver o que encontramos aqui...

Ela pôs os óculos de leitura de um jeito afetado. Lambeu o indicador com pose de diretora de escola, folheou mais algumas páginas e encontrou o que queria. O mesmo dedo começou a descer pelas colunas. Quando franziu a testa, pensei: Oh, oh...

– O senhor tem certeza da data? – perguntou ela.

– Absoluta.

– Não houve nenhum casamento nesse dia. O último foi dois dias antes. Larry Rosen e Heidi Fleisher.

– Não é esse – falei.

– Posso ajudá-los?

A voz nos assustou.

– Ah, oi, reverendo – cumprimentou Lucy Cutting. – Não imaginei que o senhor fosse voltar tão rápido.

Virei-me, olhei para o homem e quase o abracei de alegria. Que surpresa agradável. Era o mesmo pastor de cabeça raspada que havia celebrado o casamento de Natalie. Ele esticou a mão para apertar a minha, o sorriso ensaiado já pronto, mas, quando viu meu rosto, percebi uma hesitação.

– Olá – disse ele. – Sou o reverendo Kelly.

– Jake Fisher. Já nos conhecemos.

Ele fez um ar cético e se virou para Lucy Cutting.

– O que está havendo, Lucy?

– Eu estava procurando um registro para esse senhor – explicou ela.

O reverendo ouvia com paciência. Observei seu rosto, mas não tinha certeza do que via, apenas que tentava de certa forma controlar as emoções. Quando Lucy Cutting terminou, ele se voltou para mim e, com as palmas das mãos voltadas para cima, disse:

– Se não está nos registros...

– O senhor estava aqui – falei.

– Como?

– O senhor celebrou o casamento. Foi quando nos conhecemos.

– Não me lembro disso. O senhor entende, são muitos eventos.

– Depois da cerimônia, o senhor ficou em frente à capela com a irmã da noiva. O nome dela é Julie Pottham. Quando passei, o senhor comentou que era um belo dia para um casamento.

Ele arqueou a sobrancelha.

– Como eu poderia me esquecer de uma coisa dessas?

Em geral, o sarcasmo não combina com os clérigos, mas no reverendo Kelly caía feito uma luva. Insisti:

– A noiva se chamava Natalie Avery. Era uma pintora que estava no retiro Renovação Criativa.

– O quê?

– Renovação Criativa. Eles são os donos dessa propriedade, certo?

– Do que o senhor está falando? Essas terras pertencem ao município.

Eu não queria discutir escrituras e fronteiras naquele momento. Tentei outro caminho:

– O casamento foi acertado de última hora. Talvez por isso não conste nos registros.

– Lamento, senhor...?

– Fisher. Jake Fisher.

– Sr. Fisher, em primeiro lugar, mesmo que tenha sido um casamento de última hora, sem dúvida estaria registrado. Em segundo, bem, não entendo o que exatamente está procurando.

Lucy Cutting respondeu por mim:

– O sobrenome do noivo.

Ele a fuzilou com o olhar.

– Não somos um serviço de informações, Srta. Cutting.

Ela baixou a cabeça, devidamente punida.

– O senhor tem que se lembrar desse casamento – falei.

– Lamento, mas não.

Cheguei mais perto, encarando-o.

– Lembra, sim. Tenho certeza de que se lembra.

Ouvi o desespero na minha própria voz e não gostei. O reverendo Kelly tentou me encarar, mas não conseguiu.

– Por acaso está me chamando de mentiroso?

– Você lembra – insisti. – Por que não me ajuda?

– Não lembro – retrucou ele. – Mas por que está tão ansioso para encontrar uma mulher casada com outro homem ou, se sua história for verdade, que acabou de ficar viúva?

– Para dar os pêsames – respondi.

Minhas palavras falsas pairaram no ar como uma neblina densa. Ninguém se mexia. Ninguém falava. Por fim, o reverendo Kelly quebrou o silêncio:

– Qualquer que seja seu motivo para encontrar essa mulher, não temos nenhum interesse em fazer parte disso. – Ele se afastou e me mostrou a porta. – É melhor o senhor ir embora agora mesmo.

❖ ❖ ❖

Mais uma vez, atordoado pela traição e pelo sofrimento, arrastei-me em direção ao centro do vilarejo. Quase podia entender a atitude do reverendo. Se de fato se lembrasse do casamento – e eu suspeitava que sim –, não queria dar ao namorado dispensado por Natalie nenhuma informação nova. Parecia uma hipótese radical da minha parte, mas pelo menos fazia sentido. O que eu não conseguia entender de jeito nenhum era por que Lucy Cutting não tinha encontrado nada sobre o casamento de Natalie e Todd naqueles registros tão bem organizados. E por que ninguém nunca ouvira falar no retiro Renovação Criativa?

As coisas não se encaixavam.

E agora? Tinha ido até lá com a esperança de... quê? Descobrir o sobrenome de Todd, pelo menos. Isso poderia dar fim ao caso. Talvez alguém ali ainda mantivesse contato com Natalie. Isso também encerraria o caso muito depressa.

Prometa, Jake. Prometa que vai nos deixar em paz.

Essas foram as últimas palavras que o amor da minha vida me disse. E ali estava eu, seis anos depois, voltando ao lugar onde tudo começara, quebrando a promessa. Esperava encontrar alguma ironia nisso, mas não.

Ao chegar ao centro da cidade, senti um delicioso cheiro de doce que me fez parar. Era o café-livraria. Os bolinhos preferidos de Natalie. Decidi que valia a pena tentar.

Quando abri a porta, um sininho tocou, mas logo esse som foi esquecido. Elton John estava cantando no rádio. Senti uma agitação e um arrepio. As duas mesas estavam ocupadas – inclusive, claro, a nossa favorita. Olhei para ela, parado ali feito um pateta, e por um instante jurei que podia ouvir a gargalhada de Natalie. Um homem com um boné de beisebol marrom entrou atrás de mim. Eu ainda estava na porta, bloqueando a passagem.

– Com licença – pediu ele.

Cheguei para o lado e o deixei passar. Olhei para o balcão. Uma mulher de cabelos encaracolados e, sim, uma camiseta *tie-dye* roxa, estava de costas para mim. Não havia dúvida. Era Cookie. Meu coração disparou. Ela se virou, e sorriu ao me ver.

– Deseja alguma coisa?

– Oi, Cookie.

– Ei.

Silêncio.

– Você se lembra de mim? – perguntei.

Ela estava limpando as mãos com uma toalha.

– Sou péssima com fisionomias, mas pior ainda com nomes. O que você quer comer?

– Eu costumava vir aqui – falei. – Há seis anos. Minha namorada se chamava Natalie Avery. Sempre nos sentávamos naquela mesa do canto.

Ela balançou a cabeça, não como se estivesse se lembrando, mas como se quisesse acalmar um lunático.

– Muitos fregueses entram e saem. Café? Uma rosquinha?

– Natalie adorava os seus bolinhos.

– Um bolinho, então. De mirtilo?

– Eu sou Jake Fisher. Estava escrevendo minha dissertação sobre Estado de Direito. Você costumava me perguntar sobre isso. Natalie estava no retiro para artistas. Ficava sempre naquele canto com o bloco de desenho – apontei, como se aquilo tivesse importância. – Seis anos atrás. Durante o verão. Droga, foi você quem me apresentou a ela.

– Ah-hã – disse ela, os dedos mexendo no colar como se fossem contas de um terço. – Veja, esse é o lado bom de ter um nome como Cookie. Ninguém esquece. Fica na cabeça. A parte chata é que, como todo mundo se lembra do seu nome, as pessoas acham que você também deveria se lembrar do delas. Entende o que quero dizer?

– Sim – concordei. – Você não lembra mesmo?

Ela não se deu o trabalho de responder. Olhei em torno. As pessoas nas mesas estavam começando a olhar. O cara de boné marrom estava perto das revistas, fingindo não ouvir nada. Virei-me para Cookie.

– Um café pequeno, por favor.

– Com um bolinho?

– Não, obrigado.

Ela pegou uma xícara e começou a encher.

– Você ainda está com Denise? – perguntei.

Seu corpo ficou paralisado.

– Ela também trabalhava no retiro, lá no alto do morro – falei. – Foi onde a conheci.

Cookie engoliu em seco.

– Nunca trabalhamos no retiro.

– Claro que trabalharam. No Renovação Criativa. Denise levava café e os seus bolinhos.

Ela terminou de servir o café e o colocou sobre o balcão, na minha frente.

– Escute aqui, senhor, tenho trabalho a fazer.

Inclinei-me para mais perto dela.

– Natalie adorava os seus bolinhos.

– O senhor já falou.

– Vocês conversavam sobre eles o tempo todo.

– Converso com um monte de gente sobre meus bolinhos, ok? Lamento não me lembrar de você. Talvez devesse ter sido educada, fingida, e dito algo como "ah, claro, você e sua namorada que adora bolinhos, como estão?". Mas não lembro. Aqui está seu café. Mais alguma coisa?

Peguei um cartão com todos os meus contatos.

– Se você lembrar de alguma coisa...

– Posso lhe oferecer algo mais? – perguntou ela, com a voz mais mordaz agora.

– Não.

– Então é um dólar e cinquenta. Tenha um bom dia.

capítulo 9

Agora entendo quando alguém diz que tem a sensação de estar sendo seguido.

Como eu sabia? Intuição talvez. Meu cérebro réptil captava. Sentia isso de forma quase física. Além do mais, o mesmo veículo – uma van Chevrolet cinza com placa de Vermont – vinha atrás de mim desde que eu deixara a cidade de Kraftboro.

Não podia jurar, mas achava que talvez o motorista estivesse usando um boné de beisebol marrom.

Não sabia o que fazer em relação àquilo. Tentei ver o número da placa, mas já estava muito escuro. Se eu diminuía a velocidade, ele fazia o mesmo. Se acelerava, bem, não é difícil imaginar o que acontecia. Tive uma ideia. Entrei numa parada para motoristas, a fim de ver como o "sombra" reagiria. Observei a van reduzir a velocidade e depois passar por mim. A partir daí, não a vi mais.

Talvez ele não estivesse me seguindo.

Estava a dez minutos de Lanford quando meu celular tocou. Eu tinha instalado Bluetooth no carro – algo que levei um tempão para entender como funcionava –, então podia ver no visor do rádio que era Shanta Newlin. Ela prometera me dar um retorno no fim do dia sobre o endereço de Natalie. Atendi apertando um botão no volante.

– Aqui é Shanta – disse ela.

– Sim, eu sei. O identificador de chamadas está habilitado.

– E eu achando que meus anos no FBI me tornavam especial – respondeu ela. – Onde você está?

– Dirigindo de volta para Lanford.

– Voltando de onde?

– É uma longa história. Conseguiu o endereço?

– Foi por isso que liguei – falou Shanta. Podia ouvir algo ao fundo. Uma voz de homem talvez. – Não consegui ainda.

– Ah... – falei, porque não havia mais nada a dizer. – Algum problema?

– Preciso que espere até amanhã de manhã, ok?

– Claro. – Então repeti: – Algum problema?

Houve uma pausa que durou um pouco mais do que devia.

– Só me dê até amanhã de manhã.

Ela desligou.

O que tinha sido aquilo?

Não gostei de seu tom. Não gostei do fato de uma mulher com tantos contatos no FBI precisar até o dia seguinte para conseguir um simples endereço. O celular emitiu um bip, sinalizando que eu estava recebendo um novo e-mail. Ignorei. Não sou todo certinho nem nada disso, mas nunca escrevo mensagens quando estou dirigindo. Dois anos antes, um aluno de Lanford ficara gravemente ferido enquanto escrevia uma mensagem ao dirigir. A garota de 18 anos no banco do carona, caloura da minha aula de Estado de Direito, morreu no acidente. Mesmo antes disso, antes da quantidade de informações óbvias sobre a grande burrice e a negligência criminosa de se digitar ao volante, eu já não gostava da ideia. Gosto de dirigir. Gosto da solidão e da música. Apesar dos meus receios anteriores em relação à solidão tecnológica, todos precisamos nos desconectar com mais frequência. Percebo que pareço um velho ranzinza, reclamando que, sempre que vejo uma mesa de jovens "amigos", estão todos trocando mensagens com pessoas que não estão presentes. Sempre procurando algo que talvez seja melhor, uma perpétua busca pela grama digital mais verde, numa tentativa de sentir o cheiro das rosas distantes, apesar de ter outras bem ali na frente. Mas poucas vezes me sinto mais em paz, mais em harmonia, mais zen, se preferirem, do que nas ocasiões em que me forço a me desconectar.

Naquele momento estava trocando de estação no rádio, e escolhi uma que tocava sucessos do início dos anos 1980. A banda General Public cantava e a letra da música perguntava onde estava a ternura? E eu fazia a mesma pergunta. Onde está a ternura? Onde está Natalie?

Estava ficando louco.

Estacionei em frente a meu alojamento – que não chamava de minha casa nem de meu apartamento porque era e parecia um alojamento universitário. A noite tinha caído, mas, como estávamos num campus, havia bastante iluminação artificial. Abri o e-mail novo e vi que era da Sra. Dinsmore. O assunto dizia:

    Aí vai a ficha estudantil que você pediu

Bom trabalho, sua danadinha, pensei. Cliquei na mensagem e a li toda:

O que mais preciso escrever depois de "Aí vai a ficha estudantil que você pediu"?

A resposta era óbvia: nada.

A tela do telefone era pequena demais para ler o arquivo anexado, por isso corri para abri-lo no meu laptop. Pus a chave na fechadura, abri a porta da frente e acendi as luzes. Por alguma razão, esperava encontrar o local todo revirado, como se alguém o tivesse revistado. Tinha visto filmes demais. O apartamento continuava sem nada que o distinguisse, para ser gentil.

Corri até o computador e acessei a caixa de e-mails. Abri a mensagem da Sra. Dinsmore e baixei o anexo. Como já comentei antes, vi minha ficha de estudante anos atrás. Achei um pouco perturbador ler comentários de professores que não haviam sido compartilhados comigo. Acho que, a certa altura, a faculdade decidiu que eram arquivos demais para guardar e os escaneou, armazenando-os em formato digital.

Comecei com o primeiro ano de Todd na universidade. Não vi nada de espetacular ali, exceto que ele era, bem, espetacular. Uma sequência ininterrupta de A+. Nenhum calouro tirava A+. O professor Charles Powell observou que Todd era "um aluno excepcional". A professora Ruth Kugelmas comemorou: "Um garoto especial." Até o professor Malcolm Hume, nunca muito afeito a elogios, comentou: "Todd Sanderson é dotado de forma quase sobrenatural." Uau. Achei estranho. Fui bom aluno e a única anotação que encontrei na minha ficha tinha sido negativa. As poucas que eu mesmo escrevi sobre meus estudantes foram negativas. Quando tudo era bom, o professor não anotava nada, deixava as notas falarem por si. A regra comum para as fichas parecia ser: "Se não há nada de negativo para escrever, não escreva nada."

Mas não com o bom e velho Todd.

O primeiro semestre do segundo ano seguia o mesmo padrão – notas incríveis –, mas as coisas mudaram de forma abrupta. No segundo semestre, lia-se em letras maiúsculas "LICENÇA".

Hum... Procurei a justificativa e dizia apenas "Motivos pessoais". Isso era muito estranho. Nós raramente, ou nunca, deixamos assim – "Pessoal" – numa ficha de aluno, porque ela é sigilosa e confidencial. Ou deveria ser. Escrevemos abertamente nela.

Por que tanta discrição sobre a licença de Todd?

Em geral, o motivo "pessoal" envolve alguma dificuldade financeira ou uma doença física ou mental, seja do aluno ou de um parente próximo. Mas essas razões vêm sempre explicitadas no arquivo. Não havia nada ali.

Interessante.

Ou não. Por um lado, eles deviam ser mais discretos sobre questões pessoais há vinte anos. Mas por outro... ora, quem se importava? O que o afastamento de Todd poderia ter a ver com seu casamento com Natalie e depois com sua morte, deixando uma viúva diferente?

Quando ele voltou à faculdade, houve mais comentários de professores – não do tipo que um aluno gostaria. Um o descreveu como "distraído". Outro disse que Todd estava "claramente amargurado" e "não era mais o mesmo". Outro ainda sugeriu que ele deveria ficar mais tempo afastado para lidar com "a situação". Nenhum explicava que situação era essa.

Cliquei na página seguinte. Todd fora levado ao comitê disciplinar. Algumas faculdades fazem os alunos se responsabilizarem por questões disciplinares, mas nós temos um comitê rotativo com três professores. Participei dele durante dois meses no último ano. A maioria dos casos que chegava a nós tinha a ver com duas epidemias comuns no campus: menores ingerindo bebidas alcoólicas e alunos colando nas provas. O restante eram acusações de furto, ameaças de violência, ou algum tipo de assédio ou agressão sexual, que não chegavam a ser ocorrências policiais.

O caso que chegou ao comitê disciplinar envolvia uma briga entre Todd e outro aluno, Ryan McCarthy, que acabou hospitalizado com contusões e o nariz quebrado. A faculdade pedia uma suspensão longa ou até mesmo a expulsão de Todd, mas o comitê de professores absolveu-o por unanimidade. Isso me surpreendeu. Não havia detalhes nem minúcias sobre o interrogatório ou as deliberações posteriores. O que também me deixou admirado.

A decisão manuscrita havia sido escaneada e anexada ao arquivo:

Todd Sanderson, aluno eminente da comunidade de Lanford College, sofreu um duro golpe em sua vida pessoal, mas acreditamos que esteja se recuperando. Vem trabalhando com um membro do colegiado para criar uma obra de caridade, para se redimir de seus últimos atos. Ele compreende as consequências do que fez e, devido às circunstâncias atenuantes bastante incomuns desse caso, concordamos em que Todd Sanderson não seja expulso.

Meus olhos desceram até o fim da página para ver quem tinha assinado a decisão. Fiz uma careta. Professor Eban Trainor. Devia ter adivinhado. Conhecia-o muito bem. Não éramos exatamente o que se chamaria de amigos.

Se eu quisesse mesmo saber mais sobre esse "duro golpe" ou sobre essa decisão, teria que procurá-lo. E essa ideia não me agradava.

Era tarde, mas não me preocupei se acordaria Benedict. Ele só tinha o celular e o desligava para dormir. Atendeu no terceiro toque.

– O que foi?

– Eban Trainor – falei.

– O que tem ele?

– Ainda me odeia?

– Eu diria que sim. Por quê?

– Preciso falar com ele sobre meu colega Todd Sanderson. Você acha que pode preparar o terreno?

– Preparar o terreno? Claro! Por que você acha que as pessoas me chamam de Sr. Fala Mansa?

– Porque você faz seus alunos dormirem?

– Você sabe mesmo bajular alguém quando quer pedir um favor. Ligo para ele pela manhã.

Desligamos. Recostei-me, sem saber o que fazer em seguida. Então meu monitor deu o sinal de que eu tinha recebido um e-mail. Iria ignorar. Como a maioria das pessoas que conheço, recebo muitos e-mails irrelevantes a qualquer hora do dia. Esse devia ser mais um.

Então vi o endereço do remetente:

RSdeJA@ymail.com

Fiquei olhando para ele até meus olhos arderem. Havia um zumbido no ouvido. Tudo à minha volta ficou silencioso demais, paralisado. Eu continuava com os olhos fixos, mas as letras não mudavam.

RSdeJA.

Não precisei de muito tempo para perceber o que aquelas letras significavam: *Redemption's Son*, de Joseph Arthur – o disco que Natalie e eu escutávamos no café.

Não tinha assunto. Levei a mão ao mouse. Tentei colocar o cursor em cima da mensagem para abri-la, mas primeiro tinha que controlar o tremor. Respirei fundo e firmei a mão. A sala permanecia num silêncio total, quase expectante. Cliquei sobre o e-mail.

Meu coração parou.

Na tela, havia apenas quatro palavras. Mas rasgaram meu peito como uma foice, tornando quase impossível respirar. Recostei-me na cadeira, perdido, enquanto as quatro palavras na tela pareciam me encarar:

Você fez uma promessa.

capítulo 10

O E-MAIL NÃO ESTAVA ASSINADO. Não tinha importância.
Cliquei depressa no botão de "responder" e digitei:

> Natalie? Você está bem? Por favor, só me diga isso.

Cliquei em "enviar".
Poderia explicar a forma como o tempo pareceu se arrastar enquanto eu esperava a mensagem seguinte, mas não foi isso que aconteceu. Não houve tempo. Três segundos depois, o sinal de e-mail novo soou. Meu coração acelerou até eu ver o endereço do remetente:

> MAILDAEMON

Abri, mas já sabia o que iria encontrar:

> Esse endereço de e-mail não existe...

Quase soquei o computador de tanta frustração, como se fosse uma máquina de vendas que não quisesse liberar meu chocolate. Cheguei a gritar: "Não é possível!" Não sabia o que fazer. Fiquei ali sentado e comecei a ficar sem ar. Sentia-me como se estivesse afundando e não conseguisse nadar de volta à superfície.
Voltei para o Google. Tentei o e-mail com diferentes variações, mas era perda de tempo. Li outra vez a mensagem:

> Você fez uma promessa.

Eu tinha feito, não tinha? E, parando para pensar, por que a quebrara? Um homem tinha morrido. Talvez fosse o marido dela. Talvez não. Mesmo assim, havia algum motivo para faltar com a minha palavra? Talvez no início. Mas agora ela deixara tudo claro. Esse era o propósito do e-mail. Estava me repreendendo. Lembrando-me da promessa porque sabia que não dou minha palavra em vão.

Aliás, foi por isso que me obrigou a prometer ficar longe.

Pensei no assunto. No enterro, na visita a Vermont e naquela ficha estudantil. O que significava aquilo tudo? Não sei. Se a princípio eu me permitira voltar atrás em minha promessa, agora estava provado que não havia mais justificativa alguma. A mensagem de Natalie não poderia ter sido mais clara.

> Você fez uma promessa.

Deslizei um dedo hesitante pelas palavras na tela. Meu coração se despedaçou outra vez. Que mau, valentão. Então tudo bem. Apesar da dor de cotovelo, iria deixar para lá. Recuaria. Manteria a palavra.

Fui para a cama e adormeci quase imediatamente. Sim, eu sei. Também fiquei surpreso com isso, mas acho que todos os golpes que tinha levado desde que lera aquele obituário, o redemoinho de lembranças e emoções, de sofrimento e confusão, me deixaram cansado como um boxeador que apanha durante doze rounds consecutivos. No fim, desabei.

Ao contrário de Benedict, quase sempre me esqueço de desligar o celular. Sua ligação às oito da manhã me despertou.

– Depois de muita relutância, Eban concordou em se encontrar com você.

– Você contou a ele o motivo?

– Você não me disse o motivo.

– Ah, certo.

– A aula dele é às nove horas. Ele estará esperando você em casa quando terminar.

Senti uma pontada no peito.

– Na casa dele?

– É. Eu bem achei que você não iria gostar da ideia, mas ele insistiu.

– Golpe baixo.

– Ele não é tão mau assim.

– É só um verme nojento.

– E isso é ruim porque...

– Você não sabe do que ele é capaz.

– Nem você. Vá até lá. Seja bonzinho. Consiga o que quer.

Benedict desligou. Chequei os e-mails e as mensagens de texto. Nada. Essa história tão estranha da minha vida se tornara surreal, onírica. Fiz de tudo para tentar esquecer. Tinha de fato uma aula de Direito Constitucional às nove horas. Essa era a minha prioridade outra vez. Sim, eu iria esquecer.

Cheguei a cantar no chuveiro. Vesti-me e atravessei o campus com um sorriso largo e a cabeça erguida. Caminhava de um jeito meio saltitante. O sol banhava o gramado como um farol morno, celestial. Eu continuava a sorrir. Sorria para os prédios de tijolinhos, admirando a hera. Sorria para as árvores, para a grama verdejante, para as estátuas dos ex-alunos famosos. Sorria diante da visão das quadras poliesportivas lá em baixo. Quando os alunos me cumprimentavam, respondia com tanto entusiasmo que os fazia suspeitar que eu tivesse passado por uma conversão religiosa.

Assim que a aula começou, fiquei de pé na frente da turma e falei, bem alto:

– Bom dia, pessoal! – Parecia um líder de torcida com uma overdose de energético.

Os alunos me lançavam olhares curiosos. Estava começando a ficar assustado comigo mesmo. Era melhor diminuir um pouco o ímpeto.

Você fez uma promessa.

E você, Natalie? Não havia ao menos uma promessa implícita nas suas palavras e ações? Como você conquista um coração e depois o parte dessa forma? Sim, já sou um homem crescido. Conheço os riscos de me apaixonar. Mas nós dissemos coisas um ao outro. Tínhamos sentimentos. Não eram mentiras. E mesmo assim você me largou. Até me convidou para seu casamento. Por quê? Por que alguém seria tão cruel? Ou só estava querendo deixar bem claro que era hora de eu seguir em frente?

Eu segui em frente. Você enfiou a mão no meu peito, arrancou o coração, partiu-o e foi embora, mas juntei os cacos e toquei a vida.

Balancei a cabeça. Juntei os cacos? Nossa, isso foi horrível. Esse é o problema de se apaixonar. A pessoa começa a falar igual a uma letra ruim de música country.

Natalie tinha me mandado um e-mail. Pelo menos eu achava que tivesse sido ela. Quem mais poderia ser? De qualquer forma, mesmo me pedindo que ficasse longe, já era uma comunicação. Era ela entrando em contato comigo. Contato? Claro. Tinha usado aquele endereço de e-mail. RSdeJA. Havia se lembrado disso. Eu tinha significado alguma coisa para ela, algo que ainda ecoava, e isso me dava – não sei – esperança. A esperança é cruel, pois nos faz pensar no que quase foi. Provoca a volta da dor física.

Chamei Eileen Sinagra, uma das minhas alunas mais inteligentes. Ela começou a explicar uma das melhores teses de Madison e *O federalista*. Eu balançava a cabeça, encorajando-a a continuar, quando vi algo pelo canto do olho. Cheguei mais perto da janela para observar melhor. Parei.

– Professor Fisher?

Havia uma van Chevrolet cinza no estacionamento. Verifiquei a placa. De onde eu estava não era possível distinguir os números, mas podia ver a cor e o modelo.

Era de Vermont.

Não pensei duas vezes. Nem considerei que aquilo provavelmente não significava nada, que vans Chevrolet cinza são muito comuns e há um monte de placas de Vermont no oeste de Massachusetts. Nada disso fazia a menor diferença.

Eu já estava correndo em direção à porta quando gritei:

– Não demoro, esperem.

Voei pelo corredor. O chão tinha acabado de ser lavado. Derrapei ao lado da placa de MOLHADO e abri a porta com estrondo. O estacionamento ficava do outro lado do gramado. Saltei um arbusto e corri a toda pela grama. Os alunos deviam achar que eu tinha enlouquecido. Não dava a mínima.

– Vai, professor Fisher! Vou lançar para o senhor!

Um estudante, confundindo minha corrida com desejo de participar da brincadeira, arremessou um *frisbee* para mim. Deixei-o cair no chão e continuei correndo.

– Cara, o senhor tem que treinar a recepção.

Ignorei a voz. Estava chegando perto da van, mas vi as luzes de ré se acenderem.

O motorista tinha dado a partida.

Corri mais rápido ainda. Um raio de sol refletia no para-brisa, impedindo que eu visse quem estava ao volante. Baixei a cabeça e coloquei mais força nas pernas, mas a van já estava saindo da vaga. Eu estava muito longe. Não iria conseguir.

Ele trocou a marcha e o veículo começou a andar para a frente.

Parei e tentei dar uma olhada no motorista. Sem chance. Havia claridade demais, mas pensei ter visto...

Um boné de beisebol marrom?

Não dava para ter certeza. No entanto, consegui decorar a placa – como se isso fosse servir de alguma coisa – e fiquei ali, recuperando o fôlego, vendo o carro se afastar depressa.

capítulo 11

O PROFESSOR EBAN TRAINOR estava sentado na varanda da frente da casa em estilo vitoriano, do segundo império. Eu conhecia bem o imóvel. Durante meio século havia pertencido ao professor Malcolm Hume, meu mentor. Tinha sido palco de muita diversão. Degustações de vinhos, festas do departamento de Ciência Política, argumentações filosóficas e discussões literárias regadas a conhaque até tarde da noite – tudo muito acadêmico. Acontece que Deus tem um senso de humor interessante. A esposa do professor Hume faleceu após 48 anos de casamento e a saúde dele se deteriorou. Por fim, não conseguia mais tomar conta daquela casa enorme sozinho. Agora morava num condomínio fechado em Vero Beach, na Flórida. E o professor Eban Trainor, a coisa mais parecida com um inimigo que eu tinha no campus, havia comprado a adorável mansão.

Senti o celular vibrar no bolso. Era uma mensagem de texto de Shanta:

JUDIE'S. 13.

Um prodígio com as palavras! Mas eu sabia o que ela queria dizer. Deveria encontrá-la no restaurante Judie's, na Avenida Principal, à uma da tarde. Ok, muito bom. Guardei o telefone e subi os degraus da varanda.

Eban se levantou e me deu um sorriso condescendente.

– Jacob. Que bom ver você.

O aperto de mão foi meio escorregadio. Ele tinha as unhas feitas. As mulheres o achavam bonito, fazia o tipo coroa playboy, com cabelos longos e rebeldes, e grandes olhos verdes. A pele parecia de cera, como se o rosto estivesse derretendo ou ainda em recuperação de algum tratamento cosmético. Eu suspeitava que fosse Botox. Vestia calças de prega, um número menor que o seu, e uma camisa social que deveria ter um botão a mais fechado. O perfume lembrava o cheiro de um bando de homens de negócio europeus, espremidos num elevador pela manhã.

– Se importa de se sentar aqui na varanda? – perguntou ele. – É tão lindo aqui fora.

Concordei de imediato. Não queria entrar e ver o que ele tinha feito com o lugar. Sabia que a reforma havia sido grande. Tinha certeza de que as madeiras escuras e a atmosfera masculina de conhaque e charuto haviam sido descartadas, trocadas por madeira clara, sofás em cores como "casca de ovo", "manteiga batida", e por reuniões em que só serviam vinho branco e Sprite, porque não manchavam o estofado.

A propósito, Eban me ofereceu vinho branco. Recusei com educação. Ele já estava com sua taça na mão. Nós nos sentamos em cadeiras de vime com grandes almofadas.

– Então, como posso ajudá-lo, Jacob? – perguntou.

No segundo ano de faculdade, eu fizera uma disciplina com ele, chamada "O teatro de meados do século XX". Não era um professor ruim. Era eficiente e afetado, do tipo que adora a própria voz acima de tudo e, embora quase nunca ficasse entediado, as aulas eram todas meio centradas nele – o que é fatal para qualquer matéria. Passou uma semana lendo *As criadas*, de Genet, na íntegra, em voz alta, interpretando todos os papéis, adorando o próprio desempenho, para não mencionar as cenas sadomasoquistas. A performance foi boa, sem dúvida, mas, ai!, era excessivamente ele.

– Queria lhe perguntar sobre um aluno – falei.

Eban arqueou as sobrancelhas, como se as minhas palavras fossem intrigantes e surpreendentes.

– Ah, sim?

– Todd Sanderson.

– Ah...

Notei que ele enrijeceu. Não queria que eu percebesse. Mas percebi. Olhou para o lado e coçou o queixo.

– Você se lembra dele – comentei.

– O nome não me é estranho, mas... – Ele coçou o queixo mais um pouco e depois deu de ombros, rendendo-se: – Lamento. São tantos alunos...

Por que eu não acreditava nele?

– Ele não foi seu aluno – falei.

– Ah...

Outra vez o "ah".

– Ele foi levado ao comitê disciplinar quando você fazia parte dele. Deve ter sido há uns vinte anos.

– E você espera que eu lembre?

– Você ajudou a mantê-lo na universidade depois de uma briga. Aqui, deixe-me mostrar.

Peguei o laptop e abri a imagem de sua decisão escrita à mão. Virei a tela para ele. Eban hesitou, como se o computador fosse uma bomba. Pegou os óculos de leitura e examinou a imagem.

– Espere aí. Onde você conseguiu isso?

– É importante, Eban.

– Isso faz parte do arquivo de um aluno. – Um pequeno sorriso se insinuou em seus lábios. – Ler isso não é uma infração das regras, Jacob? Você não acha que passou dos limites?

Aí estava. Há seis anos, poucas semanas antes de eu ir para aquele retiro em Vermont, o professor Eban Trainor dera uma festa de formatura em sua casa. Ele costumava dar festas com frequência. Na verdade, era conhecido também por frequentá-las. Quando eu estava no segundo ano, houve um incidente que ficou famoso no Jones College, uma instituição feminina próxima: o alarme de incêndio disparou às três da manhã, obrigando a evacuação de um dos dormitórios, e lá estava o professor Trainor, seminu. Era verdade que a garota com quem estivera naquela noite era maior de idade e não era sua aluna. Mas aquilo era típico do Trainor. Era um devasso e um beberrão, e eu não gostava dele.

Na festa de formatura seis anos antes, os convidados eram quase todos estudantes, muitos deles calouros – portanto, menores de idade. Serviram bebidas alcoólicas. Em quantidades generosas. A segurança do campus foi chamada. Dois alunos foram levados para o hospital em coma alcoólico, algo cada vez mais frequente nas universidades. Ou talvez seja apenas o que digo para mim mesmo porque gosto de pensar que na "minha época" as coisas não eram tão ruins.

O professor Trainor foi levado à administração. Houve pedidos para que se demitisse. Ele recusou. Alegou que, sim, tinha servido álcool, mas só convidara alunos com mais de 21 anos. Não podia ser responsabilizado se menores de idade haviam entrado de penetra. Alegou também que grande parte das bebidas foi consumida antes de a festa começar, numa reunião em uma fraternidade próxima.

Os professores fiscalizam uns aos outros na universidade. Quase nunca damos mais que uma punição simbólica. Assim como no caso do comitê disciplinar dos alunos, também há um rodízio. Por acaso, eu estava no comitê quando isso aconteceu. Trainor tinha estabilidade no emprego e não podia ser demitido, mas eu acreditava firmemente que ele merecia algum tipo de ação disciplinar. Fizemos uma votação para demovê-lo da chefia do departamento de Inglês. Argumentei a favor da punição. Seu histórico de incidentes desse tipo era muito extenso. O curioso foi que meu adorado mentor, Malcolm Hume, não concordou.

– Você vai mesmo culpar Eban pelo fato de os alunos beberem demais? – perguntou-me ele.

– Existem razões para que tenhamos regras sobre confraternizações com alunos.

– As circunstâncias atenuantes não significam nada para você?

Talvez, pensei, se já não conhecesse bem o padrão de más escolhas e comportamento questionável de Eban. Aquilo não era um tribunal de justiça nem uma questão de direitos; tratava-se de um ótimo emprego e de um privilégio. A meu ver, seus atos justificavam a demissão – expulsamos alunos por muito menos e com menos provas –, mas, no mínimo, ele merecia um rebaixamento. Apesar dos argumentos do meu mentor, votei a favor de que perdesse o cargo, mas fui vencido por uma ampla margem de votos.

Por mais que esse julgamento tivesse acabado havia muito tempo, o ressentimento permanecia. Eu havia usado aqueles termos exatos – "infração das regras", "passou dos limites" – durante os debates. Era duro ver minhas próprias palavras serem jogadas na minha cara, mas talvez fosse justo.

– Esse aluno em particular já morreu – expliquei.

– Então o arquivo dele deixa de ser confidencial?

– Não estou aqui para discutir detalhes legais com você.

– Não, Jacob, você é um cara de visão abrangente, não é?

Aquilo era uma perda de tempo.

– Realmente não entendo sua reticência.

– Isso me surpreende, Jacob. Você é um seguidor inveterado das regras. A informação que está me pedindo é confidencial. Estou protegendo a privacidade do Sr. Sanderson.

– Mas ele está morto – insisti.

Não queria ficar nem mais um segundo sentado ali, naquela varanda onde meu mentor passara horas tão maravilhosas. Levantei-me e estiquei a mão para pegar meu laptop. Ele não devolveu. Começou a coçar o queixo outra vez.

– Sente-se – falou.

Obedeci.

– Pode me dizer por que está interessado num caso tão antigo?

– Seria muito difícil explicar – respondi.

– Mas nota-se que é muito importante para você.

– Sim.

– Como Todd Sanderson morreu?

– Foi assassinado.

Eban fechou os olhos, como se essa revelação tornasse as coisas muito piores.

– Por quem?

– A polícia ainda não sabe.

– Que irônico – comentou ele.

– O quê?

– Ele morrer de forma violenta. Eu me lembro do caso. Todd Sanderson feriu um colega durante uma briga. Bem, essa não é uma forma muito adequada de descrever o que aconteceu. Na verdade, Sanderson quase o matou.

Eban Trainor olhou de novo para o lado e tomou um gole de vinho. Fiquei esperando que contasse mais. Demorou um pouco, mas acabou prosseguindo:

– Foi numa quinta à noite, na reunião da Chi Psi.

A Chi Psi fazia uma reunião toda quinta-feira desde que o mundo é mundo. Os poderosos haviam tentado dar um fim àquilo doze anos antes, mas um ex-aluno rico simplesmente comprou uma casa fora do campus para uso exclusivo da fraternidade. Poderia ter doado o dinheiro para uma causa nobre, mas optou por comprar uma casa onde seus irmãos de fraternidade pudessem dar festas e beber. Vai entender.

– É claro que os dois estavam bêbados – continuou Eban. – Trocaram desaforos, mas não há dúvida de que Todd Sanderson passou da discussão para a agressão física. No fim das contas, o outro aluno... Lamento, mas não lembro o nome dele, podia ser McCarthy ou McCaffrey, uma coisa assim... teve que ser hospitalizado. Estava com o nariz quebrado e um malar esmagado. Mas isso não foi o pior.

Ele parou de novo, mas peguei a deixa.

– O que foi o pior? – perguntei.

– Todd Sanderson quase o estrangulou até a morte. Foram necessárias quatro pessoas para arrancá-lo de cima do colega, que ficou inconsciente. Teve que ser reanimado.

– Uau!

Eban Trainor fechou os olhos por um momento.

– Não consigo entender qual é a importância disso agora. Deveríamos deixá-lo descansar em paz.

– Não tenho nenhum tipo de interesse mórbido.

O leve sorriso se insinuou de novo em seus lábios.

– Ah, eu sei, Jacob. Você é, no mínimo, um homem correto. Tenho certeza de que seu interesse deve ser muito nobre e bem intencionado.

Deixei passar.

– Por que Sanderson foi perdoado? – perguntei.

– Você leu minha decisão.

– Sim – falei. – Algo sobre circunstâncias atenuantes bastante incomuns.

– Certo.

Esperei mais uma vez, imaginando que minha próxima pergunta fosse óbvia. Como Trainor não disse nada, me rendi:

– Quais foram essas circunstâncias atenuantes?

– O outro aluno, McCarthy. Era esse o nome dele. Agora lembro. – Trainor respirou fundo. – McCarthy fez comentários depreciativos sobre um certo incidente. Ao ouvi-los, Sanderson perdeu o controle, embora fosse compreensível. – Eban levantou a mão, como se eu fosse objetar, o que não tinha a menor intenção de fazer. – Sim, Jacob, sei que não perdoamos violência sob nenhuma circunstância. Tenho certeza de que essa é a sua posição. Mas examinamos esse caso incomum sob todos os aspectos. Ouvimos vários defensores de Todd Sanderson. Um, em particular, defendeu-o com bastante veemência.

Encarei-o e vi deboche nos seus olhos.

– Quem, Eban?

– Uma dica: ele já foi dono desta casa.

Aquilo me deixou surpreso.

– O professor Hume defendeu Todd Sanderson?

– Qual palavra os advogados sempre usam? – Ele esfregou o queixo outra vez. – *Enfaticamente*. Chegou até a ajudá-lo a criar uma instituição de caridade quando o caso foi encerrado.

Tentei juntar as coisas. Hume detestava qualquer tipo de violência. Era uma pessoa muito sensível. A crueldade, em qualquer nível, o horrorizava. Se alguém chorasse, ele chorava junto.

– Confesso – continuou Eban – que também fiquei surpreso, mas o seu mentor sempre levou em consideração as circunstâncias atenuantes, não é?

Não estávamos mais falando sobre Todd Sanderson, então retomei o assunto:

– E quais foram as circunstâncias atenuantes nesse caso?

– Ora, para começar, Sanderson havia acabado de voltar de uma licença prolongada. Tinha perdido o semestre anterior por problemas pessoais.

Minha paciência estava se esgotando.

– Eban?

– O que foi?

– Vamos parar de rodeios? O que aconteceu com Todd Sanderson? Por que ele tirou licença? Que circunstâncias atenuantes foram essas que fizeram Malcolm Hume, um homem tão avesso a violência, defender uma agressão tão brutal?

– Não está na ficha?

– Você sabe que não. Só a decisão foi registrada. O que aconteceu com ele?

– Não foi com ele – disse Trainor. – Mas com o pai dele.

Ele esticou a mão para trás, pegou um copo e me entregou. Não perguntou nada, apenas me passou o copo. Peguei-o e deixei que me servisse. Ainda não era nem meio-dia, mas achei que aquele não seria o momento adequado para fazer uma crítica sobre o hábito de beber de manhã. Aceitei, esperando que isso soltasse sua língua.

Eban Trainor se recostou e cruzou as pernas. Ficou olhando para seu copo como se fosse uma bola de cristal.

– Você se lembra daquele incidente na Martindale Little League?

Então foi minha vez de olhar para o vinho. Tomei um gole.

– O escândalo de pedofilia?

– Sim.

Devia ter sido há uns quinze, talvez vinte anos, mas eu lembrava bem, porque foi um dos primeiros casos que receberam muita atenção da mídia.

– O técnico ou o diretor da liga infantil estava abusando dos garotos, certo?

– A acusação era essa.

– E era verdade?

– Não – respondeu Eban, tomando outro gole de vinho. – Não era verdade.

Ficamos ali sentados.

– O que isso tem a ver com Todd Sanderson?

– Não com ele. – Eban parecia gaguejar um pouco. – Mas com o treinador ou diretor da liga infantil, como você disse.

Então compreendi.

– Era o pai dele?

Eban apontou para mim.

– Bingo.

Eu não sabia o que dizer.

– Todd Sanderson trancou a matrícula naquele semestre para ajudar o pai – falou Eban. – Sustentou a família. O pai foi demitido, claro. O filho lhe deu apoio moral, fez o que pôde.

Fiquei surpreso e confuso, mas isso só reforçava a questão central: o que a minha Natalie tinha a ver com essa história toda?

– Não lembro muito bem do caso – falei. – Como terminou? O pai de Todd foi preso?

– Não. Foi considerado inocente.

– Ah...

– O resultado não repercutiu muito na imprensa. Faz parte do processo: a acusação sai na primeira página; a retratação, não.

– Ele não foi considerado culpado?

– Correto.

– Mas há uma grande diferença entre não ser culpado e ser inocente.

– É verdade – concordou Eban. – Mas não nesse caso. Durante a primeira semana do julgamento, descobriram que um sujeito vingativo tinha inventado tudo porque o pai de Todd não deixara o filho dele arremessar no time. A mentira cresceu feito uma bola de neve. Mas, no fim, o pai de Todd foi inocentado de todas as acusações.

– E então Todd voltou para a faculdade?

– Sim.

– E imagino que o comentário ofensivo teve a ver com a acusação contra o pai?

Eban ergueu a mão, já não muito firme, num brinde debochado.

– Correto, senhor. Mas, veja bem, apesar das novas evidências, muitos acreditavam, como você, que onde há fumaça há fogo. O Sr. Sanderson devia ter feito *alguma coisa*. Talvez não aquilo. Mas alguma coisa. Ainda mais depois do que aconteceu após o julgamento.

– O que aconteceu?

Ele olhou de novo para o copo. Eu o estava perdendo.

– Eban?

– Vou chegar lá.

Esperei.

– Todd Sanderson vinha de uma cidade pequena no sul. O pai tinha morado lá a vida inteira. Mas, depois disso... dá para imaginar. Não arrumava mais emprego. Os amigos pararam de falar com ele. Ninguém acreditava nele de fato. Não tem como apagar uma acusação dessas, Jacob. Ensinamos isso aqui, não é? Só uma pessoa ainda acreditava nele.

– Todd – falei.

– Sim.

– E os outros membros da família? A mãe de Todd?

– Já tinha morrido havia muito tempo.

– E o que aconteceu?

– O pai ficou arrasado, óbvio, mas insistiu em que o filho voltasse para a universidade. Você leu a ficha dele?

– Sim.

– Então já sabe. Todd era um aluno excelente, um dos melhores que já estudaram em Lanford. Tinha um futuro brilhante. O pai sabia disso. Mas o rapaz não queria voltar. Achava que isso seria abandonar o pai no momento mais difícil. Recusou-se a voltar até que a situação em casa melhorasse. Mas todos nós sabemos que uma situação dessas não melhora. Então o pai decidiu fazer a única coisa que acreditava que seria capaz de acabar com o próprio sofrimento e liberar o filho para continuar os estudos.

Nossos olhos se encontraram. Os dele estavam úmidos.

– Ah, não – falei.

– Ah, sim.

– Como...?

– Ele entrou na escola onde trabalhava e deu um tiro na cabeça. Note que ele não quis que fosse o filho quem encontrasse seu corpo.

capítulo 12

Três semanas antes de Natalie me deixar, quando estávamos loucamente apaixonados, demos uma fugida dos nossos retiros em Kraftboro para fazer uma visitinha a Lanford.

– Quero conhecer esse lugar que significa tanto para você – dissera ela.

Lembro-me de como seus olhos se iluminaram ao andar de mãos dadas comigo pelo campus. Natalie usava óculos escuros e um chapéu de palha grande, ao mesmo tempo adorável e estranho. Parecia um pouco uma estrela de cinema disfarçada.

– Quando você estudava aqui, para onde levava as colegas de que estava a fim? – perguntou.

– Direto para a cama.

Natalie bateu no meu braço com ar travesso.

– Estou falando sério. E estou com fome.

Então fomos ao Judie's na Avenida Principal. Judie fazia um bolo inglês maravilhoso, com calda de maçã. Natalie adorou. Enquanto eu a admirava, ela observava tudo – os quadros, a decoração, os jovens funcionários, o cardápio.

– Então era aqui que você trazia suas namoradas?

– Só as de classe – respondi.

– Espere aí, e aonde você levava as sem classe?

– Ao Barsolotti's. A espelunca aqui ao lado – falei, sorrindo. – Costumávamos jogar roleta de camisinha.

– Como é que é?

– Não com as garotas. Eu estava brincando. Ia lá com amigos. Tinha uma dessas máquinas automáticas de camisinhas no banheiro masculino.

– Máquina de camisinhas?

– Sim.

– Do tipo que as pessoas põem moedinhas?

– Exatamente – falei.

Natalie balançou a cabeça.

– Que classe!

– Ok, eu sei.

– E quais são as regras da roleta de camisinha?

77

– É uma bobagem.

– Não fique pensando que vai escapar assim tão fácil. Quero ouvir.

Ela deu aquele sorriso que me nocauteava.

– Ok – concordei. – Você joga com quatro caras... É tão idiota!

– Por favor. Estou adorando. Ah, vai. Você joga com quatro caras... – Ela fez um gesto para que eu continuasse.

– As camisinhas vêm em quatro cores – expliquei. – Preto meia-noite, vermelho-cereja, amarelo-limão e laranja-laranja.

– Essas duas últimas você inventou.

– Era algo assim. O que interessa é que elas vêm em quatro cores, mas não dá para saber a cor até abri-las. Então cada um colocava três dólares na caneca e escolhia uma cor. Aí, um de nós ia até a máquina e trazia a camisinha embalada. Alguém imitava o rufar dos tambores. Outro fazia o papel de locutor, como num evento esportivo. Por fim, a embalagem era aberta e quem tivesse escolhido a cor certa ficava com o dinheiro.

– Que emocionante.

– É, bem... – falei. – Claro que o vencedor tinha que pagar a próxima rodada de cerveja, então, financeiramente, não compensava muito. No fim, Barsy, o dono do lugar, acabou transformando isso num jogo de verdade, com regras, competições e placar.

Ela segurou minha mão.

– Vamos jogar?

– O que, agora? Não.

– Por favor.

– Nem pensar.

– Depois do jogo – sussurrou Natalie, lançando-me um olhar provocante – podemos usar a camisinha.

– Escolho preto meia-noite.

Ela riu. Eu ainda podia ouvir aquele som enquanto entrava no Judie's, como se sua risada estivesse ali, zombando de mim. Eu não ia lá havia... bem, seis anos. Olhei para a mesa onde tínhamos nos sentado. Estava vazia.

– Jake?

Virei para a direita. Shanta Newlin estava numa mesa tranquila perto das janelas. Ela não acenou nem balançou a cabeça. Sua expressão corporal, em geral desconfiada, parecia estar toda errada. Sentei-me diante dela, que mal levantou a cabeça.

– Oi – cumprimentei.
Ainda olhando para a mesa, Shanta disse:
– Quero que me conte a história toda, Jake.
– Por quê? O que houve?
Ela levantou os olhos e os cravou em mim, como num interrogatório. Agora eu podia ver a agente do FBI.
– Ela é mesmo uma ex-namorada?
– O quê? Claro que é.
– E por que quer encontrá-la assim, de repente?
Hesitei.
– Jake?
Lembrei-me do e-mail:

> Você fez uma promessa.

– Eu lhe pedi um favor – falei.
– Eu sei.
– Ou você me conta o que descobriu, ou esquecemos essa história. Não entendo por que precisa saber mais.
A jovem garçonete – Judie sempre contratava alunas da faculdade – nos entregou o cardápio e perguntou se gostaríamos de beber alguma coisa. Pedimos chá gelado. Assim que ela saiu, Shanta virou o olhar duro outra vez para mim.
– Estou tentando ajudá-lo, Jake.
– Talvez seja melhor deixar isso para lá.
– Você está brincando?
– Não – respondi. – Ela me pediu que a deixasse em paz. Eu deveria ter ouvido.
– Quando?
– Quando o quê?
– Quando ela pediu para você deixá-la em paz? – perguntou Shanta.
– Que diferença isso faz?
– Só me responda, ok? Pode ser importante.
– Como? – Em seguida perguntei-me que mal haveria nisso e acrescentei: – Há seis anos.
– Você disse que estava apaixonado por ela.
– Sim.

– Isso foi quando vocês terminaram?

Assenti.

– No dia em que ela se casou com outro homem.

Essa revelação fez Shanta pestanejar. Minhas palavras dispersaram o olhar duro, pelo menos por um instante.

– Só para eu tentar entender: você foi ao casamento dela? Ainda estava apaixonado? Que pergunta idiota! Claro que estava. Ainda está. Então você foi ao casamento dela e Natalie lhe pediu que a deixasse em paz?

– Mais ou menos isso.

– Deve ter sido uma cena e tanto.

– Não foi como parece. Tínhamos acabado de terminar. Ela preferiu ficar com outro cara. Um antigo namorado. Eles se casaram alguns dias depois. – Tentei fazer pouco caso. – Isso acontece.

– Você acha mesmo? – perguntou Shanta, inclinando a cabeça para o lado, como se fosse um calouro confuso. – Continue.

– Continuar o quê? Fui ao casamento. Natalie me pediu que aceitasse sua decisão e os deixasse em paz. Eu concordei.

– Entendo. Você teve algum contato com ela nos últimos seis anos?

– Não.

– Não mesmo?

Percebi como Shanta era boa naquilo. Eu tinha decidido não falar, mas agora não conseguia calar a boca.

– Não, nenhum contato.

– E tem certeza de que o nome dela é Natalie Avery?

– Esse não é o tipo de coisa sobre o qual nos enganamos. Chega de perguntas. O que você descobriu, Shanta?

– Nada.

– Nada?

A garçonete voltou com um grande sorriso e nossas bebidas.

– Judie acabou de fazer esse bolo inglês.

Sua voz tinha o tom alegre da juventude. O cheiro do bolo subiu da mesa e me levou de volta à minha última visita àquele lugar, sim, seis anos antes.

– Alguma dúvida em relação ao cardápio? – perguntou a garçonete.

Não consegui responder.

– Jake? – chamou Shanta.

Engoli em seco.

– Nenhuma dúvida.

Shanta pediu um sanduíche de cogumelos *portobello* grelhados, e eu, um de peito de peru com bacon, alface e tomate. Quando a garçonete se afastou, inclinei-me sobre a mesa.

– O que você quer dizer com "nada"?

– Que parte do "nada" você não entendeu, Jake? Não descobri nada sobre a sua ex. *Zippo, rien, zilch*. Endereço, declaração de imposto de renda, conta bancária, fatura de cartão de crédito, nada, nada, nada. Não existe a menor evidência de que sua Natalie Avery sequer exista.

Tentei digerir aquilo.

Shanta pôs as mãos na mesa.

– Você faz ideia de como é difícil sumir do mapa assim?

– Na verdade, não.

– Nos dias de hoje, com computadores e toda essa tecnologia? É quase impossível.

– Talvez haja uma explicação lógica.

– Por exemplo?

– Talvez ela tenha ido morar no exterior.

– Se foi, não existe nenhum registro de saída do país. Nenhuma emissão de passaporte. Nenhuma entrada nos computadores. É como eu falei...

– Não existe nada – completei.

Shanta balançou a cabeça.

– Ela é uma pessoa. Ela existe – insisti.

– Existia. Há seis anos. Foi a última vez que tivemos um endereço dela. Sabemos que tem uma irmã chamada Julie Pottham. A mãe, Sylvia Avery, vive num asilo. Você sabia dessas coisas?

– Sim.

– Com quem ela se casou?

Será que deveria responder a essa pergunta? Não vi mal algum.

– Todd Sanderson.

Shanta anotou o nome.

– E por que você quer procurá-la agora?

Você fez uma promessa.

– Isso não importa – respondi. – Acho que devo esquecer tudo isso.

– Você está falando sério?

– Estou. Foi um capricho. Na verdade, já faz seis anos. Ela se casou com outro homem e me fez prometer que a deixaria em paz. Por que essa procura?

– Mas é justamente isso que me deixa curiosa, Jake.

– O quê?

– Você manteve a promessa durante seis anos. Por que mudou de ideia de repente?

Não queria responder, e outra coisa estava começando a me inquietar.

– Por que você está tão interessada?

Ela não respondeu.

– Pedi que procurasse uma pessoa. Você poderia apenas ter dito que não encontrou nada sobre ela. Por que está me fazendo todas essas perguntas sobre Natalie?

Shanta pareceu surpresa.

– Eu só estava tentando ajudar.

– Você não está me contando tudo.

– Nem você – retrucou Shanta. – Por que agora, Jake? Por que procurar sua ex-namorada agora?

Olhei para o bolo. Pensei naquele dia, nesse mesmo restaurante, seis anos atrás, o modo como Natalie tirava pedaços e passava manteiga neles, com um olhar concentrado, o modo como apreciava tudo. Quando estávamos juntos, até as coisas mais insignificantes ganhavam importância. Cada toque causava prazer.

Você fez uma promessa.

Mesmo agora, depois de tudo o que havia acontecido, não conseguia traí-la. Burrice? Sim. Ingenuidade? Nem fala! Mas eu não conseguia.

– Conte-me, Jake.

Neguei com a cabeça.

– Não.

– Por que não, meu Deus?

– Quem pediu peito de peru com bacon, alface e tomate?

Era outra garçonete, menos alegre e mais angustiada. Levantei a mão.

– E o sanduíche de *portobello* grelhado?

– Embrulhe para viagem – disse Shanta, levantando-se. – Perdi o apetite.

capítulo 13

A PRIMEIRA VEZ QUE VI NATALIE, ela estava usando óculos escuros num lugar fechado. E, para piorar, era de noite.

Revirei os olhos, achando que aquilo era para chamar atenção. Imaginei que se considerasse uma artista com A maiúsculo. Estávamos num encontro entre os participantes dos dois retiros, o de arte e o de escritores, compartilhando nossos trabalhos. Era a primeira vez que eu ia, mas logo fiquei sabendo que essas reuniões eram semanais. As obras de arte ficavam expostas atrás do celeiro e as cadeiras eram enfileiradas para as leituras.

A mulher de óculos escuros estava sentada na última fila, de braços cruzados, ao lado de um homem de barba e cabelos escuros encaracolados. Perguntei-me se estariam juntos. Lars, o chato que estava escrevendo um poema sob o ponto de vista do cachorro de Hitler, foi o primeiro a ler. E levou muito tempo. Comecei a ficar inquieto. A mulher de óculos escuros continuava imóvel.

Quando não aguentei mais, mesmo que isso fosse grosseiro, escapei para o fundo do celeiro e comecei a olhar as obras expostas. A maioria... bem, vou ser delicado: eu não "entendia". Havia uma instalação chamada *Café da manhã nos Estados Unidos,* feita de cereais derramados de caixas sobre uma mesa de cozinha. Só isso. Havia caixas de Cap'n Crunch, Cap'n Crunch com manteiga de amendoim (alguém chegou a murmurar: "Você notou que não tem Cap'n Crunch de frutas? Por quê? O que o artista está querendo dizer com isso?"), Lucky Charms, Cocoa Puffs, Sugar Smacks e até meu antigo favorito, Quisp. Fiquei olhando para os cereais espalhados sobre a mesa. Aquilo não me dizia nada, apesar de fazer meu estômago roncar um pouco.

◆ ◆ ◆

– O que você acha? – alguém perguntou.

Tive vontade de responder que faltava um pouco de leite.

Enquanto caminhava, apenas o trabalho de um artista me fez parar. Detive-me em frente à pintura de um pequeno chalé no alto de um morro. Havia uma luminosidade suave, matinal, batendo de lado – o tom rosado que vem com a primeira luz do dia. Não sei dizer por que, mas aquilo me deixou sem fôlego. Talvez fossem as janelas escuras, como se o chalé já tivesse sido acolhedor um dia, mas estivesse agora abandonado. Não sei. Parei em frente ao quadro, perdido e emocionado. Fui passando devagar de uma pintura à outra. Todas surtiam algum efeito. Algumas me deixavam melancólico. Outras, nostálgico, estranho, arrebatado. Nenhuma me deixou indiferente.

Vou poupá-lo da "grande revelação" de que os quadros eram de Natalie. Uma mulher sorria da minha reação:

– Gostou deles?

– Muito – falei. – São seus?

– Meu Deus, não. Sou só a dona da padaria na cidade. Todos me chamam de Cookie – disse ela, estendendo a mão para mim.

Cumprimentei-a.

– A artista é Natalie Avery. Ela está ali.

Cookie apontou para a mulher de óculos escuros.

– Ah – comentei.

– Ah, o quê?

Com aqueles óculos escuros à noite, eu havia imaginado que ela fosse a criadora de *Café da manhã nos Estados Unidos*. Lars tinha acabado a leitura. O público lhe deu um pequeno aplauso distraído, mas ele, com um lenço fino de seda no pescoço, inclinou-se para a frente em agradecimento, como se tivesse recebido uma ovação estrondosa.

Todos se levantaram rapidamente, menos Natalie. O homem de barba e cabelos encaracolados cochichou algo em seu ouvido, mas ela não se mexeu. Continuou de braços cruzados, parecendo ainda perdida na essência do cachorro de Hitler.

Eu me aproximei dela. Seu olhar parecia me atravessar.

– O chalé do seu quadro. Onde fica?

– Hein? – disse ela, sobressaltada. – Em lugar nenhum. Que quadro?

Franzi a testa.

– Você não é Natalie Avery?

– Eu? – Ela pareceu confusa com a pergunta. – Sou, por quê?

– O quadro do chalé. Adorei. Ele... Não sei. Me emocionou.

– Chalé? – Ela se empertigou, tirou os óculos escuros e esfregou os olhos.

– Ah, sim, certo, o chalé.

Franzi a testa outra vez. Não sei que reação esperava, mas algo um pouco mais expansivo que aquilo. Olhei para ela. Às vezes não sou o cara mais esperto do mundo, mas quando ela tornou a esfregar os olhos, entendi.

– Você estava dormindo! – exclamei.

– O quê? Não.

Mas esfregou os olhos de novo.

– Puta merda! É por isso que estava de óculos escuros. Para que ninguém visse.

– Shh.

– Você estava dormindo o tempo inteiro!

– Fale baixo.

Finalmente ela levantou a cabeça e olhou para mim. Lembro-me de achar que ela tinha um rosto lindo, suave. Em breve descobriria que Natalie possuía o que chamo de beleza lenta, do tipo que não se nota de primeira. Depois o atinge como um choque, cresce e fica mais bonita cada vez que você olha para ela. É difícil achar que ela seja qualquer coisa menos que estonteante. Sempre que eu a olhava, meu corpo inteiro reagia, como se fosse a primeira vez, ou a melhor de todas.

– Estava tão óbvio assim? – perguntou ela, num sussurro.

– Não. Nem um pouco – respondi. – Achei que você fosse alguma idiota pretensiosa.

Ela arqueou uma sobrancelha.

– Que disfarce poderia ser melhor para se misturar com essas pessoas?

Balancei a cabeça.

– E eu que achei você um gênio quando vi seus quadros.

– É mesmo? – ela pareceu espantada com meu elogio.

– É.

Natalie pigarreou.

– E agora que viu como posso ser dissimulada?

– Agora acho que você é um gênio *diabólico*.

Ela gostou.

– Você não pode me culpar. Esse cara, Lars, é como um Lexotan humano. Ele abre a boca e eu pego no sono.

– Meu nome é Jake Fisher.

– Natalie Avery.

– Quer tomar uma xícara de café, Natalie Avery? Parece que está precisando.

Ela hesitou e ficou observando meu rosto com tanta intensidade a ponto de eu achar que tinha começado a ficar vermelho. Natalie prendeu uma mecha de cabelo preto atrás da orelha e se levantou. Chegou mais perto de mim e lembro-me de ter pensado que ela era deliciosamente pequena, menor do que eu tinha imaginado quando a vira sentada. Ela ergueu os olhos e aos poucos um sorriso surgiu em seu rosto. Devo dizer que foi um sorriso lindo.

– Claro. Por que não?

A imagem daquele sorriso ficou em minha mente por um segundo antes de se dissolver.

Eu estava com Benedict no Bar Biblioteca, que era exatamente isto: uma antiga biblioteca do campus, toda forrada de madeira escura, que fora transformada num estabelecimento retrô-chique que vendia bebidas. Os donos foram inteligentes o bastante para não mudar quase nada na antiga biblioteca. Os livros continuavam nas estantes de carvalho, dispostos em ordem alfabética ou de acordo com seja lá qual fosse o sistema usado na época. O "bar" era o antigo balcão de empréstimos. As bases para copos eram velhas fichas de aluguel plastificadas; as luzes, abajures verdes de leitura.

As garçonetes usavam o cabelo preso em coques apertados, roupas conservadoras e, claro, óculos com armação de casco de tartaruga. Sim, a fantasia da bibliotecária sexy. De hora em hora, um pedido de silêncio saía dos alto-falantes. A esse sinal, elas tiravam os óculos, soltavam o cabelo e desabotoavam a parte de cima da blusa.

De mau gosto, mas funcionava.

Benedict e eu já estávamos ficando de porre. Passei o braço em volta dele e me inclinei para perto.

– Sabe o que devíamos fazer? – perguntei.

Ele fez uma careta.

– Ficar sóbrios?

– Ah, essa é boa. Não. Devíamos começar uma competição animada de roleta de camisinha. Errou uma, está eliminado. Estou pensando em 64 equipes. Como nos nossos torneios de basquete.

– Não estamos no Barsolotti's, Jake. Aqui não tem máquina de vender camisinha.

– Não?

– Não.

– Que pena.

– É – concordou Benedict. Depois cochichou: – Tem uma dupla de gostosas ali, a 180 graus.

Eu estava prestes a me virar para a esquerda, depois para a direita. De repente, 180 graus não fazia o menor sentido para mim.

– Espere aí. Onde é 90 graus mesmo?

– Bem em frente.

– Então 180 graus é...

– Vire para a direita, Jake!

Você já deve ter notado que sou fraco para bebida. Isso surpreende as pessoas. Quando veem alguém do meu tamanho, todos acham que bebo litros de álcool sem ficar bêbado. Não é verdade. Minha resistência é a mesma de uma caloura na primeira festa da faculdade.

– E?

Já sabia qual era o tipo antes de meus olhos pousarem nelas. Duas louras que pareciam de boas a ótimas à luz mortiça do bar, e de normais a pavorosas sob o sol da manhã. Benedict se esgueirou até elas e começou a cantá-las. Ele conseguia levar até um poste no papo. As duas olharam para trás, na minha direção. Benedict fez sinal para que eu me aproximasse.

Por que não?

    Você fez uma promessa.

E fiz mesmo. Obrigado pelo lembrete. Posso muito bem mantê-la e tentar sair com outra mulher, certo? Ziguezagueei na direção deles.

– Senhoritas, conheçam o lendário professor Jacob Fisher.

– Uau – falou uma delas. – Ele é grande!

Como Benedict não conseguia evitar ser óbvio, piscou e disse:

– Você não faz ideia, meu bem.

Contive um suspiro, cumprimentei-as e me sentei. Benedict dava em cima delas com frases escolhidas a dedo, especificamente apropriadas para aquele bar.

As louras estavam adorando. Tentei colaborar, mas nunca fui bom em jogar conversa fora. O rosto de Natalie não parava de me vir à mente. Eu tentava afastá-lo. Pedimos mais bebidas. E mais.

Depois de um tempo, todos cambaleamos até os sofás da antiga seção infantil. Minha cabeça tombou para trás e posso ter cochilado um pouco. Quando acordei, uma das louras começou a conversar comigo.

– Meu nome é Windy – disse ela.

– Wendy?

– Não, Windy. Com *i*. – Ela falou aquilo com um ar de quem já tinha repetido a explicação um milhão de vezes, o que devia ser verdade.

– Como a música do The Association? – perguntei.

Ela pareceu surpresa.

– Você conhece essa música? Não parece velho o suficiente.

– *Everyone knows it's Windy* – cantarolei. – Meu pai adorava essa banda.

– Uau! O meu também. Foi por isso que me deu esse nome.

Comecei uma conversa de verdade – o que era surpreendente. Windy tinha 31 anos e trabalhava como caixa de banco, mas estava se formando em enfermagem pediátrica, que era o seu sonho, na faculdade comunitária, que ficava naquela mesma rua. Ela cuidava do irmão deficiente.

– Alex tem paralisia cerebral – contou-me Windy, mostrando uma foto dele na cadeira de rodas.

O rosto do garoto era radiante. Fiquei olhando como se aquela bondade pudesse sair da fotografia e se tornar parte de mim. Ela percebeu, balançou a cabeça e disse numa voz muito suave:

– Ele é a luz da minha vida.

Uma hora se passou. Talvez duas. Windy e eu conversávamos. Em noites assim, sempre chega um momento em que sabemos se vamos "fechar negócio" (ou, para manter a metáfora da biblioteca, se nosso cartão será carimbado). O momento havia chegado e estava claro que a resposta seria sim.

As moças saíram para retocar a maquiagem. Eu estava entorpecido pela bebida. Uma parte de mim perguntava se eu conseguiria ir até o fim com Windy. Mas outra parte não estava nem aí.

– Essas aí já foram arquivadas – declarou Benedict. – Entendeu? Biblioteca, livros, arquivar?

Queixei-me em voz alta da brincadeira:

– Acho que vou vomitar.

– Que divertido – comentou ele. – Por falar nisso, onde você estava na noite passada?

– Não lhe contei?

– Não.

– Fui a Vermont – falei. – Ao antigo retiro de Natalie.

Ele se virou para mim.

– Para quê?

Era estranho, mas depois de beber muito, Benedict falava com um leve sotaque britânico. Devia ser consequência dos seus dias de escola preparatória. Quanto mais bebia, mais acentuado ficava o sotaque.

– Para encontrar respostas – retruquei.

– E conseguiu alguma coisa?

– Sim.

– Então me conte.

– Um – segurei um dedo –, ninguém sabe quem é Natalie. Dois – outro dedo –, ninguém sabe quem sou eu. Três – você já entendeu o negócio dos dedos –, não existe nenhum registro de seu matrimônio na capela onde ela se casou. Quatro, o pastor que oficiou a cerimônia jura que ela nunca aconteceu. Cinco, a mulher que é dona do café aonde costumávamos ir e que me apresentou a Natalie não fazia ideia de quem eu era nem se lembrava dela ou de mim.

Baixei a mão.

– Ah, e o retiro artístico de Natalie? – continuei. – A Colônia de Renovação Criativa. Não está mais lá, todos juram que nunca existiu e que sempre foi uma fazenda familiar. Em suma, acho que estou ficando louco.

Benedict se virou e deu um gole em sua cerveja.

– O quê? – falei.

– Nada.

Eu o empurrei de leve.

– Ora, vamos. O que foi?

Benedict mantinha a cabeça baixa.

– Seis anos atrás, quando foi para aquele retiro, você estava muito mal.

– Um pouco. E daí?

– Seu pai tinha morrido. Você estava se sentindo sozinho. A dissertação não ia bem. Estava chateado e nervoso. Revoltado porque Trainor escapara sem punição alguma.

– Aonde você quer chegar?

– Não, nada. Esqueça.

– Não me venha com essa. O que foi?

Minha cabeça estava realmente girando agora. Eu deveria ter parado alguns copos antes. Lembrei-me de uma vez em que tinha bebido demais, no meu primeiro ano de faculdade, e voltei caminhando para o meu dormitório. Não cheguei ao destino. Quando acordei, estava deitado sobre uma moita. Lembro-me de olhar para as estrelas no céu e de me perguntar por que o chão parecia tão cheio de espinhos. Agora eu me sentia oscilar, como se estivesse num barco em mar revolto.

– Natalie – disse Benedict.

– O que tem ela?

Ele virou os olhos ampliados pelas lentes dos óculos na minha direção.

– Por que eu não a conheci?

Minha vista estava ficando um pouco embaçada.

– O quê?

– Por que não conheci Natalie?

– Porque passamos o tempo todo em Vermont.

– Você não veio ao campus nem uma vez?

– Uma só. Fomos ao Judie's.

– Por que não a levou para eu conhecê-la?

Dei de ombros com um prazer um pouco excessivo.

– Não sei. Talvez você não estivesse aqui.

– Fiquei aqui aquele verão todo.

Silêncio. Puxei pela memória. Eu teria tentado apresentá-la a Benedict?

– Sou seu melhor amigo, certo?

– Certo.

– Se você casasse com ela, eu seria o padrinho.

– Você sabe que sim.

– Não acha estranho que eu não a tenha conhecido? – perguntou ele.

– Falando assim... – franzi a testa – Espere aí, o que você está querendo dizer?

– Nada – respondeu ele, tranquilo. – Só acho estranho.

– Estranho como?

Ele não respondeu.

– Estranho no sentido de que eu a inventei? É isso que você está insinuando?

– Não. Só estou comentando.

– Comentando o quê?

– Aquele verão. Você precisava se agarrar a alguma coisa.

– E encontrei. E depois perdi.

– Ok, chega.

Mas não, não era assim. Não naquele momento. Com a raiva e a bebida falando por mim.

– A propósito – recomecei –, por que eu não conheci o amor da sua vida?

– Do que você está falando?

Cara, eu estava mesmo bêbado.

– Da foto na sua carteira. Por que nunca a conheci?

Foi como se eu tivesse lhe dado um tapa na cara.

– Esqueça isso, Jake.

– Só estou comentando.

– Esqueça. Isso.

Abri a boca e depois a fechei. As garotas voltaram. Benedict balançou a cabeça e de repente seu sorriso apareceu outra vez.

– Qual você quer? – perguntou.

Encarei-o.

– Sério?

– Sim.

– Windy – falei.

– Qual das duas é a Windy?

– Sério?

– Não sou bom com nomes – disse Benedict.

– Windy é aquela com quem conversei a noite toda.

– Em outras palavras, você quer a mais gostosa. Tudo bem.

Windy me levou para a casa dela. Fomos devagar até começarmos a ir rápido. Não foi nenhuma maravilha, mas foi bom o bastante. Eram umas três da manhã quando ela me levou até a porta.

Sem saber o que dizer, soltei um estúpido:

– Hum... obrigado.

– Hum... de nada?

Nós nos beijamos de leve na boca. Não era nada que fosse durar, sabíamos disso, mas foi um pequeno e breve prazer, e às vezes não há nada de errado nisso.

Arrastei-me pelo campus. Ainda havia estudantes do lado de fora. Tentei permanecer na sombra, mas Barry, o aluno que vai à minha sala todas as semanas, me viu e gritou:

– Enfiou o pé na jaca, professor?

Pego no flagra.

Dei-lhe um aceno simpático e continuei andando torto até meu humilde alojamento.

Tive uma vertigem súbita ao entrar. Fiquei imóvel, esperando que minhas pernas se firmassem. Quando a tontura passou, fui até a cozinha e tomei um copo de água gelada. Bebi em goles grandes e me servi de outro. Acordaria de ressaca no dia seguinte, não havia dúvida.

Eu estava exausto. Entrei no quarto e acendi a luz. Ali, sentado na beirada da cama, vi o cara com o boné de beisebol marrom. Dei um salto para trás, assustado.

Ele me deu um aceno amigável.

– Ei, Jake. O que é isso? Olhe para você. Caiu na gandaia?

Durante um segundo, não mais do que isso, fiquei imóvel. O cara sorria para mim como se aquele fosse o encontro mais natural do mundo. Chegou a tocar a aba do boné, como um jogador cumprimentando a torcida.

– Porra, quem é você? – perguntei.

– Isso não é importante, Jake.

– Não é importante o cacete! Quem é você?

O cara suspirou, abatido diante da minha insistência aparentemente irracional em saber sua identidade.

– Digamos que sou um amigo.

– Você estava no café em Vermont.

– Confesso.

– E me seguiu até aqui naquela van.

– Confesso outra vez. Cara, você está cheirando a bebida barata e sexo mais barato ainda. Não que haja algo errado nisso.

Eu tentava ficar de pé.

– O que você quer?

– Dar um passeio com você.

– Para onde?

– Para onde? – ele arqueou a sobrancelha. – Vamos parar de joguinhos, Jake. Você sabe para onde.

– Não tenho a menor ideia do que você está falando. Aliás, como entrou aqui?

Diante dessa pergunta, ele revirou os olhos.

– Ah, ok, Jake, vamos perder nosso tempo discutindo isto: como consegui passar por aquela porcaria de tranca na sua porta dos fundos. Seria melhor se você a lacrasse com fita adesiva.

Abri a boca, tornei a fechá-la e tentei outra vez.

– Quem é você?

– Bob. Ok? Já que você não consegue superar isso, meu nome é Bob. O seu é Jake. Podemos ir agora, por favor?

O homem ficou de pé. Preparei-me, ficando pronto para reviver meus dias de segurança de bar. Não havia a menor chance de eu deixar aquele cara sair dali sem uma explicação. Se ele ficou intimidado, conseguiu disfarçar muito bem.

– Estamos prontos para ir agora ou você quer perder mais tempo? – perguntou ele.

– Ir aonde?

Bob franziu a testa como se eu o estivesse provocando.

– Ora, Jake. Aonde mais poderia ser? – Ele fez um gesto em direção à porta atrás de mim. – Ver Natalie, claro. É melhor nos apressarmos.

capítulo 14

A VAN ESTAVA NO ESTACIONAMENTO da faculdade, atrás do dormitório Moore.

O campus estava silencioso. A música havia parado, substituída pelo canto incessante dos grilos. Eu podia ver a silhueta de alguns alunos ao longe, mas, no geral, três da manhã parecia ser a hora das bruxas.

Bob e eu caminhávamos lado a lado, dois amigos dando um passeio noturno. De vez em quando ainda sentia os efeitos da bebida, mas a combinação do ar noturno com a visita-surpresa estava me deixando sóbrio com uma rapidez incrível. Quando chegamos perto da van, a porta de trás se abriu. Um homem saltou.

Não gostei nada daquilo.

O cara era alto e magro, com os malares tão proeminentes que seriam capazes de cortar um tomate, e tinha o cabelo penteado à perfeição. Parecia um modelo masculino, até na expressão fechada. Durante meus anos como segurança de bar, desenvolvi uma espécie de sexto sentido para confusão. Isso acontece depois que se fica muito tempo num emprego desses. Um homem passa por você e o perigo emana em ondas de calor, como aquelas linhas onduladas de desenho animado. Esse cara emitia ondas de calor tão perigosas quanto a explosão de uma supernova.

Parei.

– Quem é esse?

– De novo com essa coisa de nomes? – disse Bob. Depois, com um suspiro dramático, acrescentou: – Otto. Jake, esse é meu amigo Otto.

– Otto e Bob – falei.

– Sim.

– Dois palíndromos.

– Vocês, professores universitários, e suas palavras difíceis.

Tínhamos chegado à van. Otto se afastou para o lado a fim de me deixar entrar, mas não me mexi.

– Entre – ordenou Bob.

Neguei com a cabeça.

– Minha mãe me ensinou a não entrar no carro de estranhos.

– Ei, professor!

Virei-me e arregalei os olhos. Barry vinha quase correndo em nossa direção. Sem dúvida estava bêbado e seus passos o faziam parecer uma marionete com as cordas emaranhadas.

– Oi, professor, uma perguntinha rápida: o que acha de eu...

Barry não conseguiu terminar a frase. Sem nenhuma advertência ou hesitação, Otto deu um passo à frente, inclinou-se para trás e lhe acertou um direto no rosto. Fiquei imóvel por um instante, chocado com a rapidez daquilo tudo. Barry voou e aterrissou no asfalto com um baque seco, a cabeça caída para trás. Tinha os olhos fechados e escorria sangue de seu nariz.

Apoiei um joelho no chão.

– Barry?

Ele não se mexeu.

Otto sacou uma arma.

Posicionei meu corpo um pouco para a esquerda, para proteger Barry.

– Otto não vai atirar em você – disse Bob, com a mesma voz calma. – Mas vai acertar alguns estudantes até você entrar nessa van.

Segurei a cabeça de Barry. Estava respirando. Eu ia checar seu pulso quando ouvi uma voz gritar:

– Barry? – Era outro aluno. – Cadê você, cara?

Fui tomado pelo medo quando Otto apontou a arma. Cogitei investir contra ele, mas, como se lesse meus pensamentos, ele deu um passo para longe de mim.

Outro aluno gritou:

– Acho que ele está ali, perto daquela van. Barry?

Otto apontou a arma na direção da voz. Bob me olhou e deu de ombros.

– Tudo bem – falei, num sussurro desesperado. – Eu vou! Não atirem em ninguém.

Entrei depressa na van. Os bancos traseiros tinham sido retirados. Havia um banco encostado em uma das laterais – era o único lugar onde se podia sentar. Otto baixou a arma e entrou comigo. Bob sentou-se ao volante. Barry ainda estava lá fora, no frio. Os estudantes se aproximavam quando saímos. Ouvi um deles gritar:

– Mas o que... Meu Deus! Barry?

Se Bob e Otto estavam preocupados com a possibilidade de alguém ver a placa, não deixaram transparecer. Bob dirigia numa velocidade provocadoramente baixa. Eu preferiria que ele pisasse no acelerador. Queria levá-los para o mais longe possível dos alunos.

Virei-me para Otto.

95

– Por que você o acertou com tanta força?

Ele me lançou um olhar que me deu um calafrio. Seus olhos não tinham vida. Era como se eu estivesse encarando um objeto inanimado – uma mesa de centro, talvez, ou uma caixa de papelão.

Do banco do motorista, Bob disse:

– Jogue a carteira e o telefone aqui no banco da frente, por favor.

Obedeci. Fiz um inventário rápido da parte de trás da van e não gostei do que vi. O carpete tinha sido arrancado, e o piso de metal estava à mostra. Havia uma caixa de ferramentas enferrujada aos pés de Otto. Eu não fazia ideia do que poderia haver ali dentro. Uma barra fora soldada à parede da van em frente a mim. Engoli em seco quando vi as algemas. Uma delas estava presa à barra. A outra, aberta, talvez esperando algum pulso.

Otto mantinha a arma apontada para mim.

Quando chegamos à estrada, Bob começou a dirigir de modo casual, usando apenas a palma da mão, como meu pai costumava fazer quando íamos à loja de ferragens comprar alguma coisa para um projeto de fim de semana.

– Jake? – chamou ele.

– O que foi?

– Para onde?

– Hein?

– É simples, Jake – disse Bob. – Você vai nos dizer onde está Natalie.

– Eu?

– É.

– Não faço a menor ideia. Pensei que você tinha dito que...

Então o cretino do Otto me acertou um soco com força na barriga. Fiquei sem ar. Curvei-me para a frente. Meus joelhos bateram com força no chão da van. Quem já ficou completamente sem ar sabe como isso é paralisante. A pessoa sente como se estivesse sufocando. Tudo que pode fazer é se enrolar feito um tatu-bola e rezar para que o oxigênio volte.

– Onde está ela? – insistiu Bob.

Mesmo que soubesse, eu não conseguiria responder. Não tinha fôlego. Tentei superar aquilo, lembrar-me de que, se eu não fizesse esforço, o ar voltaria, mas era como se alguém estivesse segurando minha cabeça debaixo d'água e eu fosse obrigado a acreditar que acabaria me soltando.

A voz de Bob outra vez:

– Jake?

Otto chutou com força a lateral da minha cabeça. Caí de costas e vi estrelas. Meu peito voltou a se mexer e o ar começou a entrar em doses pequenas, muito bem-vindas. Ele chutou minha cabeça de novo. A escuridão me dominou e meus olhos reviraram. Senti o estômago embrulhar. Achei que iria vomitar e, como nossa mente funciona de maneira estranha, pensei que tinha sido bom eles terem tirado o carpete, porque seria mais fácil para limpar a sujeira.

– Onde ela está? – perguntou Bob mais uma vez.

Arrastando-me para o outro lado da van, consegui dizer:

– Não sei, juro!

Sentei-me com as costas apoiadas na lateral do veículo. A barra com a algema estava acima do meu ombro esquerdo. Otto mantinha a arma apontada para mim. Não me mexi. Estava tentando ganhar tempo, recuperar o fôlego, me recompor, pensar com clareza. A bebida ainda surtia efeito, deixando tudo um pouco nebuloso, mas a dor é uma forma bastante eficiente de devolver lucidez e foco à vida.

Dobrei os joelhos junto do peito e senti uma coisa pequena e afiada contra a perna. Um caco de vidro, imaginei, ou talvez uma pedrinha. Olhei para o chão e, com pavor crescente, vi que não era nem uma coisa nem outra.

Era um dente.

Engasguei. Olhei para a frente e vi um esboço de sorriso no rosto de modelo de Otto. Ele abriu a caixa, revelando um conjunto de ferramentas enferrujadas. Vi pinças, uma serra, um estilete... e então desisti de olhar.

– Onde ela está? – insistiu Bob.

– Já falei que não sei.

– Essa resposta é muito decepcionante – retrucou ele.

Eu podia ver a parte de trás de sua cabeça se movendo de um lado para outro.

Otto permanecia impassível. Continuava com a arma apontada para mim, mas, vez por outra, lançava um olhar amoroso para as ferramentas. Os olhos sem vida se iluminavam quando pousavam nas pinças, na serra e no estilete.

– Jake? – chamou Bob.

– O quê?

– Otto vai algemar você agora. Não faça nenhuma burrice. Ele está armado e sempre podemos voltar ao campus e usar seus alunos para brincar de tiro ao alvo. Está me entendendo?

Engoli em seco outra vez. Minha cabeça girava.

– Não sei de nada.

Bob deu um suspiro melodramático.

– Eu não perguntei se você sabe de alguma coisa, Jake. Bem, perguntei isso antes, mas agora a questão é se você entende o que estou falando sobre a algema e o tiro ao alvo com os alunos. Compreendeu isso, Jake?

– Sim.

– Ok, então fique quieto.

Bob deu seta e passou para a pista da esquerda.

– Vá em frente, Otto – ordenou.

Eu sabia que não tinha muito tempo. Talvez apenas alguns segundos. Se ele conseguisse me algemar – e me prender à barra da van –, eu estava acabado. Olhei para o dente.

Um belo lembrete do que estava para acontecer.

Otto se afastou da porta traseira do veículo e veio na minha direção. Ainda segurava a arma. Eu poderia me lançar contra ele, mas isso era o que ele estaria esperando. Considerei a hipótese de abrir a porta lateral e pular, mesmo com a van a 100 quilômetros por hora numa estrada. Mas a porta estava trancada. Eu não conseguiria abri-la a tempo.

Otto enfim falou:

– Segure a barra com a mão esquerda, perto da algema. Use todos os dedos.

Entendi qual era o seu objetivo. Eu ficaria com uma das mãos ocupadas e ele só teria que vigiar a outra. Não que isso fosse importante. Levaria apenas um segundo para fechar a algema e, depois, fim de jogo. Agarrei a barra – e então tive uma ideia.

Era muito improvável que desse certo, talvez até impossível, mas depois que a algema se fechasse, eu estivesse preso e Otto viesse cuidar de mim com sua caixa de ferramentas...

Não havia alternativa.

Otto esperava que eu o atacasse, e não que eu me lançasse em outra direção.

Tentei relaxar. O tempo era fundamental. Sou alto. Se não fosse por isso, não teria a menor chance. Também estava contando que ele não tivesse a intenção de atirar em mim, que os dois me quisessem vivo – como Bob dera a entender com aquela ameaça de atirar nos alunos.

Teria um segundo. Menos. Frações de segundo, talvez.

Otto esticou o braço para a algema. Quando a segurou, fiz minha investida.

Usando a mão que segurava a barra como apoio, joguei as pernas para cima, mas não para chutá-lo. Seria inútil e previsível. Em vez disso, suspendi meu corpo na horizontal. Não estava exatamente voando pela van como um veterano das artes marciais, mas, com minha altura e todos os malditos exercícios que eu vinha praticando, consegui usar a perna como um chicote.

Mirei o calcanhar na lateral da cabeça de Bob.

Otto reagiu depressa. No exato instante em que meu calcanhar acertou o alvo, ele me agarrou no ar, empurrando-me com força para o chão. Pegou meu pescoço e começou a apertar.

No entanto era tarde demais.

Meu chute acertara com força a cabeça de Bob, jogando-a para o lado. Por instinto, ele soltou o volante. O veículo perdeu o controle, fazendo com que Otto e eu – e a arma – rolássemos embolados.

Havia começado.

Ele mantinha o braço em volta do meu pescoço, mas sem a arma. Agora era homem a homem. Ele era um lutador bom e experiente. Eu também. Ele devia ter mais de 1,80 metro de altura e pesar uns 80 quilos. Tenho 1,98 metro e peso mais de 100 quilos.

A vantagem era minha.

Empurrei-o com toda força para o outro lado da van. Ele afrouxou o aperto em meu pescoço. Empurrei-o outra vez. Otto me soltou. Meus olhos vasculharam o chão em busca da arma.

Não conseguia vê-la.

A van derrapava para a direita e para a esquerda, enquanto Bob tentava recuperar o controle da direção.

Caí para a frente, de joelhos. Ouvi o som de algo deslizando e vi a arma bem ali no canto. Tentei rastejar até ela, mas Otto agarrou minha perna e me puxou para trás. Fizemos um breve cabo de guerra, eu tentando chegar mais perto da arma e ele me puxando.

Depois Otto baixou a cabeça e mordeu minha perna com força.

Urrei de dor.

Ele cravava os dentes na minha panturrilha. Em pânico, chutei com mais força. Ele continuou grudado. A dor embaçava minha visão. Por sorte, a van derrapou de novo. Rolei para a esquerda. Ele caiu perto da caixa de ferramentas e enfiou a mão dentro dela.

Onde estava a maldita arma?

Não conseguia encontrá-la.

Do banco da frente, Bob disse:

– Se você se render, não vamos ferir mais nenhum estudante.

Eu não daria ouvidos àquela baboseira. Olhava para a direita e para a esquerda. Nenhum sinal da arma.

A mão de Otto ficou de novo à vista. Ele segurava o estilete. Deslizou o polegar, abrindo a lâmina.

De repente, a vantagem do meu tamanho se tornara irrelevante.

Ele partiu para cima de mim. Eu estava encurralado e imobilizado. Nenhum sinal da arma. Não havia a menor chance de partir para cima dele sem que saísse todo cortado. Só me restava uma opção.

Na dúvida, é melhor repetir o que deu certo.

Virei-me e dei um soco na parte de trás da cabeça de Bob.

A van derrapou mais uma vez, jogando Otto e eu para o alto. Quando aterrissei, vi uma chance. Baixei a cabeça e arremeti contra ele, que ainda segurava o estilete apontado para mim. Consegui agarrar seu pulso. Mais uma vez, tentei tirar vantagem do meu peso.

Lá na frente, Bob estava passando por maus bocados tentando controlar o carro.

Otto e eu rolamos no chão. Minha mão continuava prendendo seu pulso. Passei as pernas em torno do corpo dele e encaixei o braço livre na curva de seu pescoço, tentando chegar à traqueia. Ele baixou o queixo para me impedir. Mesmo assim, permaneci com o braço no pescoço dele. Se conseguisse apertar um pouquinho mais...

Foi então que aconteceu.

Bob pisou fundo no freio. A van parou bruscamente. Otto e eu fomos suspensos no ar mais uma vez e depois despencamos com força no chão. Só que meu braço continuava em volta do seu pescoço. Meu peso mais a velocidade do carro e a parada brusca – tudo isso transformou meu braço numa espécie de garrote.

Ouvi o som horrível de algo estalando, como dezenas de gravetos úmidos se partindo. A traqueia de Otto cedeu como papel-machê. Meu braço encostou em alguma coisa dura – por cima da pele e da cartilagem de seu pescoço, senti o chão da van. O corpo dele ficou flácido. Olhei para aquele rosto de modelo. Estava de olhos abertos, mas agora eles não apenas *pareciam* sem vida – estavam mesmo.

Quase desejei que piscassem, mas isso não aconteceu.

Otto estava morto.

Saí de cima dele.

– Otto? – chamou Bob do banco do motorista.

Eu o vi enfiar a mão no bolso. Perguntei-me se estaria sacando uma arma, mas não estava disposto a ficar ali para descobrir. Pus a mão no trinco da porta traseira da van e puxei. Quando ela se abriu, dei uma última olhada para trás.

Sim, Bob tinha uma arma, e ela estava apontada para mim.

Abaixei-me e a bala passou por cima da minha cabeça. Ele devia ter mudado de ideia a respeito de não me matar. Rolei pela porta e caí na estrada, sobre o ombro direito. Vi faróis vindo na minha direção. Arregalei os olhos. Um carro vinha para cima de mim.

Rolei outra vez. Ouvi o som de pneus cantando. O carro passou tão perto que senti a poeira da estrada atingir meu rosto. O motorista buzinou e me xingou.

A van de Bob começou a andar. Fui tomado por uma sensação de alívio. Rastejei para a relativa segurança do acostamento. Com tantos carros passando, imaginei que ele iria embora.

Mas Bob não foi.

A van estava a uns 20 metros de onde eu me encontrava caído.

Ainda empunhando a arma, Bob saltou. Eu estava ferrado. Não acreditava que pudesse me mexer, mas o fato era que, quando alguém está armado, coisas como dor e exaustão se tornam, no mínimo, irrelevantes.

Mais uma vez, só me restava uma opção.

Pulei para um arbusto à beira da estrada. Não olhei antes. Não verifiquei nada. Apenas me joguei. Na escuridão, não tinha visto a ribanceira. Caí rolando, deixando a gravidade me levar para longe do acostamento. Esperava chegar logo ao fundo, mas estava demorando demais.

Rolei por um bom tempo. Minha cabeça ia batendo em pedras, as pernas, em árvores, as costelas em... não sei quê. Eu só rolava. Atravessei uma moita. Caí sem parar, até que meus olhos começaram a se fechar e o mundo ficou escuro e silencioso.

capítulo 15

Ao VER OS FARÓIS, SUSPIREI e tentei rolar outra vez. Ele tinha me seguido.
– Senhor?

Estava deitado de costas, olhando para cima. Estranho. Como um carro podia se aproximar de mim pela frente se eu estava olhando para o céu? Levantei o braço para bloquear a luz. Senti uma dor aguda no ombro.

– O senhor está se sentindo bem?

Encobri os olhos e os estreitei. Os dois faróis se fundiram num facho de lanterna. A pessoa que a apontava para mim desviou a luz. Pisquei e vi um policial de pé ao meu lado. Sentei-me devagar, o corpo todo protestando.

– Onde estou? – perguntei.

– O senhor não sabe onde está?

Balancei a cabeça, tentando clarear as ideias. Estava um breu. Encontrava-me deitado sobre algum tipo de folhagem. Por um momento, voltei a meu ano de calouro na universidade, na vez em que, sem estar acostumado a beber, terminei a noite numa moita.

– Qual é seu nome, senhor? – perguntou o policial.

– Jake Fisher.

– Sr. Fisher, andou bebendo esta noite?

– Fui atacado – falei.

– Atacado?

– Por dois homens armados.

– Sr. Fisher?

– Sim?

O oficial falava naquele tom compreensivo e paciente característico dos policiais.

– O senhor andou bebendo?

– Sim. Bem mais cedo.

– Sr. Fisher, sou o agente John Ong. O senhor parece ter alguns ferimentos. Gostaria que o levássemos até um hospital?

Eu me esforçava ao máximo para me concentrar. Todos os pensamentos pareciam distorcidos.

– Não sei.

– Vamos chamar uma ambulância – disse ele.

– Não acho que seja necessário. – Olhei em volta – Onde estou?

– Sr. Fisher, posso ver um documento seu, por favor?

– Claro. – Enfiei a mão no bolso de trás, mas depois lembrei que tinha jogado a carteira e o telefone no banco da frente da van, ao lado de Bob. – Eles roubaram.

– Quem?

– Os dois homens que me atacaram.

– Os caras armados?

– Sim.

– Então foi um assalto?

– Não.

As imagens passavam pelos meus olhos – o braço em torno do pescoço de Otto, o estilete em sua mão, a caixa de ferramentas, a algema, aquele medo puro, terrível e paralisante, a freada súbita, o barulho de sua traqueia se partindo como um graveto. Fechei os olhos e tentei afastá-las.

Depois, mais para mim mesmo do que para o policial, acrescentei:

– Matei um deles.

– Como é que é?

Havia lágrimas nos meus olhos. Eu não sabia o que fazer. Tinha matado um homem, mas fora um acidente e em legítima defesa. Precisava explicar isso. Não podia guardar para mim mesmo. Sabia disso. Muitos dos alunos que se formavam em ciência política também tinham cursado direito. A maioria dos meus colegas professores tinha exercido a advocacia e tinha doutorado na área. Eu mesmo sabia bastante sobre Constituição, direitos e o funcionamento de nosso sistema legal. Em suma, é preciso ter cuidado com o que se diz, porque não se pode voltar atrás. Eu queria falar. Precisava falar. Mas não podia simplesmente vomitar assim uma confissão de assassinato.

Ouvi sirenes e vi uma ambulância parar.

O agente John Ong apontou de novo a luz para os meus olhos. Não deve ter sido sem querer.

– Sr. Fisher?

– Quero chamar meu advogado – falei.

◆ ◆ ◆

Não tenho advogado.

Para que precisaria de um? Sou um professor universitário solteiro, sem ficha criminal e com pouquíssimos recursos.

– Ok, tenho boas e más notícias – disse Benedict.

Eu havia ligado para o meu amigo. Ele não era membro da Ordem dos Advogados, mas se formara em direito em Stanford. Eu estava numa dessas macas cobertas com o que parecia ser papel higiênico, na emergência de um pequeno hospital. O médico de plantão – que aparentava estar quase tão exausto quanto eu – me dissera que eu devia ter sofrido uma concussão. Minha cabeça doía muito. Tinha também várias contusões, cortes e talvez um entorse. Ele não conseguia entender as marcas de dentes. Com o fim dos picos de adrenalina, a dor ia aumentando. O médico prometeu me receitar um analgésico.

– Estou ouvindo – falei.

– A boa notícia é que os policiais acham que você ficou completamente louco e não acreditam em uma palavra do que diz.

– E a má notícia?

– Tendo a concordar com eles, mas acrescentaria uma forte probabilidade de que tenha havido uma alucinação induzida pelo álcool.

– Mas eu fui atacado.

– Sim, entendo – falou Benedict. – Dois homens, armas, uma van e ferramentas elétricas.

– Ferramentas. Ninguém falou em eletricidade.

– Tudo bem, tanto faz. Você também bebeu bastante e depois saiu com uma estranha.

Levantei a calça para mostrar a marca da mordida.

– Como você explica isso?

– Wendy pode ter sido selvagem.

– Windy – corrigi, apesar de ser irrelevante. – O que faço agora?

– Não gosto de me gabar – disse Benedict –, mas tenho um excelente conselho profissional para lhe dar, se quiser.

– Quero.

– Pare de dizer que matou outro ser humano.

– Uau! E você não queria se gabar, hein?

– Está em todos os livros de direito – comentou ele. – Sabe esse número de placa que você deu? Não existe. Não há corpo, sinal de violência, nem crime algum. Só uma pequena infração porque você, admitidamente bêbado, invadiu o quintal de um cara quando rolou a ribanceira. A polícia está disposta a liberá-lo só com uma multa. Vamos para casa e depois veremos o que fazer, está bem?

Era difícil argumentar com aquela lógica. Seria recomendável que eu saísse daquele lugar, voltasse ao campus, descansasse, me organizasse, me recuperasse e pensasse sobre tudo o que havia acontecido à luz sóbria de um dia normal. Além do mais, tinha dado aulas de Introdução à Constituição durante um semestre. A Quinta Emenda protege o cidadão contra a autoincriminação. Talvez devesse me valer desse direito agora.

Benedict dirigia. Minha cabeça girava. O médico me dera uma injeção que me reanimara de imediato, mas agora estava me fazendo despencar numa montanha-russa. Tentava me concentrar, mas sem a bebida e a medicação, era difícil esquecer uma ameaça à vida. Eu tivera literalmente que lutar pela sobrevivência. O que estava acontecendo? O que Natalie tinha a ver com aquilo tudo?

Quando chegamos ao estacionamento de funcionários, vi um carro da segurança do campus perto da minha porta. Benedict me lançou um olhar questionador. Dei de ombros e saltei. Quando fiquei de pé, senti uma tontura que quase me derrubou. Tentei me manter ereto e segui com cuidado. Ali estava Evelyn Stemmer, a chefe de segurança do campus, uma mulher pequena e de sorriso franco. Naquele momento, não sorria.

– Estávamos à sua procura, professor Fisher – disse ela.

– Meu celular foi roubado.

– Entendo. Importa-se de vir comigo?

– Aonde?

– À casa do reitor Tripp. Ele quer conversar.

Benedict se pôs entre nós.

– Do que se trata, Evelyn?

A chefe de segurança olhou-o como se ele fosse o cocô do cavalo do bandido.

– Prefiro deixar o reitor Tripp explicar. Sou apenas a mensageira.

Eu estava muito desorientado para protestar. E o que eu ganharia com isso? Benedict quis ir conosco, mas achei que não seria uma boa postura levar meu melhor amigo para uma conversa com o chefe. O banco da frente do carro da segurança do campus tinha uma espécie de computador em cima. Tive que ir sentado atrás, como um verdadeiro criminoso.

O reitor morava numa casa de pedra, com 22 quartos e 900 metros quadrados, construída num estilo que os especialistas chamavam de "renascimento gótico contido". Eu não sabia o que isso significava, mas a arquitetura era impressionante. Também não via necessidade de haver uma viatura em frente ao meu alojamento – a vila se erguia no alto de uma elevação que dava para as quadras esportivas, a uns 400 metros do estacionamento de funcionários. Totalmente reformada dois anos antes, a casa abrigava agora não só a família do reitor, mas também uma série de eventos para arrecadação de fundos, algo bem mais importante.

Fui levado a uma sala que parecia idêntica ao seu escritório na universidade, só um pouco mais lustrada e encerada. Pensando bem, exatamente como o novo reitor. Jack Tripp também tinha uma aparência lustrada, encerada e corporativa, cabelo escorrido e dentes com jaqueta. Ele tentava se adaptar ao ambiente vestindo tweed, mas era um paletó sob medida e muito caro para um professor. Os remendos nos cotovelos eram simétricos demais. Os alunos se referiam a ele desdenhosamente como o "mauricinho". O apelido lhe caía como uma luva.

Aprendi que o ser humano é movido a incentivos, então fazia algumas concessões ao reitor. Seu trabalho, apesar da pretensão acadêmica e de alto saber, resumia-se a arrecadar dinheiro. Ponto final. Essa era – e talvez devesse ser mesmo – sua preocupação principal. Os melhores reitores eram os que entendiam isso e, portanto, chegavam com uma agenda o menos edificante possível. Segundo essa definição, Tripp estava fazendo um excelente trabalho.

– Sente-se, Jacob – disse ele, olhando para a oficial Stemmer, atrás de mim. – Evelyn, feche a porta ao sair, por favor.

Fiz o que Tripp mandara. E a chefe de segurança também.

Ele se sentou atrás da enorme mesa lavrada. Grande, com aspecto corporativo, de quem se dava muita importância. Quando quero ser cruel, sempre reparo na mesa de um homem. Assim como o carro, às vezes as mesas também tentam compensar alguma coisa. Tripp cruzou as mãos sobre o tampo, grande o bastante para servir de heliponto, e disse:

– Você está com uma aparência péssima, Jacob.

Engoli o "você não viu o outro cara" porque, naquele caso, seria de muito mau gosto.

– Tive uma noite longa.

– Parece estar ferido.

– Estou bem.

– Deveria dar uma olhada nisso.

– Já dei – remexi-me na cadeira. A medicação estava fazendo tudo ficar nebuloso, como se meus olhos estivessem cobertos por gaze. – Qual é o assunto, Jack?

Ele levantou as mãos por um instante e depois as recolocou sobre a mesa.
– Quer me contar sobre a noite passada?
– O que você quer saber sobre a noite passada? – perguntei.
– Me diga você.
Então o jogo era esse. Muito justo. Eu começaria.
– Fui a um bar com um amigo. Bebi demais. Quando voltei para casa, dois homens me sequestraram.
Ele arregalou os olhos.
– Dois homens sequestraram você?
– Sim.
– Quem?
– Eles se apresentaram como Bob e Otto.
– Bob e Otto?
– Foi o que disseram.
– E onde estão agora?
– Não sei.
– Foram presos?
– Não.
– Mas você deu queixa à polícia?
– Dei. Você se importa de me dizer por que todas essas perguntas?
Tripp levantou a mão, como se de repente tivesse percebido que a mesa estava suja. Juntou as palmas e bateu os dedos uns contra os outros.
– Você conhece um aluno chamado Barry Watkins?
Meu coração parou por um instante.
– Ele está bem?
– Você o conhece?
– Conheço. Um dos homens que me pegou deu um soco na cara dele.
– Entendo – retrucou o reitor, como se não estivesse entendendo nada.
– Quando?
– Estávamos perto da van. Barry me chamou e veio correndo. Antes que eu pudesse sequer me virar, um dos caras deu um soco nele. Barry está bem?
Os dedos tamborilaram um pouco mais.
– Ele está no hospital com fraturas no rosto. Esse soco causou um estrago e tanto.
Recostei-me.
– Merda.

– Os pais dele ficaram muito chateados. Estão falando em processar a universidade.

Processo – a palavra que aterroriza qualquer burocrata. Fiquei esperando uma música de filme de terror começar a tocar.

– Barry Watkins não se lembra de outros dois homens. Só de chamar seu nome, correr até você e mais nada. Outros dois alunos se lembram de ver você fugindo numa van.

– Não fugi. Fui levado.

– Entendo – disse ele, no mesmo tom de antes. – Quando esses dois outros alunos chegaram, Barry estava caído no chão, sangrando. E você deu a partida.

– Eu não estava dirigindo, mas na parte de trás.

– Entendo.

Outra vez o "entendo". Inclinei-me para mais perto dele. A mesa estava completamente vazia, a não ser por uma pilha de papéis organizada demais e, é claro, a foto de família obrigatória, com a esposa loura, dois filhos adoráveis e um cachorro de pelo tão escorrido quanto o cabelo de Tripp. Nada mais. Uma mesa enorme, sem nada sobre ela.

– Tentei levá-los para o mais longe possível do campus – falei. – Ainda mais depois daquela mostra de violência. Decidi cooperar.

– Quando diz "levá-los" está se referindo aos dois homens que... sequestraram você?

– Sim.

– Quem eram eles?

– Não sei.

– Estavam sequestrando você para pedir um resgate?

– Acho que não – respondi, percebendo como aquilo tudo parecia sem pé nem cabeça. – Um deles invadiu a minha casa. O outro ficou esperando na van. Insistiram que eu fosse com eles.

– Você é um homem bem grande. Forte. Imponente.

Fiquei calado.

– Como o convenceram a ir?

Pulei a parte sobre Natalie e soltei a bomba:

– Eles estavam armados.

Os olhos dele se arregalaram outra vez.

– Armas de fogo?

– Sim.

– De verdade?

– Sim.

– Como sabe que eram de verdade?

Decidi não contar que um deles havia atirado em mim. Perguntei-me se a polícia não encontraria balas perto da estrada. Teria que checar isso.

– Você contou isso a mais alguém? – perguntou Tripp.

– Contei à polícia, mas não sei se acreditaram em mim.

Ele se recostou na cadeira e beliscou o lábio. Sei o que estava pensando: como alunos, pais e ex-alunos importantes reagiriam se soubessem que homens armados haviam entrado no campus? Não apenas tinham entrado, mas, se eu estivesse falando a verdade – o que era, no mínimo, questionável –, sequestraram um professor e agrediram um aluno.

– Você estava muito bêbado nessa hora, não estava?

Pronto. Aí estava.

– Sim.

– Nós temos uma câmera de segurança no campus. O vídeo mostrou você andando em zigue-zague.

– É o que acontece quando se bebe demais.

– Também temos informações de que você saiu do Bar Biblioteca à uma da manhã... e só foi visto pelo campus às três.

Continuei calado.

– Onde esteve durante essas duas horas?

– Por quê?

– Porque estou investigando uma agressão a um aluno.

– Que aconteceu depois das três da manhã. Você acha que passei duas horas planejando isso tudo?

– O sarcasmo é desnecessário, Jacob. O assunto é sério.

Fechei os olhos e senti a sala rodar. Ele tinha razão.

– Saí com uma mulher. Mas isso é irrelevante. Não dei nenhum soco em Barry. Ele vai à minha sala para atendimento todas as semanas.

– Sim, ele também defendeu você. Disse que é o professor favorito dele. Mas tenho que enxergar os fatos, Jacob. Você entende, né?

– Entendo.

– Fato: você estava bêbado.

– Sou professor universitário. Beber é praticamente uma obrigação profissional.

– Isso não tem a menor graça.

— Mas é verdade. Já vim a festas aqui. Você mesmo não tem medo de tomar um ou dois drinques.

— Você não está se ajudando.

— Nem estou tentando. Eu quero é chegar à verdade.

— Então, fato número dois: embora esteja sendo impreciso, parece que depois de beber você teve um encontro sexual.

— Não fui impreciso – falei. – Foi exatamente o que eu disse. Ela tinha mais de 30 anos e não trabalha na universidade. Qual é o problema?

— E depois disso, um aluno foi agredido.

— Não por mim.

— Ainda assim, há uma conexão – falou ele, recostando-se outra vez. – Não vejo alternativa a não ser pedir que você tire uma licença.

— Por ter bebido?

— Por tudo isso – respondeu ele.

— Estou no meio de um semestre...

— Vamos encontrar um substituto.

— Tenho responsabilidade com meus alunos. Não posso simplesmente abandoná-los.

— Talvez você devesse ter pensado nisso antes de encher a cara – disse ele, com certa aspereza na voz.

— Beber não é crime.

— Não, mas o que fez depois... – Ele se interrompeu e um sorriso se abriu em seus lábios. – Engraçado.

— O quê?

— Ouvi falar da sua desavença com o professor Trainor anos atrás. Você não vê nenhuma semelhança?

Não respondi.

— É como se costuma dizer – continuou ele. – O sujo falando do mal lavado.

Balancei a cabeça.

— Profundo.

— Você está fazendo piada, Jacob, mas acha mesmo que é inocente nessa história?

Eu não sabia o que pensar.

— Não falei que era inocente.

— Só hipócrita? – Ele suspirou fundo. – Não gosto de fazer isso com você, Jacob.

– Mas...?

– Você sabe qual é o "mas". A polícia está investigando a sua queixa?

– Não sei. – E era verdade.

– Então talvez seja melhor você tirar uma licença até que isso tudo se resolva.

Estava prestes a protestar, mas desisti. Ele estava certo. Melhor esquecer todo o ritual político e as reclamações legais. A verdade era que eu estava pondo os alunos em risco. E um estudante já tinha sido gravemente ferido. Poderia dar todas as desculpas que quisesse, mas, se tivesse mantido minha promessa a Natalie, Barry não estaria numa cama de hospital com o nariz quebrado.

Não podia correr o risco de deixar que isso voltasse a acontecer.

E não podia esquecer que Bob ainda estava à solta por aí. Ele poderia querer se vingar pela morte de Otto ou, no mínimo, terminar o trabalho ou silenciar a testemunha. Se eu ficasse, não estaria ameaçando o bem-estar dos alunos?

O reitor Tripp começou a mexer nos papéis sobre a mesa, sinal claro de que havíamos terminado a conversa.

– Faça as malas – disse ele. – Quero que esteja fora do campus em uma hora.

capítulo 16

No dia seguinte, já estava em Palmetto Bluff por volta do meio-dia. Bati à porta de uma casa localizada numa rua tranquila sem saída. Delia Sanderson – suposta viúva de Todd Sanderson – abriu com um sorriso triste. Alguns diriam que era uma bela mulher, com o corpo musculoso de quem foi criada na fazenda. Os traços faciais eram marcantes e as mãos, grandes.

– Muito obrigado por fazer a viagem até aqui, professor.

– Pode me chamar de Jake – falei, sentindo uma pequena pontada de culpa.

Ela deu um passo para o lado, convidando-me a entrar. A casa era boa, decorada num estilo falso-vitoriano que parecia ser a última moda nesses condomínios novos. Os fundos davam para um campo de golfe. A atmosfera era de muito verde e serenidade.

– Nem consigo lhe dizer quanto fico feliz por ter vindo – disse ela.

Outra pontada.

– Ora, por favor – falei. – É uma honra.

– Ainda assim. Uma universidade enviar um professor até tão longe...

– Não é nada de mais, de verdade. – Tentei sorrir. – É bom sair um pouco.

– Fico muito grata – disse Delia Sanderson. – As crianças não estão em casa agora. Fiz com que voltassem às aulas. O luto é importante, mas também é preciso fazer alguma coisa. Entende o que quero dizer?

– Claro.

Não tinha sido específico na véspera, ao telefone. Só lhe disse que era professor na universidade de Todd e que gostaria de fazer uma visita para oferecer minhas condolências. Teria eu insinuado que vinha em nome da instituição? Digamos que não tenha negado.

– Aceita um café? – perguntou ela.

Já percebi que as pessoas tendem a ficar mais relaxadas quando estão fazendo tarefas simples e sentindo que as visitas estão à vontade. Respondi que sim.

Estávamos no hall. A parte formal da casa, para onde se costuma levar os visitantes, ficava à direita. Os ambientes mais íntimos – sala de estar e cozinha – estavam à esquerda. Segui Delia até a cozinha, já imaginando que um cenário mais casual pudesse deixá-la mais propensa a se abrir.

Não havia sinais da invasão recente, mas o que eu esperava encontrar? Sangue no chão? Móveis revirados? Gavetas abertas? Faixas de isolamento amarelas?

A cozinha era impecável, ampla, com um grande espaço de circulação, que terminava numa espécie de sala de TV, mais ampla ainda. Uma televisão enorme estava pendurada na parede. No sofá, havia vários controles remotos e controles de Xbox. Sim, conheço um Xbox. Tenho um. Adoro video game. Podem me julgar.

Ela foi até uma máquina de café *espresso*. Sentei-me num banco junto à bancada de granito e Delia me mostrou uma variedade surpreendente de opções de grãos.

– Qual você prefere? – perguntou-me.

– Pode escolher – respondi.

– Você gosta de café forte? Aposto que sim.

– Apostou certo.

Ela abriu um compartimento da máquina, que parecia engolir o café e depois uriná-lo. Sim, eu sei, uma imagem bastante apetitosa.

– Você toma puro? – perguntou ela.

– Gosto de café forte, mas nem tanto – respondi, pedindo um pouco de leite e adoçante.

Ela me passou a xícara.

– Você não parece professor universitário.

Era algo que eu ouvia com frequência.

– Meu paletó de tweed está na lavanderia – brinquei. – Lamento a sua perda.

– Obrigada.

Tomei um gole do café. Por que mesmo eu estava ali? Precisava descobrir se o Todd de Delia Sanderson era o mesmo de Natalie. Se fosse, como isso seria possível? O que sua morte significava? E que segredos aquela mulher diante de mim estaria guardando?

Não tinha ideia, é claro, mas queria sondar. Isso significava ter que lhe dar algumas alfinetadas. Não gostava dessa ideia de incomodar uma mulher que estava sofrendo. Por mais que eu achasse que havia algo por trás – mesmo sem ter uma pista sequer –, Delia Sanderson sentia muita dor. Dava para ver a tensão em seu rosto, os ombros ligeiramente encurvados, os olhos caídos.

– Não sei como perguntar isso de modo delicado... – comecei.

Calei-me para ver se ela mordia a isca. Funcionou.

– Você quer saber como ele morreu?
– Se não for indiscrição da minha parte...
– Tudo bem.
– Os jornais disseram que foi um assalto.

Seu rosto ficou sem cor e ela voltou para a máquina de café. Mexeu numa coisa e depois noutra.

– Desculpe-me. Não precisamos falar sobre isso.
– Não foi assalto.

Continuei calado.

– Quer dizer, não levaram nada. Não é estranho? Se tivesse sido roubo, faltaria alguma coisa. Mas eles só...

Ela fechou a tampa da máquina com força.

– Eles? – falei.
– O quê?
– Você disse "eles". Havia mais de um?

Ela ainda estava de costas para mim.

– Não sei. A polícia não quer especular. Só não entendo como um cara só poderia ter feito...

Delia Sanderson baixou a cabeça. Achei que talvez tivesse visto suas pernas vacilarem. Fiz menção de me levantar e ir até ela, mas quem era eu para fazer isso? Detive-me e voltei a me sentar.

– Devíamos estar seguros aqui – continuou ela. – Um condomínio fechado. A ideia é que tudo de ruim fique lá fora.

O condomínio era enorme, muitos metros quadrados de isolamento calculado. Na entrada havia um portão com uma guarita e uma cancela tinha que ser levantada para os carros passarem. Um segurança balançava a cabeça e apertava um botão. Nada disso podia manter o mal lá fora se ele estivesse determinado a entrar. O portão protegia apenas contra problemas fáceis. Talvez representasse um pequeno empecilho e exigisse um pouco mais de esforço, de forma que o problema ia procurar um alvo mais fácil. Mas proteção de verdade? Não. O portão era decorativo.

– Por que você acha que havia mais de uma pessoa? – perguntei.
– Acho que... Não vejo como um homem só pudesse causar tanto estrago.
– Como assim?

Ela balançou a cabeça. Secou os olhos com os dedos. Depois se voltou, encarando-me.

– Vamos falar de outra coisa.

Quis pressionar, mas sabia que não iria funcionar. Eu era um professor fazendo uma visita em nome da universidade do falecido marido. Além disso, também sou humano. Estava na hora de recuar e tentar outro caminho.

Levantei-me o mais cuidadosamente que pude e fui em direção à geladeira. Havia dezenas de fotografias de família presas por ímãs. Eram triviais, quase tudo o que se esperava: pescaria, viagem à Disney, apresentações de balé, Natal na praia, concertos de férias na escola, formaturas. Não faltava nenhum desses pequenos momentos da vida. Inclinei-me para a frente, examinando o rosto de Todd em grande parte delas.

Seria o mesmo homem?

Em todas as imagens presas na geladeira, ele aparecia barbeado. O homem que eu conhecera tinha uma irritante barba por fazer que lhe dava um ar descolado. Basta poucos dias para que uma barba cresça, é claro, mas achava aquilo estranho. Perguntei-me mais uma vez: seria aquele o homem que vi se casando com Natalie?

Podia sentir os olhos de Delia cravados nas minhas costas.

– Encontrei seu marido uma vez – comentei.

– Ah, é?

Virei-me para ela.

– Foi há seis anos.

Ela pegou a xícara de café – era evidente que não tinha gostado daquilo – e se sentou em outro banco.

– Onde?

Mantive os olhos nela ao dizer:

– Em Vermont.

Nenhum susto ou sinal de surpresa, mas seu rosto se contraiu um pouco.

– Vermont?

– Sim. Numa cidade chamada Kraftboro.

– Tem certeza de que era Todd?

– Foi no final de agosto – expliquei. – Eu estava num retiro.

Nesse instante, ela pareceu confusa.

– Não me lembro de Todd ter ido a Vermont.

– Há seis anos – repeti. – Em agosto.

– Sim, você já disse. – Havia um traço de impaciência em sua voz.

Apontei para trás, para a geladeira.

– Mas ele estava um pouco diferente.

– Não entendo.
– O cabelo era mais comprido e ele estava com a barba por fazer.
– Todd?
Ela pensou e um pequeno sorriso surgiu em seus lábios
– Agora faz sentido.
– O quê?
– Por que veio de tão longe.
Estava ansioso por ouvir aquilo.
– Eu não estava entendendo. Todd nunca foi um membro ativo do corpo de ex-alunos. A universidade não teria por ele mais que um interesse passageiro. Agora essa conversa toda sobre um cara em Vermont... – Ela parou e deu de ombros. – Você confundiu meu marido com outro homem. Com esse Todd que conheceu em Vermont.
– Não, tenho certeza absoluta de que era...
– Todd nunca esteve em Vermont. Posso lhe garantir. E nos últimos oito anos ele sempre viajava para a África em agosto para operar os necessitados. Além disso, se barbeava todos os dias. Até num domingo de preguiça. Todd nunca passou um dia sequer sem fazer a barba.

Dei mais uma olhada nas fotos da geladeira. Seria possível? Tão simples assim? Era o cara errado. Eu já havia considerado essa possibilidade, mas agora começava a acreditar nela.

De certa forma, isso não mudava muito as coisas. Ainda havia o e-mail de Natalie, Otto, Bob e tudo o que acontecera. Mas agora, talvez, eu pudesse deixar essa parte da história de lado.

Delia me olhava dos pés à cabeça.
– O que está havendo? Por que veio aqui na verdade?
Enfiei a mão no bolso e tirei a foto de Natalie. Curiosamente, tenho uma. Ela não gostava de fotografias, mas eu havia tirado aquela enquanto ela dormia. Não sei por quê. Ou talvez saiba. Mostrei a imagem a Delia Sanderson e fiquei esperando alguma reação.
– Estranho – disse ela.
– O quê?
– Os olhos dela estão fechados. – Ela me encarou. – Você tirou essa foto?
– Sim.
– Enquanto ela dormia?
– Sim. Você a conhece?

– Não. – Ela ficou olhando para a foto. – Essa mulher significa muito para você, né?

– Sim.

– Quem é ela?

A porta da frente se abriu.

– Mãe?

Ela largou a foto e se virou na direção da voz.

– Eric? Está tudo bem? Chegou cedo.

Segui-a pelo corredor. Reconheci o garoto do discurso no enterro. Ele olhou para trás, cravando os olhos em mim.

– Quem é esse? – perguntou.

O tom de voz dele era surpreendentemente hostil, como se desconfiasse de que eu tivesse ido lá para agredir sua mãe ou algo assim.

– Esse é o professor Fisher, de Lanford – explicou ela. – Ele veio por causa do seu pai.

– Para quê?

– Só dar meus pêsames – falei, apertando a mão do rapaz. – Sinto muito pela perda de vocês. Aliás, toda a universidade.

Ele apertou a minha mão sem dizer nada. Ficamos parados naquele vestíbulo, como três estranhos num coquetel antes de serem apresentados. Eric quebrou o silêncio:

– Não consegui encontrar minhas chuteiras.

– Você deixou no carro.

– Ah, é mesmo. Vou pegar e voltar para o jogo.

Ele saiu correndo. Ficamos observando-o, talvez com os mesmos pensamentos sobre seu futuro sem o pai. Não havia mais nada a descobrir ali. Era hora de deixar aquela família em paz.

– É melhor eu ir – falei. – Obrigado por seu tempo.

– De nada.

Quando me virei em direção à porta, meus olhos passaram pela sala de visitas.

Meu coração parou.

– Professor Fisher?

Minha mão estava na maçaneta. Segundos se passaram. Não sei quantos. Não a girei, não me mexi, nem sequer respirei. Só fiquei olhando para aquela sala, para o ponto acima da lareira.

– Professor? – insistiu Delia.

Sua voz parecia muito distante.

Finalmente soltei a maçaneta e entrei na sala de visitas, passando por um tapete oriental, e olhei em cima da lareira. Ela me seguiu.

– Você está bem?

Não, eu não estava bem. E não havia me enganado. Se tinha dúvidas antes, elas desapareceram naquele momento. Não havia coincidência nem engano: Todd Sanderson era o homem que eu vira se casar com Natalie seis anos antes.

Senti Delia Sanderson parar ao meu lado.

– Também me emociona – disse ela. – Posso ficar olhando-o durante horas e sempre descubro algo novo.

Era um quadro de Natalie.

– Gosta? – perguntou Delia Sanderson.

– Sim – respondi. – Gosto muito.

capítulo 17

SENTEI-ME NO SOFÁ. Dessa vez Delia Sanderson não me ofereceu café. Pôs dois dedos de uísque puro malte num copo. Era cedo e, como já ficou provado, sou fraco para bebidas, mas aceitei de bom grado, com a mão trêmula.

– Você quer me contar tudo? – perguntou Delia Sanderson.

Não sabia como explicar aquilo sem parecer louco, então comecei com uma pergunta.

– Como você conseguiu esse quadro?

– Todd comprou.

– Quando?

– Não sei.

– Pense.

– Que diferença faz?

– Por favor – pedi, tentando manter a voz firme. – Você pode me dizer quando e onde?

Ela olhou para cima, pensativa.

– Onde, não lembro. Mas quando... Foi no nosso aniversário de casamento. Cinco, talvez seis anos atrás.

– Foi há seis anos – afirmei.

– Lá vem você de novo com os seis anos – disse ela. – Não entendo isso.

Não vi por que mentir. E, o que era pior, não vi um jeito de dizer aquilo de uma forma que suavizasse o golpe.

– Eu lhe mostrei a foto de uma mulher dormindo, lembra?

– Foi há dois minutos.

– Certo. Foi ela que pintou esse quadro.

Delia franziu a testa.

– Do que está falando?

– Seu nome é Natalie Avery. É ela na foto.

– Isso... – Delia balançou a cabeça. – Não estou entendendo. Pensei que você desse aulas de ciência política.

– E dou.

– Então também é uma espécie de historiador da arte? Essa mulher também é ex-aluna de Lanford?

– Não, não é isso. – Olhei de novo para o chalé na montanha. – Estou procurando por ela.

– A artista?

– Sim.

Delia observou meu rosto.

– Ela está desaparecida?

– Não sei.

Nossos olhos se encontraram. Ela não se mexeu – nem precisava.

– Essa mulher significa muito para você.

Não era uma pergunta, mas respondi do mesmo jeito:

– Sim. Sei que isso não faz nenhum sentido.

– Não – concordou Delia Sanderson. – Mas você acha que meu marido sabia alguma coisa sobre ela. É por isso que está aqui.

– Sim.

– Por quê?

Mais uma vez, não vi razão para mentir.

– Vai parecer loucura.

Ela ficou esperando.

– Há seis anos, vi seu marido se casar com Natalie Avery numa pequena capela em Vermont.

Delia Sanderson piscou duas vezes. Levantou-se do sofá e saiu de perto de mim.

– Acho que é melhor você ir embora.

– Por favor, apenas me ouça.

Ela fechou os olhos, mas isso não a impedia de escutar. Falei depressa. Expliquei que tinha ido ao casamento seis anos antes, que vira o obituário de Todd, que fora ao enterro e que tinha achado que poderia estar enganado.

– Você está enganado – disse ela depois que terminei. – Tem que estar.

– E esse quadro? É uma coincidência?

Ela não disse nada.

– Sra. Sanderson?

– O que você quer? – perguntou ela, em voz baixa.

– Encontrar Natalie.

– Por quê?

– Você sabe por quê.

Ela assentiu.

– Porque é apaixonado por ela.
– Sim.
– Mesmo depois de vê-la se casar com outro homem há seis anos.

Não me dei o trabalho de responder. A casa era de um silêncio enlouquecedor. Nós dois nos viramos e contemplamos o chalé na montanha. Gostaria que algo mudasse. Que o sol estivesse um pouco mais alto no céu ou que houvesse alguma luz nas janelas.

Delia Sanderson se afastou alguns metros de mim e pegou o telefone.

– O que está fazendo? – perguntei.
– Pesquisei seu nome na internet ontem. Depois que você me ligou.
– Ok.
– Queria ter certeza de que você era quem dizia ser.
– Quem mais eu poderia ser?

Delia ignorou minha pergunta.

– Havia uma foto sua no site. Antes de abrir a porta, verifiquei pelo olho mágico para ter certeza.
– Não estou entendendo.
– O seguro morreu de velho, pensei. Tive medo de que, talvez, quem matou meu marido...

Então compreendi.

– Voltasse para matar você?

Ela deu de ombros.

– Mas você viu que era eu.
– Sim. Por isso o deixei entrar. Mas agora estou em dúvida. Você veio até aqui sob um pretexto falso. Como vou saber que não é um deles?

Eu não sabia o que dizer.

– Então vou manter distância, se não se importa. Estou bem perto da porta da frente. Se eu vir que você vai se levantar, aperto o botão do telefone que liga para a polícia e corro. Está entendendo?
– Eu...
– Entendeu?
– Claro – falei. – Não vou sair dessa cadeira. Mas posso fazer uma pergunta?

Ela fez um gesto para que eu seguisse em frente.

– Como sabe que não tenho uma arma?
– Estou observando você desde que entrou. Não tem onde esconder uma arma nessa roupa.

Concordei. Depois falei:

– Você não acha mesmo que estou aqui para lhe fazer mal, acha?

– Não. Mas como diz o ditado, o seguro morreu de velho.

– Sei que essa história do casamento em Vermont parece loucura – falei.

– Parece mesmo – disse Delia Sanderson. – No entanto, é maluca demais para ser mentira.

Fizemos outra pausa. Nossos olhos se voltaram para o quadro.

– Ele era um homem tão bom – disse ela. – Todd poderia ter feito fortuna num consultório particular, mas trabalhava quase exclusivamente para a Novo Começo. Sabe o que é isso?

O nome não me era totalmente desconhecido, mas não conseguia localizá-lo.

– Acho que não.

Ela sorriu ao ouvir isso.

– Você não fez o dever de casa antes de vir aqui. Novo Começo é a obra de caridade que Todd fundou com outros alunos de Lanford. Era a sua paixão.

Então lembrei. Constava uma menção a ela no obituário, embora eu não soubesse que tinha algo a ver com a universidade.

– O que a Novo Começo fazia?

– Cirurgias de lábio leporino no exterior. Tratavam queimaduras, cicatrizes e várias outras cirurgias plásticas necessárias. Esses procedimentos mudavam a vida das pessoas. Como diz o nome, davam a elas um novo começo. Todd dedicou sua vida a isso. Quando você disse que o tinha visto em Vermont, sabia que não era verdade. Ele estava trabalhando na Nigéria.

– Só que não estava – falei.

– Você está dizendo a uma viúva que o marido mentia para ela?

– Não. Estou dizendo a ela que Todd Sanderson estava em Vermont no dia 28 de agosto, há seis anos.

– Casando com a sua ex-namorada artista?

Não me incomodei em responder.

Uma lágrima escorreu pelo seu rosto.

– Eles machucaram Todd. Antes de matá-lo. Machucaram muito. Por que alguém faria uma coisa dessas?

– Não sei.

Ela balançou a cabeça.

– Quando você diz que eles o machucaram – falei bem devagar –, está querendo dizer que fizeram mais do que matá-lo?

– Sim.

Mais uma vez, não sabia como fazer a pergunta com a devida sensibilidade, então resolvi ser direto:

– Como eles o machucaram?

Antes mesmo de ela responder, eu já sabia a resposta.

– Com ferramentas – disse Delia Sanderson, abafando um soluço. – Eles o algemaram numa cadeira e o torturaram com ferramentas.

capítulo 18

Quando o avião aterrissou em Boston, havia uma mensagem de Shanta Newlin no meu celular novo. "Soube que o expulsaram do campus. Precisamos conversar."

Liguei para ela enquanto caminhava pelo terminal do aeroporto. Quando atendeu, perguntou onde eu estava.

– No aeroporto Logan – respondi.

– Fez boa viagem?

– Sim. Você disse que precisávamos conversar.

– Pessoalmente. Venha direto para a minha sala.

– Não sou bem-vindo no campus.

– Ah, é. Eu me esqueci disso por um momento. Vamos ao Judie's outra vez? Daqui a uma hora lá.

Shanta estava sentada na mesa do canto quando cheguei. Em frente a ela, havia uma bebida rosa brilhante com uma fatia de abacaxi decorando. Apontei para o copo.

– Só falta aquele guarda-chuva pequenininho – comentei.

– O quê? Você achou que eu gostava de uísque e soda?

– Sem a soda.

– Lamento. Para mim, quanto mais doce o drinque, melhor.

Sentei-me à sua frente. Shanta pegou a bebida e tomou um gole pelo canudo.

– Fiquei sabendo que você esteve envolvido num caso de agressão contra um aluno – disse ela.

– Você agora trabalha para o reitor Tripp?

Ela franziu a testa, tomando o drinque.

– O que houve?

Contei a ela a história toda – Bob e Otto, a van, o assassinato em legítima defesa, a fuga e como rolei a ribanceira. Sua expressão não mudou, mas eu via as engrenagens trabalhando por trás dos seus olhos.

– Você contou isso à polícia?

– Mais ou menos.

– O que você quer dizer com mais ou menos?

– Eu estava muito bêbado. Eles acham que inventei a parte sobre ter sido sequestrado e matado um cara.

Ela olhou para mim como se eu fosse o maior idiota do mundo.

– Você contou mesmo à polícia essa parte?

– No princípio. Depois Benedict me alertou que talvez não fosse a melhor ideia confessar ter matado um homem, mesmo que em legítima defesa.

– Você pediu aconselhamento jurídico ao Benedict?

Dei de ombros. Mais uma vez, pensei em ficar de boca fechada. Tinha recebido um aviso, não tinha? Havia uma promessa também. Shanta se recostou na cadeira e tomou outro gole. A garçonete apareceu e perguntou o que eu queria. Apontei para o drinque para "mulheres" e indiquei que queria um daqueles também. Não sei por quê. Detesto bebidas doces.

– O que você descobriu sobre Natalie? – perguntei.

– Já lhe contei.

– Certo, nada, *zippo*, *zilch*. Por que queria me ver então?

O sanduíche de *portobello* chegou para ela; e o de peito de peru com bacon, alface e tomate, no pão integral, para mim.

– Tomei a liberdade de pedir para você – disse ela.

Não toquei no sanduíche.

– O que está acontecendo, Shanta?

– É isso que estou querendo saber. Como você conheceu Natalie?

– Que diferença isso faz?

– Seja bonzinho, vai.

Mais uma vez, ela estava fazendo todas as perguntas, e eu dando todas as respostas. Contei-lhe como nos conhecemos nos retiros em Vermont, seis anos antes.

– O que ela lhe disse sobre o pai?

– Apenas que ele tinha morrido.

Shanta mantinha os olhos fixos em mim.

– Nada mais?

– Tipo o quê?

– Não sei... – Ela tomou um grande gole e deu de ombros de forma dramática. – Que ele foi professor aqui.

Arregalei os olhos.

– O pai dela?

– É.

– O pai dela foi professor em Lanford?

– Não, aqui no Judie's – disse Shanta piscando. – Claro que foi em Lanford.

Eu ainda estava tentando organizar as ideias.

– Quando?

– Ele começou a dar aulas aqui há mais ou menos trinta anos. Ficou durante sete. No departamento de Ciência Política.

– Você está brincando?

– Sim, foi por isso que o chamei aqui. Adoro brincar.

Fiz as contas. Natalie devia ser muito pequena quando o pai começou a lecionar na universidade – e ainda criança quando ele saiu. Talvez não se lembrasse de ter estado ali. Talvez por isso não tenha dito nada. Mas ela não saberia? Poderia ter comentado: "Ei, meu pai foi professor lá também. No mesmo departamento que você."

Pensei em como ela veio ao campus com aqueles óculos escuros e aquele chapéu, em como queria ver tudo, em como ficou pensativa durante a caminhada pelo gramado.

– Por que ela não me contaria? – perguntei em voz alta.

– Não sei.

– Ele foi demitido? Para onde foram depois?

Ela deu de ombros.

– Melhor perguntar por que a mãe de Natalie adotou o nome de solteira.

– O quê?

– O pai se chamava Aaron Kleiner. O sobrenome de solteira da mãe era Avery. Ela também mudou os sobrenomes de Natalie e Julie.

– Depois que o pai morreu?

– Natalie nunca lhe contou?

– Tenho a impressão de que foi há muito tempo. Talvez seja isso. Talvez tenha morrido e por essa razão elas foram embora do campus.

Shanta sorriu.

– Acho que não, Jake.

– Por quê?

– Porque é a partir daí que a coisa fica interessante. O pai fica igual à filha.

Fiquei calado.

– Não existe nenhum registro de sua morte.

Engoli em seco.

– E onde ele está, então?

– Tal pai, tal filha, Jake.

– Que droga isso quer dizer?

Mas talvez eu já soubesse a resposta.

– Fui investigar onde o professor Aaron Kleiner está agora – falou Shanta.
– E adivinhe o que descobri?

Fiquei esperando.

– Exatamente: *zippo*, *nothing*, *zilch*, nada. Desde que saiu de Lanford, há 25 anos, não há nenhum sinal do professor Aaron Kleiner.

capítulo 19

Encontrei anuários antigos no porão da biblioteca da faculdade.

Cheiravam a mofo. Eu precisava desgrudar as páginas ao passá-las. Mas lá estava ele. Professor Aaron Kleiner. A foto não mostrava nada de mais. Um homem de boa aparência, com o sorriso forçado para demonstrar felicidade, mas que, no fim, o fazia parecer constrangido. Observei seu rosto para ver se encontrava alguma semelhança com Natalie. Talvez houvesse. Era difícil dizer. Como todos sabem, a mente nos prega peças e tendemos a ver o que queremos.

Olhava para seu rosto como se ele pudesse me dar alguma resposta, o que, claro, não aconteceu. Folheei os outros anuários. Não havia mais nada a descobrir. Examinei as páginas dedicadas ao departamento de Ciência Política e me detive na foto de um grupo, tirada em frente a Clark House. Todos os professores e funcionários estavam ali. Kleiner se encontrava ao lado do chefe do departamento, Malcolm Hume. A Sra. Dinsmore já parecia ter cerca de 100 anos.

Ei, espere aí! Sra. Dinsmore...

Corri até a Clark House com um dos anuários debaixo do braço. O expediente já havia terminado, mas a Sra. Dinsmore "morava" no departamento. Sim, eu estava suspenso e não deveria aparecer por lá, mas duvidava que a segurança do campus fosse abrir fogo contra mim. Assim, atravessei o gramado por onde andavam os estudantes, com um livro que havia retirado da biblioteca. Olhem só para mim: vivendo na marginalidade.

Lembrei-me de ter passado por ali seis anos antes, com Natalie. Por que ela não dissera nada? Será que tinha dado algum sinal? Ficara em silêncio ou diminuíra o passo? Não me lembrava disso, só de tagarelar alegremente sobre o campus, como um guia num tour para calouros depois de ter bebido energético demais.

A Sra. Dinsmore olhou para mim por sobre os óculos de leitura em forma de meia-lua.

– Pensei que você estivesse afastado.

– Talvez fisicamente – falei –, mas alguma vez fiquei longe do seu coração?

Ela revirou os olhos.

– O que você quer?

Pus o livro diante dela. Estava aberto na página com a foto do grupo. Apontei para o pai de Natalie.

– Você se lembra de um professor chamado Aaron Kleiner?

A Sra. Dinsmore enrolou para responder. Seus óculos de leitura estavam presos a uma corrente em torno do pescoço. Ela os tirou, limpou-os com mãos trêmulas e os recolocou. O rosto impassível feito pedra.

– Lembro-me dele – falou, em voz baixa. – Por que você está perguntando?

– Você sabe por que ele foi demitido?

Ela levantou a cabeça.

– Quem disse que ele foi demitido?

– Então por que ele foi embora? Você pode me dizer alguma coisa sobre o que aconteceu com ele?

– Ele saiu daqui já faz 25 anos. Você devia ser um menino quando isso aconteceu.

– Eu sei.

– Então por que está perguntando?

Não sabia como disfarçar a ansiedade em relação ao que perguntaria em seguida:

– Você se lembra das filhas dele?

– Eram garotinhas. Natalie e Julie.

Nenhuma hesitação. Isso me surpreendeu.

– Você ainda se lembra dos nomes delas?

– O que têm elas?

– Há seis anos conheci Natalie num retiro em Vermont. Nós nos apaixonamos.

A Sra. Dinsmore ficou esperando que eu dissesse mais alguma coisa.

– Sei que isso soa estranho, mas estou tentando encontrá-la. Acho que ela pode estar em perigo e talvez isso tenha a ver com o pai, não sei.

A Sra. Dinsmore manteve os olhos fixos em mim por mais um ou dois segundos. Depois deixou que os óculos de leitura caíssem, ficando pendurados pelo pescoço.

– Ele era um bom professor. Você ia gostar dele. Suas aulas eram muito animadas. Era ótimo em motivar os alunos.

Seu olhar pousou novamente sobre a foto no anuário.

– Naquela época, alguns professores mais jovens trabalhavam também como monitores de dormitório. Aaron Kleiner era um deles. Morava com a família no andar térreo do dormitório Tingley. Os alunos os adoravam.

Lembro-me de um ano em que eles fizeram uma vaquinha e compraram um conjunto de balanços para as meninas. Depois o instalaram num sábado de manhã, no pátio atrás do Pratt.

Ela desviou o olhar, nostálgica.

– Natalie era uma garotinha adorável. Como ela está agora?

– É a mulher mais linda do mundo – respondi.

A Sra. Dinsmore me deu um sorriso travesso.

– Você é um romântico.

– O que aconteceu com eles?

– Algumas coisas. Circularam uns boatos sobre o casamento deles.

– Que tipo de boato?

– Que tipo de boato circula numa universidade? Crianças pequenas, esposa distraída, um professor atraente, alunas impressionáveis. Implico com você por causa das meninas que vão à sua sala, mas já vi muitas vidas arruinadas por essa tentação.

– Ele teve um caso com alguma aluna?

– Talvez. Não sei. Eram boatos. Você já ouviu falar no vice-reitor Roy Horduck?

– Já vi o nome dele em algumas placas.

– Aaron Kleiner acusou Horduck de plágio. As acusações nunca foram provadas, mas o cargo de vice-reitor é uma posição muito poderosa. Aaron foi rebaixado. Depois se envolveu num escândalo de fraude.

– Um professor colando?

– Não, claro que não. Ele fez acusações contra um ou dois alunos. Não me lembro bem dos detalhes. Esse talvez tenha sido o motivo de sua saída, não sei. Começou a beber e a se comportar de maneira estranha. Aí surgiram os boatos.

Ela olhou de novo para a foto.

– Pediram a ele que se demitisse?

– Não – respondeu a Sra. Dinsmore.

– O que houve então?

– Um dia, a esposa entrou por aquela porta... – Ela apontou para trás. Eu conhecia a porta. Havia passado por ela umas mil vezes, mas ainda assim olhei, como se a mãe de Natalie pudesse atravessá-la outra vez. – Estava chorando. Histérica, mesmo. Eu estava sentada aqui neste mesmo lugar, nesta mesma mesa... Ela queria ver o professor Hume, que não estava aqui. Telefonei e ele veio correndo. Ela lhe disse que o professor Kleiner tinha ido embora.

– Ido embora?

– Fizera as malas e fugira com outra mulher. Uma ex-aluna.

– Quem?

– Não sei. Como falei, ela estava histérica. Não existia celular naquela época. Não tínhamos como encontrá-lo. Resolvemos esperar. Lembro que ele tinha uma aula naquela tarde, mas não apareceu. O professor Hume teve que substituí-lo. Outros professores se revezaram até o fim do semestre. Os alunos ficaram muito chateados. Os pais telefonaram reclamando, mas o professor Hume os acalmou dando A para todo mundo.

Ela deu de ombros, empurrou o anuário na minha direção e fingiu voltar ao trabalho.

– Nunca mais ouvimos falar dele.

Engoli em seco.

– E o que aconteceu com a esposa e as filhas?

– A mesma coisa, imagino.

– Como assim?

– Elas se mudaram no fim do semestre. Nunca mais ouvi falar delas também. Sempre torci para que tivessem ido para outra universidade, que superassem isso. Mas acho que não foi isso que aconteceu, foi?

– Não.

– E o que houve com eles então? – perguntou a Sra. Dinsmore.

– Não sei.

capítulo 20

Q<small>UEM PODERIA SABER?</small>

A irmã de Natalie, Julie. Ela havia me despachado ao telefone. Perguntava-me se teria mais sorte pessoalmente.

Estava voltando para o carro quando o celular tocou. Verifiquei o número no identificador de chamadas. O código de área era 802.

Vermont.

Atendi.

– Ah, oi. Você deixou seu cartão no café.

Reconheci a voz.

– Cookie?

– Precisamos conversar – disse ela.

Segurei o celular com mais força.

– Estou ouvindo.

– Não confio em telefones – objetou ela. Notei um tremor em sua voz. – Você pode voltar aqui?

– Posso ir agora mesmo se você quiser.

Cookie me explicou como chegar a sua casa, que não ficava longe do café. Peguei a 91 na direção norte e tentei, sem sucesso, não correr. O coração martelava no peito, aparentemente seguindo o ritmo das músicas que tocavam no rádio. Quando cheguei à fronteira estadual, já era quase meia-noite. De manhã eu pegara um avião para encontrar Delia Sanderson. Havia sido um dia longo e, só por um segundo, senti o cansaço. Lembrei-me da primeira vez que vi o quadro de Natalie, aquele com o chalé na montanha, quando Cookie se aproximou por trás e perguntou se eu gostava dele.

Por que, perguntei-me outra vez, ela tinha agido como se não se lembrasse de mim quando fui ao café?

Outra coisa me veio à memória. Todo mundo que eu encontrava dizia que nunca havia existido um retiro chamado Renovação Criativa, mas Cookie dissera: "Nós nunca trabalhamos no retiro." Na hora não me dei conta, mas, se nunca tivesse existido o tal retiro, a resposta seria algo como: "Hein? Que retiro?"

Diminuí a velocidade ao passar pelo café-livraria. Só havia dois postes, ambos projetando sombras longas e ameaçadoras. Ninguém passava. O centro da cidade estava silencioso até demais, como essas cenas de filmes de terror, antes de o mocinho ser cercado por zumbis. Dobrei à direita no fim do quarteirão, segui por mais 800 metros e virei à direita outra vez. Não se viam mais postes agora. A única iluminação era a do farol. Se eu estava passando por casas ou edifícios, todas as luzes também tinham sido apagadas. Acho que ninguém as deixava acesas por lá, para intimidar os ladrões. Que inteligente! Na escuridão, eles não conseguiam ver nada.

Olhei para o GPS e vi que estava a mais ou menos um quilômetro do meu destino. Mais duas curvas. Senti brotar em meu peito algo parecido com medo. Todo mundo já leu sobre a maneira como certos animais e seres marinhos podem detectar o perigo. Eles conseguem sentir ameaças e até desastres naturais iminentes, quase como se tivessem um radar de sobrevivência ou tentáculos invisíveis que se esticam e sondam o ambiente. Em algum momento, é claro, o homem primitivo deve ter tido essa habilidade também. Ainda temos esse instinto de sobrevivência. Pode estar inativo ou atrofiado por falta de uso. Mas a verdade é que o homem de Neandertal instintivo está sempre aí, oculto sob nossas roupas sociais.

Naquele momento, meus sentidos de Homem-Aranha estavam formigando.

Desliguei os faróis e estacionei na mais completa escuridão. Não havia pedras delimitando a calçada. Do asfalto passava-se direto aos gramados. Eu não sabia o que estava prestes a fazer, mas quanto mais pensava, mais achava que talvez alguma medida de segurança fosse necessária.

Podia ir andando dali.

Saltei do carro. A noite parecia viva, cobrindo meus olhos. Esperei um minuto ou dois, parado ali, deixando que minha vista se adaptasse. Olhos que se ajustam à escuridão – outro desses talentos que sem dúvida herdamos do homem primitivo. Quando consegui enxergar ao menos uns poucos metros à frente, prossegui. Estava com meu celular, cheio de aplicativos que nunca havia testado, mas o único que usava, provavelmente o mais simples e menos tecnológico, era a humilde lanterna. Pensei se deveria ligá-la, mas achei melhor não.

Se houvesse algum perigo ali – e eu não conseguia imaginar qual seria ou que forma poderia assumir –, eu não queria provocá-lo com o facho brilhante de uma lanterna. Fora por isso que havia estacionado longe e estava me esgueirando pela escuridão, certo?

Lembrei-me de quando estava preso na traseira daquela van. Não sentia nenhum remorso em relação ao que tinha sido forçado a fazer para escapar – faria tudo outra vez, é claro. Mil vezes se fosse necessário. Mas também não havia dúvida de que os últimos minutos de vida de Otto me perseguiriam em sonhos até eu morrer. Iria ouvir para sempre o estalo daquele pescoço se quebrando, iria me lembrar da sensação de ossos e cartilagens cedendo. Tinha matado uma pessoa, apagado a chama de um ser humano.

Depois meus pensamentos se voltaram para Bob.

Diminuí o passo. O que será que ele fez depois que fugi rolando a ribanceira? Deve ter voltado para a van, dado a partida, desovado o corpo de Otto em algum lugar e então...

Será que iria tentar me encontrar outra vez?

Pensei na tensão na voz de Cookie. O que ela queria me dizer? E por que, de súbito, era tudo tão urgente? Por que me ligar agora, tarde da noite, sem me dar uma chance de pensar?

Cheguei ao seu quarteirão. Havia luzes fracas acesas em algumas poucas janelas, conferindo às casas um brilho sinistro, como os de lanternas de Halloween. A que ficava no fim da rua sem saída estava mais iluminada que as outras.

Era a de Cookie.

Cheguei mais para a esquerda, para não ser visto. As luzes da varanda estavam acesas, então esse não seria o melhor jeito de me aproximar. Não se quisesse me esconder. A casa era grande, tinha um andar só, estranhamente longa e um pouco irregular, como se tivessem construído anexos sem muito planejamento. Abaixado, dei a volta pela lateral. Tentava me manter no escuro. Rastejei os últimos 10 metros em direção à janela com mais luz.

E agora?

Estava sob ela, de quatro. Fiquei imóvel e tentei ouvir. Nada. Existe o silêncio comum e o silêncio rural, que dá para sentir, esticar a mão e tocar. Um silêncio com textura e distância. Era isso que me cercava agora.

Troquei meu apoio. Os joelhos estalaram e o som pareceu um berro naquela calmaria. Fiquei agachado, com as mãos sobre as coxas. Preparei-me para me levantar e dar uma espiada pela janela.

Mantendo a maior parte do rosto fora de visão, levantei-me no canto da janela, de forma que só um olho e o quadrante superior direito do rosto ficassem expostos. Pisquei diante da luz súbita e olhei para dentro.

Cookie estava lá.

Sentada no sofá, as costas eretas como um tronco, os lábios apertados. Denise, sua companheira, encontrava-se ao seu lado. Estavam de mãos dadas, mas os rostos pareciam pálidos e aflitos. A tensão emanava delas como ondas.

Não era preciso ser especialista em expressão corporal para ver que estavam nervosas. Precisei de mais alguns momentos para entender por quê.

Diante delas, sentado numa cadeira, havia um homem.

Estava de costas para mim, por isso eu só conseguia ver o alto de sua cabeça.

Minha primeira reação foi de pânico: seria Bob?

Levantei-me alguns centímetros, tentando obter uma visão melhor. Não tive sorte. A cadeira era grande e acolchoada. O homem estava afundado nela, fora de vista. Passei para o outro lado da janela. Agora conseguia ver que o cabelo era grisalho e encaracolado.

Definitivamente, não era Bob.

O homem estava falando. As duas mulheres ouviam com atenção, balançando a cabeça para o que ele dizia. Virei-me e colei o ouvido à janela. O vidro estava frio. Tentei compreender o que o cara estava falando, mas o som estava muito baixo. Olhei outra vez para dentro. O homem na cadeira se inclinou um pouco para a frente, tentando enfatizar alguma coisa. Depois virou um pouco o queixo, apenas o suficiente para que eu visse seu perfil.

Devo ter deixado escapar uma exclamação de surpresa.

Ele tinha barba. Foi por estas duas coisas que o reconheci: a barba e o cabelo encaracolado. Voltei no tempo até a primeira vez em que vira Natalie, sentada, de óculos escuros. E ao seu lado, à direita, um homem de barba e cabelo encaracolado.

Era ele.

O que...?

Ele se levantou. Começou a andar de um lado para outro, gesticulando como um louco. Cookie e Denise ficaram mais tensas. Apertavam-se as mãos com tanta força que eu podia ver os nós de seus dedos ficarem brancos. Foi quando notei algo que me fez cambalear e, num estalo, perceber a importância de ter executado essa pequena missão de reconhecimento, em vez mergulhar de cabeça naquele encontro.

O homem de barba estava armado.

Gelei, ali, agachado. Minhas pernas começaram a tremer – de medo ou exaustão, não tinha certeza. Abaixei-me outra vez. E agora?

Fuja, seu idiota.

Sim, parecia ser a melhor saída. Fugir de volta para o carro. Chamar a polícia. Deixar que resolvessem aquilo. Tentei imaginar o cenário. Primeira coisa: quanto tempo levariam para chegar ali? Espere aí, acreditariam em mim? Ligariam primeiro para Cookie e Denise? Mandariam uma equipe especializada? Pensando bem, o que estava acontecendo ali na verdade? Teria o barbudo sequestrado Cookie e Denise e as obrigado a me telefonar – ou estariam todos mancomunados? E, nesse caso, o que aconteceria depois que eu chamasse a polícia? Cookie e Denise negariam tudo. O barbudo esconderia a arma e alegaria não saber de nada.

Mas qual era a alternativa? Só me restava chamar a polícia, certo?

O barbudo continuava a andar de um lado para outro. A tensão no ambiente parecia pulsar. Ele olhou o relógio. Pegou o celular e o segurou como se estivesse usando o viva-voz, esbravejando alguma coisa.

Com quem estaria falando?

E se houvesse outros? Eu tinha que ir embora. Ligar para a polícia ou não, fazer alguma coisa. O cara estava armado. Eu não.

Hasta luego, filhos da...

Estava dando uma última olhada pela janela quando ouvi o latido do cachorro atrás de mim. Fiquei paralisado. O barbudo, não. Sua cabeça se inclinou na direção do latido – e da minha –, como se estivesse atada a uma corda.

Nossos olhares se cruzaram. Vi seus olhos se arregalarem de surpresa. Por um brevíssimo instante – um centésimo de segundo, talvez dois –, nenhum de nós se mexeu. Apenas nos encarávamos em estado de choque, sem saber o que fazer, até ele levantar a arma, apontá-la para mim e apertar o gatilho.

Joguei-me para trás quando a bala estilhaçou a janela.

Caí no chão, sob uma chuva de cacos de vidro. Rolei para trás, cortando-me com os estilhaços, e fiquei de pé.

– Pare!

Era a voz de outro homem vindo da minha esquerda. Não a reconheci, mas o cara estava do lado de fora. Ai, Deus, precisava sair dali. Não havia tempo para pensar nem hesitar. Corri a toda velocidade para o outro lado. Dobrei a esquina, as pernas latejando, quase a salvo.

Ou era o que eu pensava.

Antes, eu havia creditado a capacidade de prever o perigo aos meus sentidos aguçados de Homem-Aranha. Agora, eles tinham falhado escandalosamente.

Outro homem estava parado bem na esquina, esperando por mim, armado com um taco de beisebol. Consegui fazer as pernas pararem, mas não houve tempo para mais nada. A madeira pesada veio na minha direção. Não tive chance de reagir nem de fazer qualquer outra coisa, a não ser ficar ali, imóvel. O golpe me acertou na testa.

Caí no chão.

Ele pode ter me atingido outra vez. Não sei. Meus olhos reviraram e apaguei.

capítulo 21

A PRIMEIRA COISA QUE SENTI QUANDO acordei: dor.

Era só nisto que conseguia pensar: a dor absurda e em como diminuí-la. Parecia que meu crânio tinha sido despedaçado, que pequenos fragmentos de osso estavam soltos e suas pontas afiadas cortavam meu tecido cerebral mais sensível.

Virei um pouco a cabeça para o lado, mas isso só deixou as pontas afiadas mais furiosas. Parei, pisquei os olhos duas vezes na tentativa de abri-los, mas desisti.

– Ele acordou.

Era a voz de Cookie. Esforcei-me outra vez para abrir os olhos. Quase usei os dedos para puxar as pálpebras. Venci a dor. Levou alguns segundos, mas enfim consegui. Mais alguns segundos para focar e comecei a assimilar o novo ambiente.

Não estava mais ao ar livre.

Olhei para os caibros de madeira expostos de um telhado. Também não estava na casa de Cookie. Ela tinha um rancho de um andar só. Aquilo ali parecia mais um celeiro ou uma velha casa de fazenda. Debaixo de mim, o chão era de madeira, e não de terra, por isso descartei a ideia do celeiro.

Cookie estava lá. Denise também. O barbudo se aproximou e olhou para mim com ódio. Eu não fazia ideia do motivo. Vi um segundo homem de pé numa porta, à minha esquerda. Um terceiro estava sentado diante da tela de um computador. Não reconheci nenhum dos dois.

O barbudo esperava, me fuzilando com os olhos. Provavelmente achava que eu iria dizer algo óbvio como: "onde estou?" Mas fiquei calado. Usei o tempo para me acalmar e tentar organizar as ideias.

Não sabia o que estava acontecendo.

Continuava a mexer os olhos, tentando avaliar o ambiente. Procurava uma rota de fuga. Vi uma porta e três janelas, todas fechadas. A porta estava sendo vigiada. Lembrei que pelo menos um deles estava armado.

Precisava ter paciência.

– Fale – disse-me o barbudo.

Continuei calado. Ele me deu um chute nas costelas. Gemi, mas não me mexi.

– Jed, não! – pediu Cookie.

O barbudo Jed me olhou. Havia ódio em seus olhos.

– Como você descobriu Todd?

Aquilo me balançou. Não sei o que esperava que ele fosse perguntar, mas não era isso.

– O quê?

– Você me ouviu – falou Jed. – Como descobriu Todd?

Minha cabeça girava. Naquele momento, mentir não iria me ajudar, então resolvi falar a verdade:

– Pelo obituário.

Jed olhou para Cookie. Havia confusão no rosto deles.

– Vi o obituário dele – continuei. – Estava na página da universidade. Por isso fui ao enterro.

Jed ia me chutar outra vez, mas Cookie o deteve, balançando a cabeça.

– Não estou falando disso – vociferou Jed. – Quero saber de antes.

– Antes quando?

– Não se faça de idiota. Como descobriu Todd?

– Não sei do que você está falando – afirmei.

O ódio em seus olhos explodiu. Ele sacou a arma e a apontou para mim.

– Você está mentindo.

Não respondi.

Cookie chegou mais perto dele.

– Jed?

– Afaste-se – rosnou ele. – Você sabe o que ele fez? Sabe?

Ela balançou a cabeça e o obedeceu. Continuei imóvel.

– Fale – repetiu ele para mim.

– Não sei o que você quer que eu diga.

Olhei para o cara sentado em frente ao computador. Parecia assustado. O da porta também. Pensei em Bob e Otto. Eles não tinham me parecido nem um pouco assustados. Davam a impressão de terem preparo e experiência. Aqueles caras ali, não. Ignorava o que isso poderia significar, exceto que eu me encontrava numa tremenda enrascada.

– Mais uma vez – recomeçou Jed. – Como você descobriu Todd?

– Já falei.

– Você o matou! – gritou Jed.

– O quê? Não!

Jed se ajoelhou e colocou o cano da arma na minha testa. Fechei os olhos e esperei o tiro. Depois ele colou a boca na minha orelha.

– Se mentir de novo vou matá-lo aqui e agora – sussurrou.

– Jed? – chamou Cookie.

– Cale a boca!

Ele apertou o cano contra minha testa com força o bastante para deixar uma marca.

– Fale.

– Eu não... – Pelos seus olhos, entendi que outra negação selaria meu destino. – Por que eu o mataria?

– Isso é você que vai nos contar – respondeu Jed. – Mas antes quero saber como o descobriu.

A mão dele tremia, o cano da arma arranhava a minha testa. A saliva escorria, descendo pela barba. Minha dor tinha passado, substituída por puro medo. Jed queria apertar o gatilho, me matar.

– Já falei – insisti. – Por favor, me escute.

– Você está mentindo!

– Não estou...

– Você o torturou, mas ele não falou. Todd não poderia ajudar você mesmo. Ele não sabia. Estava desamparado, mas foi corajoso, e você, seu degenerado...

Eu estava diante da morte. Sentia o tormento em sua voz e sabia que não daria ouvidos à razão. Precisava fazer alguma coisa, arriscar-me a desarmá-lo, mas estava caído no chão. Qualquer movimento levaria muito tempo.

– Nunca toquei nele, juro.

– E também vai nos dizer que não visitou a viúva hoje.

– Sim, visitei – falei depressa, contente por concordar com ele.

– Mas ela também não sabia de nada, não é?

– Saber do quê?

Outra vez, apertou mais o cano na minha testa.

– Por que você foi falar com a viúva?

Encarei-o.

– Você sabe por quê – respondi.

– O que estava procurando?

– Não era o que, mas quem. Estava procurando Natalie.

Ele balançou a cabeça. Um sorriso arrepiante surgiu em seu rosto, dizendo-me que eu tinha dado a resposta certa – e errada.

– Por quê? – perguntou ele.

– O que você quer dizer com "por quê"?

– Quem o contratou?

– Ninguém me contratou.

– Jed!

Dessa vez quem falou não foi Cookie, mas o cara diante da tela do computador.

Jed se virou, irritado com a interrupção.

– O que foi?

– É melhor você dar uma olhada nisto. Temos companhia.

Jed tirou a arma da minha testa. Soltei um longo suspiro de alívio. O cara no computador girou a tela para que o barbudo a visse. Era um vídeo de câmera de segurança, em preto e branco.

– O que eles estão fazendo aqui? – perguntou Cookie. – Se o encontrarem...

– Eles são nossos amigos – disse Jed. – Não vamos nos preocupar até...

Não esperei mais. Vi minha chance e a aproveitei. Sem aviso, coloquei-me de pé e corri até o cara que bloqueava a porta. Parecia me movimentar em câmera lenta, como se estivesse demorando demais para chegar àquela porta. Baixei o ombro, pronto para investir contra ele.

– Pare!

Devia estar a dois passos do homem que guardava a porta. Ele havia se agachado, preparando-se para o meu ataque. Meu cérebro continuava funcionando, calculando e recalculando. Em menos de um segundo – centésimos de segundo – determinei meus movimentos seguintes. Quanto tempo levaria para derrubar o sujeito? Na melhor das hipóteses, dois ou três segundos. Depois tinha que agarrar a maçaneta, girá-la, abrir a porta e sair correndo.

Quanto tempo levaria para fazer tudo isso?

Tempo demais.

Dois outros homens e talvez duas mulheres já estariam em cima de mim. Ou talvez Jed atirasse. Na verdade, se a reação dele fosse rápida o bastante, poderia descarregar todo o cilindro antes mesmo de eu chegar até o cara.

Resumindo: depois de calcular os riscos, percebi que não tinha chance de sair por aquela porta. No entanto, ali estava eu, ainda correndo na direção do adversário, cheio de determinação. Ele estava preparado, à minha espera. Da mesma forma que Jed e os outros, eu imaginava.

Não iria funcionar. Ou iria?

Precisava surpreendê-los. No último momento, virei o corpo para a direita e, sem nem sequer olhar para trás, sem a menor hesitação, dei um pulo para a frente e saltei pela janela.

Ainda no ar, com mais uma janela se estilhaçando a meu redor, ouvi Jed gritar:

– Peguem-no!

Encolhi braços e cabeça e aterrissei rolando, na esperança de usar o impulso para me pôr de pé. Foi uma ilusão. Consegui rolar e ficar de pé, mas o impulso não parou de repente. Continuou me movimentando, derrubando-me de novo no chão. Quando finalmente parei, tentei me levantar outra vez.

Onde estava, pelo amor de Deus?

Não havia tempo para pensar. Estava num quintal, imaginei. Vi árvores. A fachada e o acesso da casa deviam estar atrás de mim. Segui nessa direção, mas depois ouvi a porta da frente se abrir.

Ai, não.

Voltei-me e corri para as árvores. A escuridão me engoliu por completo. Não conseguia ver mais do que uns poucos metros à frente, mas diminuir a velocidade não era uma boa ideia. Havia homens atrás de mim, e pelo menos um deles estava armado.

– Ali! – alguém gritou.

– Não podemos, Jed. Você viu o que estava na tela.

Então corri mais. Cheguei às árvores depressa, mas com dificuldade, e acabei dando de cara num tronco. O golpe me imobilizou e caí no chão. A cabeça, já tão castigada, latejava de dor.

Vi o facho de uma lanterna se aproximando.

Tentei rolar para algum tipo de esconderijo. A lateral do corpo bateu em outra árvore ou, droga, talvez fosse a mesma. A cabeça protestou. Rolei na direção oposta, tentando ficar o mais abaixado possível. A luz da lanterna cruzou o ar bem em cima de mim.

Ouvi passos se aproximando.

Tinha que sair dali.

Ouvi o som de pneus rodando sobre cascalho vindo dos lados da casa. Um carro tinha entrado no acesso.

– Jed?

Era um sussurro rouco. O facho da lanterna parou de se mover. Ouvi a pessoa chamar Jed outra vez. A luz foi desligada. Estava de novo na mais completa escuridão. Os passos retrocederam.

Levante e corra, seu idiota!

A cabeça não me permitiu. Fiquei deitado, imóvel, por mais um momento e depois olhei para trás, para a velha casa de fazenda. Finalmente podia vê-la de fora. Continuei parado, observando. Mais uma vez, o chão sob mim pareceu se abrir.

Era a casa principal do retiro Renovação Criativa.

Eu estava sendo mantido no lugar onde Natalie tinha ficado.

O que estava acontecendo, pelo amor de Deus?

O carro parou. Ergui-me o suficiente para dar uma espiada. Quando consegui ver o veículo, tive uma sensação de alívio inteiramente nova.

Era uma viatura.

Entendi então o medo deles. Jed e seu grupo tinham uma câmera de segurança na entrada. Viram o carro vindo me resgatar e entraram em pânico. Agora fazia sentido.

Fui em direção a meus salvadores. Jed e seus comparsas não iriam mais me matar. Não na frente dos policiais que haviam chegado para me socorrer. Já estava quase saindo do bosque, a uns 30 metros do carro da polícia, quando outro pensamento me ocorreu.

Como os policiais adivinharam que eu estava lá?

E mais: como ficaram sabendo que eu estava em apuros? E por que, se estavam ali para me salvar, o carro viera tão devagar? Por que Jed fez aquele comentário sobre eles serem "nossos amigos"? Enquanto diminuía o passo, a sensação de alívio ia me abandonando e outras perguntas surgiam. Por que Jed caminhava até a viatura com um sorriso largo e um aceno familiar? Por que os dois policiais saíram do carro cumprimentando-o com o mesmo ar casual? Por que todos se apertavam as mãos e davam tapinhas nas costas, como velhos conhecidos?

– Oi, Jed – disse um deles.

Droga. Era o Parrudo e o outro policial era Jerry, o Magrelo. Decidi ficar onde estava.

– Oi, amigos – cumprimentou Jed. – Como vão?

– Bem, cara, quando você voltou?

– Há uns dois dias. Como andam as coisas?

– Você conhece um cara chamado Jake Fisher? – perguntou o Parrudo.

Espere aí, talvez tivessem ido ali para me ajudar.

– Não, acho que não – respondeu Jed. Todos os outros já tinham saído também. Mais apertos de mão e tapinhas nas costas. – Algum de vocês conhece um tal de... Como é mesmo o nome?

– Jacob Fisher.

Todos negaram com a cabeça e deram a entender que não conheciam.

– Tem um mandado de busca e apreensão contra ele – disse o Parrudo. – É um professor universitário. Parece que matou um cara.

Meu sangue gelou.

– O idiota até confessou – acrescentou Jerry Magrelo.

– Parece perigoso – falou Jed –, mas não entendo o que isso tem a ver conosco.

– Para começar, nós o pegamos tentando entrar na sua propriedade há uns dois dias.

– Na minha propriedade?

– Exatamente. Mas não é por isso que estamos aqui.

Abaixei-me no mato, sem saber o que fazer.

– Veja, nosso GPS rastreou o telefone celular dele – disse o Parrudo.

– E as coordenadas nos trouxeram até aqui – completou Jerry.

– Não entendo.

– É simples, Jed. Podemos rastrear o celular dele. Isso é fácil hoje em dia. Ora, rastreio até o telefone do meu filho, para você ter uma ideia. E o GPS está dizendo que o sujeito está aqui, na sua propriedade, agora mesmo.

– Um assassino perigoso?

– Pode ser. Por que vocês não entram agora? – Ele olhou para o parceiro. – Jerry?

O Magrelo foi até o carro e pegou um dispositivo portátil. Examinou-o por alguns instantes, tocou na tela e depois disse:

– Ele está num raio de 50 metros... Naquela direção.

Jerry apontou exatamente para onde eu me escondia.

Várias possibilidades me passaram pela cabeça. A primeira e mais óbvia: me entregar. Levantar as mãos bem alto e sair do bosque gritando a plenos pulmões: "Eu me rendo." Sob a custódia da polícia, estaria ao menos a salvo de Jed e seu grupo.

Estava pensando seriamente em fazer isso – levantar os braços e anunciar que me rendia – quando vi Jed sacar a arma.

Oh, oh...

– O que você está fazendo, Jed? – perguntou o Parrudo.

– Essa arma é minha. Tenho porte legal. E estamos na minha propriedade, certo?

– Certo. E daí?

– E daí que esse assassino que vocês estão procurando... – começou Jed. Agora eu era um assassino. – Pode ser perigoso e estar armado. Não vamos deixar vocês irem atrás dele sem cobertura.

– Não precisamos de cobertura, Jed. Guarde a arma.

– Esta ainda é minha propriedade, certo?

– Sim, é.

– Então, se não for nenhum inconveniente, vou ficar com vocês.

A opção mais óbvia de repente já não era tão óbvia. Jed queria me matar por duas razões. A primeira era porque achava que eu tinha algo a ver com o assassinato de Todd. Tinha sido por isso que haviam me pegado. A segunda é que os mortos não falam. Se me rendesse, podia contar aos policiais o que acontecera naquela noite, como eles me sequestraram e atiraram contra mim. Seria a minha palavra contra a deles, mas havia uma bala na casa de Cookie que pertencia à arma deles. Existia o registro da ligação de Cookie para mim. Seria uma jogada audaciosa, mas apostava que Jed não iria querer correr o risco.

Por outro lado, se ele me matasse agora – mesmo que disparasse enquanto eu tentava me entregar –, poderia ser considerado legítima defesa ou, na pior das hipóteses, um caso de nervosismo. Jed iria atirar, matar e dizer que achara que eu estivesse armado e, na verdade, eu já havia matado um homem, pelo que disseram Parrudo e Jerry Magrelo. Todos aqueles camaradas de Vermont confirmariam a história dele, e o único que poderia contradizê-los – eu – já teria virado comida para os vermes.

Havia mais coisas a se levar em conta. Se me rendesse, por quanto tempo ficaria detido pela polícia? Estava chegando mais perto da verdade. Sentia isso. Eles achavam que eu tinha matado alguém. E estavam com razão. Eu meio que havia confessado. Por quanto tempo me prenderiam? Bastante, com certeza.

Se me colocassem na cadeia agora, provavelmente jamais teria a chance de confrontar a irmã de Natalie.

– Por aqui – disse Jerry.

Eles caminharam na minha direção. Jed levantou a arma, deixando-a preparada.

Comecei a andar de costas. Minha cabeça parecia coberta por melaço.

– Se há alguém no meio das árvores, saia agora com as mãos na cabeça – gritou o Parrudo.

Eles se aproximaram. Recuei mais alguns passos e me escondi atrás de um tronco. Era um bosque denso. Se conseguisse entrar nele o suficiente, pelo menos estaria seguro por um tempo. Peguei uma pedra e a joguei para a esquerda, o mais longe possível. Todos os olhos se voltaram. Lanternas se acenderam e faiscaram naquele sentido.

– Ali – gritou alguém.

Jed foi na frente, empunhando a arma.

Entregar-me? Acho que não.

O Parrudo ia ao lado dele. Jed apressou o passo, estava quase correndo, mas o policial levantou o braço para detê-lo.

– Vá devagar. Ele pode estar armado.

Jed sabia que eu não estava, claro.

Jerry parou.

– Esta coisa diz que ele ainda está aqui.

Mais uma vez, apontou na minha direção. Eles estavam a uns 40 ou 50 metros de distância. Abaixado no mato, enterrei rapidamente o telefone – o segundo perdido nos últimos três dias – sob uma pilha de folhas e corri para longe, tentando fazer o mínimo de barulho. Comecei a me mover para trás, mais para dentro do bosque. Fiquei com algumas pedras na mão. Eu as lançaria se precisasse distraí-los.

Os outros se reuniram em torno de Jerry, todos se movendo devagar rumo ao telefone.

Apertei o passo, entrando cada vez mais no bosque. Não podia mais vê--los, só a luz das lanternas.

– Ele está por perto – disse Jerry.

– Ou o celular dele – acrescentou Jed, provavelmente vendo uma luz.

Continuava me movendo, abaixado. Não tinha um plano. Não fazia ideia de que caminho tomar, nem que extensão teria o bosque. Talvez conseguisse escapar deles, mas no fim, a menos que encontrasse uma maneira de sair dali, não tinha nenhuma pista de como me livrar daquela situação.

Quem sabe, pensei, pudesse retornar para a casa.

Ouvi vozes murmurando. Estavam longe demais para que os visse. Isso era bom. Pude notar que o movimento havia parado. As lanternas tinham baixado.

– Ele não está aqui – alguém disse.

O Parrudo parecia irritado:

– Já deu para notar.

– Talvez o seu rastreador esteja com defeito.

Eles deviam estar exatamente em cima de onde eu tinha enterrado o telefone. Perguntei-me quanto tempo isso me daria. Não muito, mas devia ser o bastante. Levantei-me para correr e foi então que aconteceu.

Não sou médico nem cientista, portanto não sei explicar como a adrenalina funciona. Só sei que funciona. Ela tinha me ajudado a superar a dor do golpe na cabeça, do salto pela janela, da aterrissagem no chão duro. Ajudara-me a me recuperar da trombada na árvore, mesmo quando senti o lábio inchar e o gosto amargo de sangue na boca.

O que estava descobrindo naquele momento é que o efeito da adrenalina tem um limite. Trata-se de um hormônio finito encontrado em nosso corpo, nada mais. Pode ser a onda mais forte que se conhece, mas os efeitos, como eu estava rapidamente percebendo, eram de curto prazo. O fluxo acaba por se exaurir.

A dor não só não desaparecera, como ficara ainda mais intensa. Uma onda invadiu a minha cabeça, fazendo-me cair de joelhos. Precisei tapar a boca com a mão para não gritar.

Ouvi o barulho de outro carro vindo pelo acesso. Teria o Parrudo chamado reforço?

Ouvia vozes ao longe:

– É o telefone dele!

– Mas que... Ele o enterrou!

– Espalhem-se!

Ouvi o mato farfalhando atrás de mim. Perguntei-me quanto teria de vantagem e como esta resistiria à luz das lanternas e às balas. Provavelmente, não muito. Mais uma vez, considerei a possibilidade de correr o risco e me render. E mais uma vez, não gostei da ideia.

Ouvi o Parrudo dizendo:

– Volte para casa, Jed. Daremos um jeito nisso.

– A propriedade é minha– retrucou ele. – E é grande demais para vocês dois cobrirem sozinhos.

– Mesmo assim...

– A propriedade é minha, Jerry – havia rispidez na voz de Jed. – Vocês estão nela sem mandado de busca.

– Mandado? – disse o Parrudo – Você está falando sério? Só estamos preocupados com a sua segurança.

– Eu também – respondeu ele. – Vocês não têm a menor ideia de onde esse assassino está escondido, certo?

– Bem...

– Se dependesse de vocês, ele poderia estar escondido dentro de casa. Esperando por nós. Nem pensar, meu chapa. Vamos ficar aqui com vocês.

Silêncio.

Levante-se, falei a mim mesmo.

– Quero todo mundo à vista – disse o Parrudo. – Nada de heroísmo. Quem vir alguma coisa, grite por ajuda.

Ouvi murmúrios de concordância, depois luzes de lanternas cortando o ar. Eles estavam se espalhando. Não conseguia ver as pessoas na escuridão, só os fachos de luz balançando. Era o suficiente para saber que estava perdido.

Levante-se, seu idiota!

Minha cabeça rodou em protesto, mas consegui ficar de pé. Cambaleei para a frente como uma espécie de monstro cinematográfico de pernas duras. Tinha dado uns três passos, talvez quatro, quando uma lanterna iluminou minhas costas.

Escondi-me depressa atrás de uma árvore.

Será que tinham me visto?

Esperei que alguém chamasse, mas nada aconteceu. Mantive as costas coladas ao tronco. O único som agora era o da minha respiração. Teria o facho de luz me denunciado? Tinha quase certeza que sim. Mas não podia afirmar. Fiquei onde estava e esperei.

Ouvi passos vindo na minha direção.

Não sabia o que fazer. Se alguém me vira, estava acabado. Não teria como escapar. Esperei que gritasse pedindo ajuda.

Nada, só os passos se aproximando.

Espere aí. Se eu tinha sido descoberto, por que ninguém gritara? Talvez estivesse tudo bem. Talvez houvessem me confundido com uma árvore ou qualquer outra coisa.

Ou será que a pessoa não chamava ninguém porque queria me matar?

Tentei pensar com frieza por um momento. Imaginemos, por exemplo, que fosse Jed. Ele chamaria os outros? Não. Se gritasse, eu poderia fugir. Então, o Parrudo e Jerry também viriam atrás de mim e seria mais difícil me eliminar. Mas e se ele tivesse me visto com a lanterna? O que aconteceria? Se tivesse me descoberto de fato, se soubesse que eu estava escondido bem atrás daquela árvore, ora, talvez pudesse chegar até mim sozinho, com a arma engatilhada e...

O som dos passos ficava mais alto.

Mais uma vez meu cérebro tentou calcular rápido – já tinha me salvado uma vez, certo? –, mas, após um ou dois segundos queimando os neurônios, cheguei a uma conclusão assustadora e, no entanto, óbvia.

Eu estava perdido. Não havia saída.

Tentei juntar forças para uma corrida definitiva, mas de que adiantaria? Só iria me expor e, nas condições em que me encontrava, não chegaria a lugar nenhum. Seria morto ou capturado. Por falar nisso, estas pareciam ser minhas únicas alternativas no momento: morrer ou ser capturado. Preferia que me capturassem, obrigado. A questão agora era a seguinte: como poderia maximizar as chances de ser capturado em vez de morto?

Não fazia a menor ideia.

O facho de luz dançou a minha frente. Apertei as costas contra a árvore e me ergui na ponta dos pés. Como se isso pudesse ajudar. Os passos estavam chegando mais perto. A se julgar pelo som e pelo brilho da lanterna, diria que alguém estava a uns 10 metros de mim.

As opções entravam e saíam da minha mente. Podia ficar ali e atacar o cara. Se fosse Jed, por exemplo, poderia desarmá-lo. Mas qualquer esforço da minha parte não só revelaria minha localização, mas também, se não fosse Jed – se fosse, por exemplo, o Parrudo –, liberaria o uso de violência contra mim.

O que fazer então?

Rezar para que não tivesse sido visto.

Claro que isso não era um plano, muito menos uma alternativa. Era só um desejo. Um pensamento ilusório. Era pôr tudo nas mãos do destino.

Os passos estavam a um ou dois metros agora. Preparei-me, sem saber para quê, deixando isso para aquela parte impulsiva do meu cérebro, quando ouvi um sussurro:

– Não diga uma palavra. Sei que está atrás da árvore.

Era Cookie.

– Vou passar por você – disse ela em voz baixa. – Fique bem atrás de mim e caminhe. Mantenha-se o mais perto possível das minhas costas.

– O quê?

– Faça o que eu disse. – Seu tom não dava margem a discussões. – Bem pertinho.

Cookie passou pela árvore quase batendo nela e seguiu andando. Não hesitei. Fui atrás dela. Podia ver lanternas ao longe, à esquerda e à direita.

– Aquilo não foi encenação, foi? – perguntou Cookie.

Não sabia do que estava falando.

– Você amava Natalie, não amava?

– Sim – sussurrei.

– Vou tentar levá-lo para o mais longe que puder. Vamos chegar a um caminho. Siga à direita. Ande abaixado para não ser visto. Esse caminho leva até a clareira onde fica a capela. De lá você sabe ir embora. Vou tentar mantê-los ocupados. Afaste-se o máximo que puder. Não vá para casa. Eles o encontrarão lá.

– Quem vai me encontrar?

Tentava me mover em sincronia com ela, passo a passo, como uma criança travessa imitando outra.

– Você precisa parar, Jake.

– Quem irá atrás de mim?

– Isso é maior do que você imagina. Você não tem ideia de contra o que está lutando. Não tem a menor ideia.

– Então me conte.

– Se você não parar, vai matar todos nós. – Cookie seguiu para a esquerda. Imitei-a. – O caminho fica ali na frente. Vou virar à esquerda, você segue pela direita. Entendeu?

– Onde está Natalie? Está viva?

– Em dez segundos vamos chegar lá.

– Me diga.

– Você não está me ouvindo. Tem que esquecer isso.

– Então me diga onde está Natalie.

A distância, ouvi o Parrudo gritar alguma coisa, mas não consegui entender as palavras. Cookie diminuiu o passo.

– Por favor – falei.

Sua voz soou distante, oca:

– Não sei onde Natalie está. Se está viva ou morta. Jed também não sabe, nem qualquer um de nós.

Chegamos a um caminho de pedrinhas. Ela começou a dobrar à esquerda.

– Uma última coisa, Jake.

– O quê?

– Se você voltar, não vou mais salvar a sua vida. – Cookie mostrou a arma na mão. – Vou acabar com ela.

capítulo 22

Reconheci o caminho.
Havia um pequeno lago à direita. Natalie e eu tínhamos nadado ali uma vez, tarde da noite. Depois saímos e ficamos nus nos braços um do outro.
– Nunca fiz isso – disse ela. – Quero dizer, já fiz, mas... nunca *isso*.
Eu entendia. Também nunca tinha feito.
Passei pelo velho banco de parque onde costumávamos nos sentar depois de tomar café e comer bolinhos na loja de Cookie. À frente, pude ver o contorno vago da capela. Mal olhei. Não precisava daquelas lembranças me atrasando naquele momento. Peguei o caminho que levava à cidade. Meu carro estava a menos de 800 metros dali. Perguntei-me se os policiais já o teriam localizado. Não havia como. Não conseguiria dirigir por muito tempo – devia haver um mandado de apreensão –, mas eu não tinha outro jeito de sair da cidade. Precisava arriscar.
A rua continuava tão escura que precisei me esforçar para encontrar o carro. Praticamente esbarrei nele. Quando abri a porta, a luz interna explodiu na noite. Entrei depressa e apaguei-a. E agora? Acho que havia me tornado um fugitivo. Lembrei-me de ver em algum programa de TV um foragido trocando a placa pela de outro automóvel. Talvez isso ajudasse. Podia encontrar um carro estacionado e fazer isso. O único problema era que eu não tinha uma chave de fenda. Como fazer então? Enfiei a mão no bolso e peguei uma moeda de 25 centavos. Será que funcionaria como chave de fenda?
Demoraria muito.
Tinha um destino em mente. Dirigi para o sul, tendo o cuidado de não ir nem muito rápido nem muito devagar, apertando o tempo todo acelerador e freio, como se a velocidade adequada de algum modo me tornasse invisível. As estradas estavam escuras. Isso ajudava. Precisava me lembrar de que um mandado de busca não era tão poderoso assim. Eu dispunha de algum tempo se me mantivesse afastado das estradas principais.
O celular, é claro, já era. Sentia-me nu e impotente sem ele. Engraçado como nos apegamos a esses aparelhos. Continuei rumo ao sul.
E agora?
Só tinha 60 dólares. Não iria longe. Se usasse o cartão de crédito, a polí-

cia ficaria sabendo e me pegaria pouco depois. Bem, não seria tão imediato assim. Teriam que esperar o valor ser debitado e depois mandar uma viatura ou o que fosse. Não sabia quanto tempo isso levava, mas duvidava que fosse instantâneo. A polícia é boa, mas não é onipotente.

Não havia escolha de fato. Precisava correr um risco calculado. A interestadual 91, a estrada principal daquela área, estava bem à frente. Peguei-a, dirigi até um posto de descanso e parei o carro bem no fim, no local menos iluminado que encontrei. Cheguei a levantar a gola, como se isso fosse me disfarçar. Quando passei pela pequena loja de conveniência, algo chamou minha atenção.

Eles vendiam canetas e marcadores. Não tinha muita variedade, mas talvez...

Pensei por um segundo, talvez dois, e entrei na loja. Quando conferi as poucas opções de materiais para escrever disponíveis, senti uma decepção maior do que imaginara.

– Posso ajudar?

A garota atrás do balcão não devia ter mais de 20 anos. O cabelo era louro com mechas cor-de-rosa. Sim, cor-de-rosa.

– Gosto do seu cabelo – falei, sempre galanteador.

– Do rosa? – Ela apontou para as mechas. – É para a campanha contra o câncer de mama. Espere aí, você está bem?

– Claro, por quê?

– Está com um galo enorme na testa. Acho que está sangrando.

– Ah, isso? Não foi nada. Tudo bem.

– Nós vendemos kits de primeiros socorros, se isso puder ajudar.

– É, talvez. – Voltei-me para as canetas e os marcadores. – Preciso de um marcador vermelho, mas não estou vendo nenhum aqui.

– Está em falta. Só tem preto.

– Ah...

Ela observou meu rosto.

– Mas tenho um aqui. – Ela abriu uma gaveta e pegou um marcador. – Nós o usamos para conferir o estoque, marcar itens.

Tentei não demonstrar minha ansiedade.

– Posso comprá-lo?

– Acho que não posso vender.

– Por favor – pedi. – É muito importante.

Ela pensou.

– Vou lhe fazer uma proposta. Você compra o kit de primeiros socorros e promete cuidar desse galo e dou a caneta de brinde.

Fiz o negócio e corri até o banheiro masculino. O tempo estava passando. Um carro de polícia acabaria entrando num ponto de descanso importante como aquele e começaria a checar os carros, certo? Ou não? Eu não tinha ideia. Tentava manter a respiração calma e regular. Olhei minha cara no espelho. Tinha um galo na testa e um corte aberto no supercílio. Limpei o melhor que consegui, mas um curativo grande só chamaria ainda mais atenção.

O caixa eletrônico ficava ao lado das máquinas de venda, mas isso teria que esperar mais um pouco.

Corri até o carro. Minha placa era "704 LI6". As letras são vermelhas em Massachusetts. Usando o marcador, transformei o 0 em 8, o L em E, o I em T, o 6 em 8. Dei um passo atrás. Jamais resistiria a uma inspeção cuidadosa, mas à distância, a placa era "784 ET8".

Tive vontade de sorrir diante da minha engenhosidade, mas não havia tempo. Voltei ao caixa eletrônico e pensei em como me aproximar da máquina. Sabia que todas tinham câmeras – quem não sabe? –, porém, mesmo que conseguisse evitar ser visto, as autoridades saberiam que meu cartão de crédito fora usado.

A rapidez parecia mais importante naquele momento. Se fossem fazer uma foto minha, a fariam e pronto.

Tenho dois cartões de crédito. Saquei o máximo permitido nos dois e corri de volta para o carro. Deixei a rodovia na primeira saída e segui por estradas secundárias. Quando cheguei a Greenfield, estacionei numa transversal no centro da cidade. Pensei em tomar o primeiro ônibus, mas seria óbvio demais. Peguei um táxi até Springfield. Claro que paguei em dinheiro. Peguei um ônibus da viação Peter Pan para Nova York. Durante toda a viagem, meus olhos vasculhavam o local, esperando que um policial ou algum cara mau me visse e me prendesse.

Muita paranoia?

Quando cheguei a Manhattan, peguei outro táxi para me levar até Ramsey, em Nova Jersey, onde morava Julie Pottham, a irmã de Natalie.

Ao chegarmos lá, o motorista perguntou:

– Ok, cara, para onde?

Eram quatro da manhã – tarde demais, claro (ou, dependendo do ponto de vista, cedo demais) para fazer uma visita à irmã de Natalie. Além disso, eu precisava descansar. Minha cabeça doía. Os nervos estavam em frangalhos. Sentia o corpo tremendo de exaustão.

– Vamos procurar um hotel.

– Tem um Sheraton nessa rua.

Eles pediriam identidade e provavelmente o cartão de crédito.

– Não. Algo... mais barato.

Encontramos um motel para caminhoneiros, adúlteros e fugitivos como eu. Chamava-se, com muita propriedade, Motel Razoável. Gostei da honestidade: "Não somos ótimos. Não somos bons. Apenas razoáveis." Uma placa em cima do toldo anunciava "preço por hora" (igualzinho a um Ritz-Carlton), TV em cores (debochando dos concorrentes que ainda usam em preto e branco) e minha parte favorita: "agora oferecendo toalhas!"

Aquele lugar não pediria identidade, cartão de crédito nem qualquer prova de que o sujeito estivesse vivo.

A mulher atrás do balcão tinha mais de 70 anos. Olhou para mim com olhos que já tinham visto de tudo. O nome no crachá dizia MABEL. O cabelo tinha consistência de palha. Pedi um quarto nos fundos.

– O senhor tem reserva? – perguntou ela.

– A senhora está brincando, né?

– É, estou – disse Mabel. – Mas os quartos nos fundos estão ocupados. Todo mundo quer um quarto lá. Deve ser a vista do lixão aí atrás. Tenho um bom que dá para a loja da Staples, se o senhor quiser.

Mabel me deu a chave do quarto 12, que acabou não sendo tão terrível quanto eu imaginava. O lugar parecia *razoavelmente* limpo. Tentei não imaginar o que aquele quarto já havia testemunhado, mas, pensando bem, também não gostaria de pensar nisso num Ritz-Carlton.

Caí na cama de roupa e tudo e mergulhei num daqueles sonos em que não nos lembramos nem de termos adormecido, muito menos temos ideia de que horas são ao acordarmos. Quando amanheceu, estiquei a mão procurando o celular na mesa de cabeceira, mas, para meu pesar, lembrei-me de que não o tinha mais. Estava com a polícia agora. Será que o estariam examinando? Vendo todas as minhas buscas no Google, as mensagens de texto que havia trocado, os e-mails enviados? Estariam fazendo o mesmo no meu alojamento no campus? Se haviam conseguido um mandado para me rastrear pelo celular, não seria razoável que obtivessem a mesma permissão para revistar minha casa? E daí? Não iriam encontrar nada de incriminador. Embaraçoso talvez, mas quem não faz certas buscas um pouco constrangedoras na internet?

Minha cabeça ainda doía. Muito. Estava com cheiro de bode. Uma chuveirada ajudaria, mas não se tivesse que vestir as mesmas roupas. Cambaleei até a luz brilhante do sol, protegendo os olhos como um vampiro ou um desses caras que passam muito tempo num cassino. Mabel ainda estava atrás do balcão.

– Uau, que horas você sai daí? – perguntei.

– Está me cantando?

– Hein? Não.

– Porque seria bom você estar mais apresentável. Tenho meus critérios.

– Você tem aspirina ou Tylenol?

Mabel franziu a testa, enfiou a mão na bolsa e tirou um pequeno arsenal de analgésicos. Tylenol, Advil, Aleve, Bayer. Fiquei com o Tylenol. Tomei dois e agradeci.

– Na Target, no fim da rua, tem uma seção de tamanhos grandes – informou Mabel. – Talvez queira comprar algumas roupas.

Ótima sugestão. Fui até lá, comprei uma calça jeans, uma camisa de flanela e cuecas. Também comprei uma escova de dentes de viagem, pasta e desodorante. Meu plano era não ficar foragido muito tempo, mas havia ainda algo que queria fazer antes de me entregar às autoridades.

Falar com a irmã de Natalie pessoalmente.

Última compra: um celular pré-pago. Liguei para os números de Benedict – celular, fixo e do escritório. Nenhum atendeu. Ainda devia ser cedo demais. Perguntei-me para quem mais poderia telefonar e resolvi tentar Shanta, que respondeu no primeiro toque.

– Alô?

– Sou eu, Jake.

– Que número é esse?

– É um telefone pré-pago – respondi.

Houve uma pausa.

– Você quer me contar o que está acontecendo?

– Dois policiais de Vermont andaram atrás de mim.

– Por quê?

Expliquei rapidamente.

– Espere – disse Shanta. – Você fugiu da polícia?

– Não confiava naquela situação. Achei que aquelas pessoas queriam me matar.

– Então se entregue agora.

– Ainda não.

– Jake, me escute. Se você está foragido, se existem agentes da lei procurando-o...

– Só preciso fazer uma coisa antes.

– Você precisa se entregar.

– Eu vou, mas...

– Mas o quê? Está ficando louco?

Talvez.

– Hein? Não.

– Onde você está, pelo amor de Deus?

Não respondi.

– Jake? Isso não é brincadeira. Onde você está?

– Ligo para você mais tarde.

Desliguei rápido, com raiva de mim mesmo. Telefonar para Shanta havia sido um erro. Ela era minha amiga, mas tinha outras responsabilidades e outra intenção naquele caso.

Ok, respire fundo. E agora?

Liguei para a irmã de Natalie.

– Alô?

Era Julie. Desliguei. Ela estava em casa. Era tudo que eu precisava saber. Eu tinha encontrado o número de um serviço de táxis em destaque no quarto do motel. Acho que muita gente não gosta de chegar e sair do Motel Razoável com seus próprios carros. Liguei para esse número e pedi que um táxi me pegasse na Target. Entrei no banheiro masculino, me lavei o quanto era possível na pia e vesti as roupas novas.

Quinze minutos depois, estava tocando a campainha de Julie Pottham. Ela tinha uma porta de vidro na frente da de madeira, de forma que podia abrir e ver quem era, ainda protegida pelo vidro. Quando viu quem estava no degrau da frente, arregalou os olhos e tapou a boca.

– Ainda vai fingir que não sabe quem eu sou? – perguntei.

– Se você não for embora agora, vou chamar a polícia.

– Por que mentiu para mim, Julie?

– Saia da minha casa.

– Não. Pode chamar a polícia, eles podem me arrastar para longe, mas vou voltar. Ou a seguirei até o trabalho. Ou voltarei à noite. Não vou embora enquanto você não responder minhas perguntas.

Os olhos de Julie se viraram para a esquerda e depois para a direita. O cabelo ainda era castanho. Não mudara muito nos últimos seis anos.

– Deixe minha irmã em paz. Ela está casada e feliz.
– Com quem?
– O quê?
– Todd está morto.

Aquilo a fez parar.

– Do que você está falando?
– Ele foi assassinado.

Os olhos se arregalaram outra vez.

– O quê? Ai, meu Deus, o que você fez?
– Eu? Nada. Você acha que... – A conversa estava saindo de controle rapidamente. – Não tenho nada a ver com isso. Todd foi encontrado na casa onde morava com a mulher e os dois filhos.

– Filhos? Eles não têm filhos.

Olhei para ela, que continuou:

– Quer dizer, ela teria me contado...

A voz de Julie falhou. Parecia em estado de choque. Eu não esperava por aquilo. Pensei que ela soubesse o que estava acontecendo, que fizesse parte de tudo, o que quer que "tudo" fosse.

– Julie – falei, devagar, tentando fazer com que ela se recuperasse do choque –, por que você fingiu que não me conhecia quando liguei?

Sua voz ainda parecia distante.

– Onde? – perguntou.
– O quê?
– Onde Todd foi assassinado?
– Ele morava em Palmetto Bluff, na Carolina do Sul.

Ela balançou a cabeça.

– Isso não faz o menor sentido. Você se enganou. Ou está mentindo.
– Não.
– Se Todd tivesse morrido, sido assassinado, como você diz, Natalie teria me contado.

Passei a língua sobre os lábios e tentei manter a voz calma.

– Então você mantém contato com ela?

Nenhuma resposta.

– Julie?
– Natalie tinha medo de que isso viesse a acontecer.

– O quê?

Seus olhos finalmente se focaram nos meus como um laser.

– Natalie achava que você me procuraria um dia. Até me disse o que falar se você aparecesse.

Engoli em seco.

– O que ela disse?

– "Lembre-o de sua promessa."

Silêncio.

Cheguei mais perto dela.

– Mantive minha promessa – falei. – Durante seis anos. Deixe-me entrar, Julie.

– Não.

– Todd morreu. Se havia uma promessa, eu a mantive. Agora acabou.

– Não acredito em você.

– Dê uma olhada no site da Universidade Lanford. Você vai ver o obituário.

– O quê?

– No computador. Todd Sanderson. Procure o obituário dele. Eu espero.

Sem mais uma palavra, ela entrou e fechou a porta. Eu não sabia se aquilo significava que ela ia checar a página da universidade ou que a conversa havia acabado. Eu não tinha nada a fazer, então fiquei ali, olhando para a porta e esperando. Dez minutos depois, Julie voltou. Abriu a porta de vidro e fez sinal para que eu entrasse.

Sentei no sofá e ela se acomodou à minha frente, atordoada.

– Não entendo – disse ela. – No obituário diz que ele era casado e tinha filhos. Eu achava que...

– O que você achava?

Ela balançou a cabeça com força.

– Mas por que você está tão interessado nisso? Natalie o deixou. Vi você no casamento. Nunca imaginei que iria, mas ela tinha certeza que sim. Por quê? Você é masoquista?

– Natalie sabia que eu iria ao casamento?

– Sim.

Assenti.

– O que foi? – perguntou ela.

– Ela sabia que eu tinha que ver aquilo.

– Por quê?

– Porque eu não acreditava.

– Que ela pudesse se apaixonar por outro homem?
– Sim.
– Mas se apaixonou – disse Julie. – E fez você prometer que ficaria longe.
– Sei que essa promessa foi um erro. Mesmo quando a fiz, quando vi Natalie trocando alianças com outro, nunca acreditei que ela tivesse deixado de me amar. Sei que isso soa ilusório. Que parece que vejo o mundo através de lentes cor-de-rosa ou que sou um egocêntrico que não consegue aceitar a realidade. Mas eu sei. Sei como me sentia quando estava com ela, e como ela se sentia. Toda essa baboseira que as pessoas falam sobre dois corações batendo juntos, sobre o sol brilhar num dia nublado, sobre uma conexão que vai além do físico. De repente entendo isso tudo. Natalie e eu éramos assim. Não se pode mentir sobre essas coisas. Se existe algo errado num amor assim, nós sentimos. Houve momentos demais que me deixaram sem fôlego. Eu vivia esperando o sorriso dela. Quando olhava em seus olhos, podia ver que era para sempre. Sabia disso quando a abraçava. Isso só acontece uma vez na vida, com sorte. Encontramos um lugar raro e especial, e, quando se tem essa sorte, lamentamos qualquer instante da vida em que não se está nesse lugar, porque parece um triste desperdício. Você sente pena das outras pessoas porque elas nunca vão conhecer essas explosões contínuas de paixão. Natalie me fazia sentir vivo. Fazia tudo crepitar e me surpreender à nossa volta. Era assim que eu me sentia e *sei* que ela sentia o mesmo. Não estávamos cegos de amor. Pelo contrário. O amor nos deixava de olhos bem abertos e foi por isso que ele nunca me deixou. Nunca deveria ter feito aquela promessa. Minha cabeça estava confusa, mas o coração, não. Deveria tê-lo ouvido.

Lágrimas rolavam pelo meu rosto quando terminei.
– Você acredita mesmo nisso, não é?
Assenti.
– Por mais que você tente me convencer do contrário.
– E, no entanto...
– Natalie terminou comigo e casou com o ex-namorado – terminei a frase por ela.
Julie fez uma careta.
– Ex-namorado?
– Sim.
– Todd não era um ex-namorado.

– O quê?

– Eles tinham acabado de se conhecer. Foi tudo ridiculamente rápido. Tentei ordenar os pensamentos.

– Mas ela me disse que eles já tinham namorado antes, vivido juntos, que eram apaixonados. Que terminaram e depois entenderam que eram feitos um para o outro...

Mas Julie estava negando com a cabeça. Foi como se um buraco tivesse se aberto no chão sob meus pés.

– Foi uma paixão fulminante – disse ela. – Foi o que Natalie me contou. Não entendi aquela pressa para casar. Mas ela, sabe como é, era artista. Imprevisível. Tinha, como você mesmo disse, esses arroubos de paixão.

Nada daquilo fazia sentido. Ou talvez, pela primeira vez, a confusão estivesse levando a uma espécie de clareza.

– Onde está Natalie? – perguntei.

Julie pôs o cabelo atrás da orelha e olhou para o lado.

– Por favor, me diga.

– Não estou entendendo nada – disse ela.

– Eu sei. Quero ajudar.

– Ela me pediu que não falasse nada.

Não soube como argumentar diante daquilo.

– Acho que é melhor você ir agora – falou Julie.

De jeito nenhum, mas talvez fosse hora de cercá-la por outro lado, deixá-la sem equilíbrio.

– Onde está seu pai? – perguntei.

Um ar de espanto tomou seu rosto. Agora parecia que eu a tinha esbofeteado.

– O quê?

– Ele foi professor em Lanford, no meu departamento, inclusive. Onde está ele?

– O que ele tem a ver com isso?

Boa pergunta, pensei. Na verdade, era uma ótima pergunta.

– Natalie nunca me contou sobre ele.

– Ah, não? – Julie deu de ombros, desinteressada. – Talvez vocês não fossem tão íntimos quanto você imaginava.

– Ela foi até o campus comigo e não falou uma palavra sobre o pai. Por quê?

Julie pensou por um instante.

– Ele nos deixou há 25 anos. Eu tinha 5. Natalie, 9. Mal me lembro dele.

– Para onde ele foi?
– Que diferença faz?
– Por favor. Para onde ele foi?
– Fugiu com uma aluna, mas o caso não durou. Minha mãe... nunca o perdoou. Ele se casou de novo e formou outra família.
– Onde eles moram?
– Não sei nem quero saber. Minha mãe diz que ele foi para algum lugar no oeste. É tudo que sei. Nunca me interessei.
– E Natalie?
– O que tem ela?
– Ela se interessava pela vida do pai?
– Isso não era da conta dela. Ele fugiu.
– Natalie sabia onde ele morava?
– Não. Mas... acho que ele era a razão de ela ter tanta dificuldade com os homens. Quando éramos pequenas, Natalie tinha certeza de que um dia papai voltaria e seríamos uma família outra vez. Mesmo depois de ele ter se casado de novo e tido outros filhos. Ele não prestava, mamãe dizia. Para ela, tinha morrido... E para mim também.
– Mas para Natalie, não.
Julie não respondeu. Parecia estar pensando em alguma coisa.
– O que foi? – perguntei.
– Minha mãe vive num asilo agora. Sofre de complicações por causa do diabetes. Tentei cuidar dela, mas... – a voz falhou. – Mamãe nunca se casou de novo, entende? Não teve uma vida. Meu pai tirou isso dela. E mesmo assim, Natalie ainda esperava algum tipo de reconciliação. Não sei... Ela pensava que não era tarde demais. Era muito sonhadora. Achava que encontrar meu pai provaria alguma coisa. Que ela poderia encontrar um homem que nunca a deixasse, e isso provaria também que papai não teve intenção de nos abandonar.
– Julie?
– O quê?
Certifiquei-me de que me olhava nos olhos.
– Natalie já encontrou esse homem.
Julie olhou para a janela dos fundos e piscou. Uma lágrima escorreu por seu rosto.
– Onde ela está? – perguntei.
Julie balançou a cabeça.

– Não vou embora enquanto você não me disser. Por favor. Se ela não tiver mais interesse em me ver...

– Claro que não tem – retrucou Julie, de repente irritada. – Se tivesse, já não o teria procurado? Você estava certo antes.

– Em relação a quê?

– Sobre estar iludido. Sobre ver o mundo com lentes cor-de-rosa.

– Então me ajude a tirá-las – pedi, impassível. – De uma vez por todas. Me ajude a enxergar a verdade.

Não sei se minhas palavras a tocaram, mas não aceitaria ser dissuadido. Olhei para Julie e talvez ela tenha percebido. Pode ter sido por isso que ela, enfim, cedeu.

– Depois do casamento, Natalie e Todd se mudaram para a Dinamarca. Moravam lá, mas viajavam muito. Todd trabalhava como médico numa instituição de caridade. Esqueci o nome. Alguma coisa sobre recomeço, talvez.

– Novo Começo.

– Isso mesmo. Eles viajavam para países pobres. Todd operava os necessitados. Natalie fazia seus trabalhos de arte e dava aulas. Ela adorava aquilo. Os dois eram felizes. Ou isso era o que eu achava.

– Quando a viu pela última vez?

– No casamento.

– Espere aí. Você não vê sua irmã há seis anos?

– Exato. Depois do casamento, Natalie me explicou que a sua vida com Todd seria uma jornada gloriosa. Avisou que talvez não nos víssemos por muito tempo.

Eu não podia acreditar no que ouvia.

– E você nunca foi visitá-la? Ela nunca voltou aqui?

– Não. Como falei, ela me avisou que seria assim. Natalie só me mandava cartões-postais da Dinamarca.

– Mas vocês não trocavam e-mails? Não se falavam pelo telefone?

– Ela não tinha nenhum dos dois. Achava que a tecnologia moderna estava obscurecendo seu pensamento, prejudicando seu trabalho.

Fiz uma careta.

– Ela lhe disse isso?

– Sim.

– E você acreditou? E se houvesse alguma emergência?

Julie deu de ombros.

– Foi a vida que ela escolheu.

– E você não achava essa escolha estranha?

– Sim. Na verdade, falei as mesmas coisas que você está dizendo agora. Mas o que eu podia fazer? Ela deixou bem claro que era o que queria. Era o começo de uma nova vida. E quem era eu para tentar impedi-la?

Balancei a cabeça, incrédulo.

– Quando foi a última vez que você recebeu um postal dela?

– Já faz um tempo. Talvez seis meses.

Recostei-me.

– Então, a verdade é que você não sabe onde ela está, não é?

– Eu diria que na Dinamarca, mas não tenho certeza. Acho que não sei. Também não entendo como seu marido podia morar com outra mulher na Carolina do Sul. Nada mais faz sentido. Não sei onde ela está.

Uma batida forte na porta nos assustou. Julie chegou a segurar a minha mão, como se precisasse de ajuda. Ouvimos outra batida e depois uma voz ordenou:

– Jacob Fisher? É a polícia. A casa está cercada. Saia com as mãos para cima.

capítulo 23

Recusei-me a dizer qualquer palavra enquanto meu advogado – Benedict – não chegasse.

Demorou um pouco. O oficial-chefe se identificou como Jim Mulholland, do departamento de polícia de Nova York. Eu não conseguia entender por que essa jurisdição. Lanford College fica em Massachusetts. Eu tinha matado Otto na rota 91, nos limites desse estado. Havia me aventurado até Vermont e, quando eles me pegaram, estava em Nova Jersey. Exceto por ter usado o transporte público de Manhattan, não conseguia entender como a polícia de Nova York poderia estar envolvida.

Mulholland era um homem forte, com um bigode cerrado, que fazia lembrar o Magnum do seriado da TV. Ele insistia em dizer que eu não estava preso e podia sair quando bem entendesse, mas que eles *realmente* agradeceriam minha colaboração. Ele conversava de forma educada, embora sem brilhantismo, enquanto me levava para uma delegacia no centro. Ofereceu-me refrigerante, café, sanduíche, o que eu quisesse. De repente, fiquei com fome e aceitei. Já ia dar uma mordida quando me lembrei de que só os culpados comem sob custódia. Tinha lido isso em algum lugar. O culpado sabe o que está acontecendo, por isso consegue dormir e comer. O inocente está confuso e nervoso demais para essas coisas.

Mas qual dos dois eu era?

Comi o sanduíche, deleitando-me a cada pedaço. De vez em quando, Mulholland ou sua colega, Susan Telesco, um loura alta vestindo jeans e blusa de gola rulê, tentavam iniciar uma conversa. Eu os rechaçava e lembrava a eles de que tinha invocado meu direito de só falar na presença do meu advogado. Três horas depois, Benedict apareceu. Sentamo-nos os quatro – Mulholland, Telesco, Benedict e eu – em volta de uma mesa, numa sala de interrogatório que havia sido preparada para não parecer muito intimidadora. Claro que eu não tinha muita experiência com salas de interrogatório, mas sempre achei que deviam ser meio tétricas. Essa tinha paredes de um bege-claro.

– Você sabe por que está aqui? – perguntou Mulholland.

Benedict franziu a testa.

– Sério?

– O que foi?

– Como você espera que respondamos a essa pergunta? Com uma confissão, talvez? "Ah, sim, detetive Mulholland, imagino que o senhor tenha me prendido porque abri fogo contra duas lojas de bebidas." Podemos pular esse amadorismo e ir direto ao que interessa?

– Escute – disse Mulholland, ajeitando-se na cadeira –, estamos do seu lado.

– Não diga!

– Não, estou falando sério. Só precisamos esclarecer alguns detalhes e depois vamos todos para casa nos sentindo pessoas melhores pelo que aconteceu.

– Do que você está falando? – perguntou Benedict.

Mulholland assentiu para Susan, que abriu uma pasta, pegou uma folha de papel e a colocou sobre a mesa. Quando vi as fotos – de frente, de perfil –, o sangue gelou nas minhas veias.

Era Otto.

– Você conhece esse homem? – perguntou-me Susan.

Eu já ia responder, mas Benedict pôs a mão no meu braço.

– Fique calado. Quem é ele?

– Seu nome é Otto Devereaux.

O nome me causou um calafrio. Eles haviam me mostrado o rosto. Tinham usado o nome verdadeiro de Otto. Isso só podia significar uma coisa: nunca tiveram a intenção de me deixar sair vivo daquela van.

– Recentemente, seu cliente declarou que teve um confronto com um homem que se encaixa na descrição de Otto Devereaux, numa autoestrada em Massachusetts. Nessa declaração, seu cliente disse que foi forçado a matar Otto Devereaux em legítima defesa.

– Meu cliente retirou essa declaração. Estava desorientado e sob efeito de álcool.

– Vocês não estão entendendo – disse Mulholland. – Nossa intenção aqui não é lhes causar dificuldades. Se pudéssemos, lhes daríamos uma medalha. – Ele abriu os braços. – Estamos todos do mesmo lado.

– Ah, é?

– Otto Devereaux era um verme da pior qualidade, de proporções quase bíblicas. Poderíamos mostrar a vocês toda a obra dele, mas levaria muito tempo. Vamos mostrar só os pontos principais. Assassinato, estupro, extorsão. Seu apelido era Ferragem porque ele gostava de usar ferramentas para torturar as vítimas. Trabalhou para os famosos irmãos Ache até que alguém decidiu que ele era violento demais para os padrões deles. Aí começou a trabalhar por conta própria ou para qualquer bandido que precisasse de um psicótico de verdade. – Ele sorriu para mim. – Escute uma coisa, Jake, não sei como conseguiu acabar com esse cara, mas o que você fez foi uma bênção para a sociedade.

– Então – disse Benedict –, teoricamente falando, você está aqui para nos agradecer?

– Não há nada de teórico nisso. Você é um herói. Queremos apertar sua mão.

Mas não houve apertos de mãos.

– Onde vocês encontraram o corpo dele? – perguntou Benedict.

– Isso não é importante.

– Qual foi a causa da morte?

– Também não é importante.

– É assim que você trata o seu herói? – disse Benedict, com um grande sorriso. Ele balançou a cabeça na minha direção. – Bem, se é só isso, acho que já vamos indo.

Mulholland olhou para Susan. Pensei ter percebido um pequeno sorriso em seu rosto. Não gostei daquilo.

– Ok – disse ele –, se é assim que vocês querem.

– E?

– E nada. Você está livre para ir.

– Desculpem não podermos ajudar – falou Benedict.

– Não se preocupem com isso. Como eu disse, só queríamos agradecer ao homem que tirou esse cara do caminho.

– Ok. – Já estávamos de pé. – Não precisam nos levar até a porta.

Já íamos quase saindo quando Susan disse:

– Ah, professor Fisher?

Virei-me.

– Se importa se lhe mostrarmos mais uma fotografia?

Os dois olharam para mim como se não se importassem nem um pouco, como se tivessem todo o tempo do mundo e minha resposta fosse indiferente. Eu podia tanto olhar a foto quanto sair pela porta. Nenhum problema. Não me mexi. Eles não se mexeram.

– Professor Fisher? – repetiu Susan.

Ela tirou a foto da pasta de cabeça para baixo, como se estivéssemos jogando cartas num cassino. Pude ver o brilho nos seus olhos. A temperatura na sala caiu dez graus.

– Pode mostrar – falei.

Ela virou a foto para cima. Fiquei paralisado.

– Conhece essa mulher? – perguntou ela.

Não respondi. Olhei para a foto. Sim, claro que conhecia aquela mulher. Era Natalie.

– Professor Fisher?

– Sim, conheço.

Era uma fotografia em preto e branco. Parecia feita a partir de algum tipo de vídeo de segurança. Natalie estava atravessando um saguão.

– O que pode me dizer sobre ela?

Benedict colocou a mão no meu ombro.

– Por que está perguntando isso ao meu cliente?

Susan me fuzilou com o olhar.

– Você estava visitando a irmã dela quando o encontramos. Importa-se de dizer o que fazia lá?

– Mais uma vez – insistiu Benedict –, por que está perguntando isso ao meu cliente?

– O nome dessa mulher é Natalie Avery. Já conversamos com a irmã dela, Julie Pottham. Ela diz que a irmã mora na Dinamarca.

Dessa vez, falei:

– O que vocês querem com ela?

– Não posso lhe dizer.

– Nem eu – retruquei.

Susan olhou para Mulholland, que deu de ombros.

– Ok, então. Podem ir.

Ficamos todos parados no mesmo lugar, fazendo aquele joguinho de quem vai ceder primeiro. Eu não tinha nenhuma carta na manga, então me rendi.

– Nós tivemos um relacionamento – falei.

Eles ficaram esperando mais.

– Jake... – Começou Benedict, mas fiz sinal para que ele se calasse.

– Estou procurando por ela.

– Por quê?

Olhei para Benedict. Ele parecia tão curioso quanto os policiais.

– Eu a amava – respondi. – E nunca consegui esquecê-la. Então esperava... não sei. Esperava algum tipo de reconciliação.

Susan anotou algo.

– Por que agora?
O e-mail anônimo me veio à lembrança:

Você fez uma promessa.

Sentei-me novamente e puxei a foto para mais perto. Engoli em seco. Os ombros de Natalie estavam caídos. Aquele rosto lindo... Senti as lágrimas brotarem nos meus olhos... Ela parecia aterrorizada. Toquei seu rosto com o dedo, como se ela pudesse sentir e receber esse carinho. Odiava aquilo. Detestava vê-la com tanto medo.

– Onde essa foto foi tirada?
– Isso não importa.
– Claro que importa. Vocês a estão procurando, não estão? Por quê?
Os dois se olharam outra vez. Susan balançou a cabeça.
– Digamos que... – começou Mulholland lentamente – ...que Natalie seja uma pessoa de interesse.
– Ela está com algum problema?
– Da nossa parte, não.
– E o que isso quer dizer?
– O que você acha que quer dizer? – Pela primeira vez, vi a máscara cair e percebi um vislumbre de irritação no rosto de Mulholland. – Estamos atrás dela. – Ele pegou a foto de Otto. – Ele e seus amigos também estavam. Quem você prefere que a encontre primeiro?

Olhei para a foto, minha visão estava ficando embaçada, quando notei uma coisa. Tentei não me mexer nem mudar a expressão do meu rosto. No canto inferior direito, havia data e hora: 23h47, 24 de maio... seis anos atrás.

A foto tinha sido tirada poucas semanas antes de Natalie e eu nos conhecermos.

– Professor Fisher?
– Não sei onde ela está.
– Mas a está procurando?
– Sim.
– Por que agora?
Dei de ombros.
– Sinto saudade dela.
– Mas por que agora?
– Podia ter sido um ano atrás. Um ano depois. Era a hora.

Eles não acreditaram em mim. Que pena.

– Teve sorte?

– Não.

– Nós podemos ajudá-la – disse Mulholland.

Não falei nada.

– Se os amigos de Otto a encontrarem primeiro...

– Por que eles a estão procurando? Meu Deus, por que a estão procurando?

Eles mudaram de assunto.

– Você esteve em Vermont. Dois policiais o identificaram e encontramos seu celular lá. Por quê?

– Foi lá que nos conhecemos.

– Ela ficou naquela fazenda?

Eu estava falando demais.

– Nós nos conhecemos em Vermont. Ela se casou na capela que fica lá.

– E como o seu telefone foi parar lá?

– Ele deve ter deixado cair – disse Benedict. – Pode devolvê-lo?

– Claro. Podemos conseguir isso, nenhum problema.

Silêncio.

Olhei para Susan.

– Faz seis anos que vocês a estão procurando?

– No começo, sim. Mas nos últimos anos, não muito.

– Por que não? – perguntei. – Quer dizer, vou fazer a mesma pergunta que vocês me fizeram: por que agora?

Os dois trocaram olhares de novo. Mulholland disse a Susan:

– Conte a ele.

Ela me olhou.

– Paramos de procurá-la porque tínhamos certeza de que estava morta.

Eu já esperava aquela resposta.

– Por que achavam isso?

– Isso não lhe diz respeito. Apenas precisamos da sua ajuda.

– Mas não sei de nada.

– Se nos contar o que sabe – disse Susan, a voz ficando dura de repente –, esqueceremos tudo sobre Otto.

– Que diabo isso quer dizer? – perguntou Benedict.

– O que você acha que quer dizer? Seu cliente alega legítima defesa.

– E?

– Você perguntou qual foi a causa da morte. Ele quebrou o pescoço do cara. E tenho novidades para vocês: pescoço quebrado raramente é resultado de legítima defesa.

– Primeira coisa: negamos que ele tenha qualquer coisa a ver com a morte desse criminoso...

Ela levantou a mão.

– Pode nos poupar.

– Não importa – falei. – Vocês podem fazer todas as ameaças que quiserem. Não sei de nada.

– Otto não acreditou nisso, não foi?

Ouvi a voz de Bob em minha cabeça: "Onde ela está?"

Mulholland se inclinou para mais perto de mim.

– Você é burro o suficiente para achar que as coisas vão parar por aí? Acha que vão esquecê-lo agora? Eles o subestimaram da primeira vez. Não vão fazer isso de novo.

– Quem são eles? – perguntei.

– Uns caras muito maus – respondeu ele. – É tudo que você precisa saber.

– Isso não faz sentido – disse Benedict.

– Escute-me com toda atenção. Eles podem encontrar Natalie primeiro – falou Mulholland – ou nós podemos. A escolha é sua.

Era verdade. Porém, mais do que isso, ele tinha deixado de fora uma última possibilidade, por mais remota que fosse.

Eu poderia encontrá-la antes de todos.

capítulo 24

BENEDICT DIRIGIA.

– Você pode me contar o que está acontecendo?

– É uma longa história – respondi.

– A viagem é longa também. Por falar nisso, onde eu deixo você?

Boa pergunta. Não podia voltar ao campus. Além de não ser bem-vindo, algumas pessoas muito más poderiam querer me encontrar, como os detetives Mulholland e Susan haviam me lembrado. Perguntava-me se Jed e Cookie fariam parte do mesmo grupo de pessoas más que Bob e Otto ou se havia dois grupos diferentes atrás de mim. Aqueles dois eram profissionais frios. Para eles, me pegar foi como mais um dia de trabalho no escritório. Jed e Cookie eram amadores desastrados – inseguros, furiosos e assustados. Não tinha certeza do que isso significava, mas desconfiava que era importante.

– Não sei.

– Vou voltar para o campus, ok? E você me conta o que está acontecendo.

Contei. Benedict mantinha os olhos na estrada, balançando a cabeça de vez em quando. O rosto permanecia imóvel, as mãos, firmes no volante. Quando terminei, ele não disse nada durante vários segundos.

– Jake?

– Sim?

– Você tem que parar com isso – falou Benedict.

– Não sei se posso.

– Tem muita gente querendo matar você.

– Para começar, nunca fui muito popular – repliquei.

– É verdade, mas dessa vez você esbarrou num monte de merda enorme.

– Vocês da área de humanas e suas belas palavras.

– Não estou brincando – insistiu ele.

Eu sabia disso.

– Essas pessoas lá em Vermont – disse Benedict. – Quem são elas?

– Velhos amigos, de certa forma. Quero dizer, essa é a parte mais estranha. Jed e Cookie estavam lá, os dois, quando conheci Natalie.

– E agora querem matar você?

– Jed acha que tive alguma coisa a ver com o assassinato de Todd Sanderson. Mas não consigo imaginar por que, nem como ele o conhecia. Tem que haver alguma ligação.

– Uma ligação entre esse tal de Jed e Todd Sanderson?

– Sim.

– A resposta é óbvia, não é?

Assenti.

– Natalie – falei.

– É.

Fiquei pensando naquilo.

– A primeira vez que vi Natalie, ela estava ao lado de Jed. Cheguei até a pensar que fossem um casal.

– Ora – disse Benedict –, agora parece que vocês três tem alguma espécie de ligação.

– Qual?

– Conheciam Natalie no sentido bíblico.

Não gostei daquilo.

– Você não tem certeza disso – protestei em vão.

– Posso falar o óbvio?

– Se é absolutamente necessário...

– Conheço bem as mulheres – disse Benedict. – Sem querer me gabar, alguns podem até me considerar perito no assunto.

Fiz uma careta.

– E não quer se gabar?

– Algumas delas são encrenca. Entende o que estou dizendo?

– Encrenca.

– Certo.

– E acho que você vai me dizer que Natalie é uma dessas mulheres.

– Você, Jed, Todd – disse ele. – Sem querer ofender, mas só tem uma explicação para tudo isso.

– E qual é?

– A sua Natalie é uma tremenda louca.

Franzi a testa. Ele dirigiu por mais um tempo.

– Lá em casa tem aquele chalé de hóspedes que uso como escritório – falou Benedict. – Pode ficar lá até a poeira baixar.

– Obrigado.

Ficamos um tempo em silêncio.

– Jake?

– Sim?

– Nós sempre nos apaixonamos pelas loucas – disse Benedict. – Esse é o problema dos homens. Todos nós dizemos que detestamos drama, mas não é verdade.

– Isso é profundo, Benedict.

– Posso lhe perguntar mais uma coisa?

– Claro.

Pensei tê-lo visto apertando o volante com mais força.

– Como você viu o obituário de Todd?

Virei o rosto para ele.

– O quê?

– O obituário. Como você viu?

Perguntei-me se a confusão estaria estampada no meu rosto.

– Estava no *feed* de notícias do site da universidade. O que exatamente você está querendo saber?

– Nada. Só estava pensando.

– Eu lhe contei isso na minha sala. E você me incentivou a ir ao enterro, lembra?

– Lembro – falou Benedict. – E agora estou incentivando você a esquecer tudo isso.

Não falei nada. Ficamos mais um tempo em silêncio. Ele o quebrou.

– Tem outra coisa me incomodando.

– O quê?

– Como você acha que a polícia o encontrou na casa da irmã de Natalie?

Já tinha me perguntado isso, mas percebia agora que a resposta era óbvia.

– Shanta.

– Ela sabia onde você estava?

Expliquei que havia ligado para ela e que cometera a burrice de ter ficado com o telefone pré-pago. Se a polícia podia rastrear uma pessoa pelo celular, fazia sentido que, se soubessem o número (que deve ter aparecido no identificador de chamadas de Shanta), pudessem também me rastrear por um telefone pré-pago. Eu ainda o tinha no bolso e pensei em jogá-lo pela janela. Mas não havia necessidade. Não era a polícia que me preocupava agora.

Depois que o reitor Tripp me pediu que fosse embora, fiz uma mala e a guardei na minha sala na Clark House, junto com o laptop. Não sabia se havia alguém vigiando meu alojamento no campus ou a sala. Era um risco, mas vamos lá. Benedict teve a ideia de estacionar longe. Olhamos para ver se havia algo de suspeito. Nada.

– Podemos pedir a algum aluno para pegar as suas coisas – disse ele.

Balancei a cabeça.

– Um aluno já se feriu por minha causa nessa história.

– Não tem perigo.

– Mesmo assim.

A Clark House estava fechada. Entrei discretamente pela porta dos fundos. Peguei minhas coisas e voltei correndo para o carro de Benedict. Ninguém me deu nenhum tiro. Um a zero para os mocinhos. Ele dirigiu até os fundos de sua propriedade e me deixou no chalé de hóspedes.

– Obrigado – falei.

– Tenho uma pilha de trabalhos para corrigir. Você vai ficar bem?

– Claro.

– Você devia procurar um médico para ver a cabeça.

De fato, ainda sentia uma pontada de dor. Se era por concussão, exaustão, estresse, ou uma combinação das três coisas, eu não fazia ideia. De qualquer modo, não achava que um médico pudesse ajudar. Agradeci outra vez a Benedict e me instalei na casa. Peguei o laptop e o coloquei sobre a mesa.

Estava na hora de um pouco de investigação cibernética.

Todos podem se perguntar o que me qualifica a ser um investigador de primeira ou como aprendi a fazer investigações cibernéticas. Nada me qualifica e nunca aprendi. Mas sei digitar as coisas no Google. Então foi o que comecei a fazer.

Primeiro, pesquisei uma data: 24 de maio, seis anos antes.

A mesma data que aparecia na foto feita a partir do vídeo de segurança que a polícia de Nova York havia me mostrado. Fazia sentido que o acontecimento desse dia provavelmente fosse um crime. Podia ter aparecido no noticiário. Pouco provável? Acho que sim. Mas seria um começo.

Quando apertei *enter*, surgiu primeiro um monte de resultados sobre um tornado, em Kansas. Seria necessário filtrar a pesquisa. Acrescentei "NY" e apertei outra vez a tecla *enter*. O primeiro resultado dizia que o New York Rangers havia perdido para o Buffalo Sabres por 2 a 1. Segundo resultado: o New York Mets derrotou o Arizona Diamondbacks por 5 a 3. Cara, somos uma sociedade obcecada por esportes.

Enfim localizei um site que mostrava jornais de Nova York e seus arquivos. Ao longo das duas últimas semanas, as primeiras páginas de muitos deles discutiam uma sequência desavergonhada de roubos a bancos na cidade. Os ladrões atacavam à noite, sem deixar pistas, e tinham ganhado o apelido de "os invisíveis". Capcioso. Depois cliquei no link dos arquivos para 24 de maio e comecei a passar as páginas das seções de notícias locais.

Histórias mais quentes do dia: um homem armado havia atacado o consulado francês. A polícia desarticulou uma gangue ucraniana que traficava heroína. Um policial chamado Jordan Smith, acusado de estupro, estava sendo julgado. O incêndio de uma casa em Staten Island tinha sido considerado suspeito. O gestor de um fundo de investimentos, de Solem Hamilton, fora indiciado por algum esquema do tipo Ponzi. Um controlador estadual estava sendo acusado de falta de ética.

Aquilo não estava adiantando. Ou talvez estivesse. Quem sabe Natalie fizesse parte da gangue ucraniana, conhecesse o gestor do fundo de investimentos – a foto tirada do vídeo parecia ser o saguão de um prédio comercial – ou o controlador estadual? Onde eu estava naquele dia, 24 de maio? As aulas já estariam acabando. Na verdade, teriam terminado justamente nesse dia.

Seis anos atrás.

Minha vida estava tumultuada naquela época, como Benedict recentemente me fizera recordar no Bar Biblioteca. Meu pai tinha morrido de ataque cardíaco um mês antes. A dissertação que eu estava escrevendo não ia bem. Vinte e quatro de maio. Teria sido mais ou menos a ocasião em que o professor Trainor dera a tal festa em que menores consumiram bebida alcoólica. Quis que ele fosse seriamente advertido, criando um pouco de tensão entre mim e o professor Hume.

Mas o principal não era a minha vida, e sim a de Natalie.

O vídeo de segurança fora gravado no dia 24 de maio. Pensei nisso por um instante. Imaginemos que tivesse havido algum tipo de crime ou incidente nessa data. Ok, era a possibilidade que eu estava explorando, mas resolvi descartar a ideia. Se o incidente tivesse ocorrido em 24 de maio, quando os jornais o noticiariam?

Em 25 de maio, e não 24.

Não era nenhuma intuição brilhante, mas fazia sentido. Principais notícias: filantropo local Archer Minor morto a tiros. Incêndio em Chelsea deixa dois mortos. Adolescente desarmado é baleado pela polícia. Homem mata a ex-mulher. Diretor de escola é preso por desvio de verbas.

Que perda de tempo!

Fechei os olhos e os esfreguei. Desistir me pareceu uma ótima ideia. Poderia ir deitar e dormir. Manteria minha promessa e agiria de acordo com o desejo da mulher que considerava meu grande amor. Claro que, como Benedict havia observado, talvez Todd e Jed também achassem que Natalie fosse o grande amor deles. Uma onda primitiva – vamos chamar de ciúmes – me invadiu.

Lamento muito, mas eu não estava convencido.

Jed não me agrediu como um amante enciumado. Com Todd... não sabia qual era o caso ali, mas também não importava. Eu não podia mais voltar atrás. Não era do meu feitio. Seria do feitio de alguém? Como uma pessoa sensata conseguiria viver com tantas perguntas sem respostas?

Uma vozinha dentro da minha cabeça respondeu: ora, no mínimo *você* mesmo.

Não importava. Não iria funcionar. Tinha sido agredido, ameaçado, atacado, preso e havia até matado um homem...

Ei, espere aí. Tinha matado um homem – e agora sabia seu nome.

Inclinei-me para a frente e digitei no Google: Otto Devereaux.

Esperava encontrar um obituário. Não havia nada. O primeiro resultado foi um fórum para "aficionados por gangues". Sim, sério. Cliquei nos grupos de discussão, mas era necessário criar um perfil. Fiz isso rapidamente.

Havia um tópico chamado "DESCANSE EM PAZ, OTTO". Entrei no link:

> Que merda! Otto Devereaux, um dos matadores de aluguel e mestres da extorsão mais violentos do mundo do crime, teve o pescoço quebrado! O corpo foi desovado no acostamento da Saw Mill Parkway feito um saco de lixo. Nosso respeito, Otto. Você sabia matar, irmão.

Balancei a cabeça. Só faltava agora um site de fãs de pedófilos condenados. Havia cerca de quinze comentários de pessoas relembrando os feitos mais terríveis de Otto e, sim, elogiando o seu trabalho. Dizem que é possível encontrar todo tipo de depravação na internet. Acabava de encontrar um site dedicado a admiradores de gângsteres violentos. Que mundo!

No décimo quarto comentário, encontrei algo importante:

> Otto será velado na Franklin Funeral Home, no Queens, neste sábado. Como a cerimônia é privada, não é possível ir para lhe prestar home-

nagem, mas os admiradores sempre podem enviar flores. Segue o endereço.

Era em Flushing, no Queens.

Havia um bloco de desenho sobre a mesa. Peguei uma caneta, escrevi o nome de Natalie à esquerda e o de Todd embaixo. Anotei outros nomes – o meu, o de Jed, de Cookie, Bob, Otto – e todos que me vieram à cabeça. Delia Sanderson; Eban Trainor; o do pai de Natalie, Aaron Kleiner, e o da mãe, Sylvia Avery; Julie Pottham; e até Malcolm Hume. Depois, no lado direito da página, desenhei uma linha do tempo, de cima para baixo.

Retroceder o máximo possível. Onde aquilo tudo começava?

Não sabia.

De volta ao início então.

Há 25 anos, o pai de Natalie, que lecionava ali, em Lanford, tinha fugido com uma aluna. Segundo Julie Pottham, ele havia se mudado e casado outra vez. O único problema era que não havia sinal dele em lugar nenhum. O que foi mesmo que Shanta dissera? Tal pai, tal filha. Tanto Natalie quanto Aaron tinham aparentemente sumido da face da Terra. Nenhum radar conseguia captá-los.

Tracei uma linha ligando Natalie ao pai.

Como eu poderia saber mais sobre essa ligação? Pensei no que Julie tinha dito. A informação que ela tinha sobre o novo casamento do pai vinha da mãe. Talvez tivesse o endereço do ex-marido. De qualquer forma, seria necessário falar com ela. Mas como? Sylvia morava num lar para idosos. Foi o que Julie dissera. Eu não sabia em qual e duvidava que ela fosse me contar. Ainda assim, não seria muito difícil rastrear a Sra. Avery.

Fiz um círculo em torno do nome da mãe de Natalie.

De volta à linha do tempo. Há vinte anos Todd Sanderson era estudante. Quase fora expulso depois do suicídio do pai. Pensei em sua ficha estudantil e no obituário. As duas fontes mencionavam que Todd havia se reabilitado, fundando uma instituição de caridade.

Anotei *Novo Começo* no bloco.

Primeira coisa: a instituição nascera naquele mesmo campus, no rastro do tumulto da vida pessoal de Sanderson. Segunda: há seis anos, Natalie dissera à irmã que ela e Todd iriam viajar pelo mundo fazendo trabalhos de caridade na Novo Começo. Terceira: Delia Sanderson, sua verdadeira esposa, contou-me que a instituição fora a paixão do marido. Quarta: o professor Hume, meu adorado mentor, tinha sido o conselheiro do colegiado durante a criação da Novo Começo.

Comecei a bater com a caneta no papel. Aquela instituição estava presente em tudo. Fosse qual fosse o significado de "tudo".

Eu precisava saber mais sobre ela. Se Natalie tivesse de fato viajado com a instituição, alguém de lá poderia ao menos ter uma pista do seu paradeiro. Continuei a pesquisar na internet. A Novo Começo ajudava as pessoas a recomeçarem, apesar de a obra ser um pouco indistinta. Trabalhavam com crianças que precisavam fazer cirurgia de lábio leporino, por exemplo. Ajudavam dissidentes políticos precisando de asilo. Acudiam pessoas com problemas de falência. Auxiliavam outras a conseguir emprego, qualquer que fosse seu passado.

Resumindo, como dizia o lema no pé da página: "Ajudamos qualquer um que necessite, verdadeira e desesperadamente, de um recomeço."

Franzi a testa. Havia como ser mais vago?

Não havia link para doações. A Novo Começo era uma instituição de caridade que permitia que todas as contribuições fossem deduzidas do imposto de renda. Não se via nenhuma lista de funcionários nem qualquer menção a Todd Sanderson, Malcolm Hume ou qualquer outra pessoa. Não constava o endereço da sede. O código de área do número de telefone era 843 – Carolina do Sul. Disquei. Uma secretária eletrônica atendeu. Não deixei recado.

Encontrei uma firma on-line que investigava instituições de caridade, "para que você doe com confiança". Por uma quantia módica, eles enviavam um relatório completo sobre qualquer uma delas, incluindo um formulário IRS 990 (o que quer que isso fosse) e uma "análise abrangente, com dados financeiros completos, decisões institucionais, biografias dos funcionários, lista dos bens, valores gastos na angariação de fundos e todas as outras atividades". Paguei a quantia módica. Recebi um e-mail avisando que o relatório seria enviado no dia seguinte.

Eu poderia esperar. Minha cabeça doía como um dedo que tivesse levado uma topada. A vontade de dormir era irresistível. Na manhã seguinte, iria ao funeral de Otto Devereaux, mas, por ora, meu corpo precisava de repouso e alimento. Tomei uma chuveirada, preparei algo para comer e dormi o sono dos mortos, que, com base no que estava acontecendo a meu redor, parecia bem adequado.

capítulo 25

Benedict se inclinou sobre a janela do próprio carro.

– Não gosto disso.

Não me dei o trabalho de responder. Já tínhamos conversado sobre o assunto várias vezes.

– Obrigado por me emprestar o carro.

Tinha deixado o meu, com a placa alterada, numa rua de Greenfield. Em algum momento, precisaria pensar num jeito de recuperá-lo, mas isso podia esperar.

– Posso ir com você – sugeriu Benedict.

– Você tem aula.

Ele não discutiu. Nunca deixamos de dar aula. Já havia prejudicado um número suficiente de alunos, com maior ou menor gravidade, ao iniciar essa investigação bizarra. Não permitiria que outros fossem afetados, mesmo que em menor escala.

– Então seu plano é aparecer no funeral daquele gângster?

– Mais ou menos.

– Para mim parece menos.

Era difícil argumentar. Tinha planejado dar uma olhada no enterro de Otto Devereaux, na esperança de descobrir por que ele me atacara, para quem trabalhava e qual o motivo de estarem atrás de Natalie. Os detalhes não me entusiasmavam muito, mas estava sem trabalho no momento e ficar sentado esperando ser encontrado por Bob ou Jed também não me parecia uma alternativa interessante.

Melhor ser proativo. Era o que diria a meus alunos.

A rota 95, em Connecticut e Nova York, é basicamente uma série de áreas em construção, mascarada de rodovia interestadual. Ainda assim, fiz o trajeto num tempo razoável. A Franklin Funeral Home ficava em Northern Boulevard, em Flushing, no distrito de Queens. Por alguma razão inusitada, a foto do site mostrava a querida Bow Bridge, no Central Park, lugar onde se vê apaixonados se casando em quase todas as comédias românticas ambientadas em Manhattan. Não tinha ideia de por que teriam feito isso, em vez de colocar uma foto da funerária... até chegar lá.

Um lugar de descanso final.

A Franklin Funeral Home parecia ter sido construída para alojar dois consultórios dentários, talvez com espaço ainda para um proctologista, por volta de 1978. A fachada era de um tom amarelo "dente de fumante". Casamentos, festas, celebrações muitas vezes refletem o celebrante. Os funerais, raramente. A morte é a grande uniformizadora, de forma que todas as cerimônias fúnebres, exceto as dos filmes, acabam sendo iguais. São sempre sem cor, pasteurizadas, e oferecem mais fórmula e ritual do que consolo e conforto.

E agora? Eu não podia entrar. E se Bob estivesse lá? Poderia tentar ficar nos fundos, mas caras do meu tamanho não costumam passar despercebidos. Havia um homem de terno preto indicando às pessoas onde estacionar. Parei o carro e tentei sorrir como se estivesse me dirigindo a um funeral, por mais estranho que isso fosse. Ele perguntou:

– O senhor está aqui para o funeral Devereaux ou Johnson?

Como sou rápido nas respostas, falei:

– Johnson.

– Pode estacionar à esquerda.

Entrei num estacionamento espaçoso. Ao que parecia, o funeral Johnson estava acontecendo na parte da frente. Havia uma tenda armada atrás para o de Devereaux. Encontrei uma vaga no canto direito. Entrei de ré nela, obtendo uma visão perfeita do que me interessava. Se por acaso algum participante do grupo de Johnson ou um funcionário da Franklin Funeral me notasse, poderia fingir que estava desolado e precisando de um momento sozinho.

Pensei na última vez em que estivera num enterro, apenas seis dias antes, naquela pequena capela branca em Palmetto Bluff. Se a minha linha do tempo ainda estivesse comigo, haveria um intervalo de seis anos entre um casamento numa capela branca e um funeral em outra. Seis anos. Perguntei-me quantos desses dias tinham se passado sem que eu, de uma forma ou de outra, me lembrasse de Natalie e me dei conta de que a resposta era "nenhum".

Mas, no momento, a grande pergunta era: como foram esses seis anos para ela?

Uma limusine parou em frente à tenda. Outro ritual estranho da morte: a única vez em que conseguimos andar em carros que associamos à ideia de luxo e excesso é quando estamos lamentando a morte de um ente querido. Mas que ocasião seria melhor? Dois homens vestindo terno escuro se aproximaram e abriram a porta da limusine, como se estivessem num tapete vermelho. Uma mulher esbelta, de 30 e poucos anos, saltou com a ajuda deles. Estava de mãos dadas com um garotinho de cabelos longos, que devia ter 6 ou 7 anos. Ele estava de terno preto, o que me pareceu quase obsceno. Garotos pequenos nunca deveriam usar ternos pretos.

O óbvio não tinha me ocorrido até aquele momento: Otto poderia ter família. Uma esposa esbelta com quem compartilhasse a cama e os sonhos, e um filho de cabelos longos que o amava e jogava bola com ele no quintal. Outras pessoas saltaram do carro. Uma mulher idosa chorava alto, limpando o rosto num lenço que mantinha amassado na mão. Ela quase teve que ser carregada até a tenda por um casal de cerca de 30 anos. A mãe e os irmãos de Otto, talvez. Eu não sabia. A família fez uma fila na frente. Cumprimentavam os presentes, os sinais de devastação eram evidentes em seu comportamento e em seus rostos. O garotinho parecia perdido, confuso, assustado, como se alguém tivesse se aproximado furtivamente dele e lhe dado um soco no estômago.

Esse alguém era eu.

Permaneci sentado, imóvel. Pensava em Otto como uma entidade à parte. Achava que tê-lo matado fora apenas uma tragédia pessoal, o fim de uma vida isolada. Mas nenhum de nós é realmente isolado. A morte reverbera.

No fim das contas, por mais difícil que tenha sido observar o resultado dos meus atos, isso não mudava o fato de que eles tinham sido justificados. Sentei-me um pouco mais ereto e fiquei de olho nos participantes da cerimônia. Minha expectativa era que a fila parecesse uma convocação de elenco extra para a *Família Soprano*. Havia alguns que pareciam, sem dúvida, mas a multidão era bem variada. Apertavam a mão dos membros da família, abraçavam-nos e davam beijos. Alguns permaneciam enlaçados por um longo tempo. Outros davam tapinhas rápidos nas costas e se soltavam. A certa altura, a mulher que imaginei ser a mãe de Otto quase desmaiou, mas dois homens a seguraram.

Eu havia matado o seu filho. O pensamento era ao mesmo tempo óbvio e surreal.

Outra limusine parou em frente à fila de pêsames. Todos ficaram imóveis por um momento. Dois caras que pareciam atacantes do New York Jets abriram a porta de trás. Um homem alto, magro, com cabelo cheio de gel, saltou. Vi a multidão começar a cochichar. Teria uns 70 anos, imaginei, e parecia vagamente familiar, mas eu não sabia dizer de onde. Não esperou no fim da fila – esta se abriu para ele como o Mar Vermelho para Moisés. O homem tinha um desses bigodes finos que pareciam ter sido desenhados a lápis. Ele meneou a cabeça quando se aproximou da família, aceitando apertos de mão e cumprimentos.

Quem quer que fosse, era importante.

Ele parou e saudou todos os membros da família. Um deles – um cara que imaginei ser o cunhado de Otto – dobrou um dos joelhos. O homem magro balançou a cabeça, e ele tornou a ficar de pé, se desculpando. Um dos atacantes do New York Jets permanecia um passo à frente do chefe. O outro, um passo atrás. Ninguém os seguia.

Quando o homem magro apertou a mão da mãe de Otto, a última pessoa da fila, ele se virou e voltou para a limusine. Um dos atacantes abriu a porta de trás. O chefão entrou. A porta se fechou. O outro atacante sentou ao volante. O companheiro tomou o assento do carona. O carro deu ré. Todo mundo permaneceu imóvel enquanto o homem magro ia embora.

Durante um minuto após sua partida, ninguém se mexeu. Vi uma mulher se benzer. A fila voltou a andar. A família continuou a receber os cumprimentos. Esperei, perguntando-me quem seria o homem magro e se isso era importante. A mãe de Otto voltou a chorar.

Enquanto eu observava, os joelhos dela se dobraram. Ela caiu nos braços de um homem, soluçando contra seu peito. Gelei. O cara ajudou-a a ficar de pé e a deixou chorar. Podia vê-lo acariciando suas costas e oferecendo palavras de conforto. Ela permaneceu assim por um longo tempo. O homem ficou parado e esperou, com extrema paciência.

Era Bob.

Afundei-me no assento do carro, mesmo estando a uns 100 metros de distância. O coração disparou. Respirei fundo e arrisquei outra olhada. Ele estava gentilmente se soltando da mãe de Otto. Sorriu para ela e se dirigiu até um grupo de homens, parados a cerca de 10 metros.

Eram cinco. Um deles ofereceu um maço de cigarros. Todos pegaram um, exceto Bob. Bom saber que meu gângster cuidava da saúde de alguma forma. Peguei o celular, acionei a câmera e dei um zoom no rosto dele. Tirei quatro fotos.

O que fazer agora?

Esperar ali. Aguardar o fim do enterro e seguir Bob até em casa.

E depois?

Não sabia mesmo. A ideia era descobrir seu nome verdadeiro e esperar que isso levasse ao motivo da busca por Natalie. Ele claramente tinha sido o chefe. Teria que saber as razões, certo? Poderia também observá-lo entrando no carro e depois anotar o número da placa. Talvez Shanta ajudasse a descobrir seu nome com base nisso. Só que eu não confiava mais nela e, pelo que sabia, Bob tinha ido ao funeral com os companheiros fumantes.

Quatro dos homens se destacaram do grupo e se dirigiram para dentro, deixando Bob sozinho com um cara mais jovem. Vestia um terno tão brilhante que parecia um globo de discoteca. Bob parecia lhe dar instruções. O rapaz balançava muito a cabeça. Terminadas as orientações, ele foi em direção ao funeral. O outro, não. Pavoneou-se para outro lado, com uma marra quase que de desenho animado, até um Cadillac Escalade de um branco reluzente.

Mordi o lábio inferior tentando decidir o que fazer. Ainda faltava um tempo para o enterro. Não havia por que ficar ali, sentado. Talvez pudesse seguir o cara de terno brilhante e ver onde isso levaria.

Dei partida no carro e entrei em Northern Boulevard atrás dele. Era uma sensação estranha – estar "seguindo um criminoso" –, mas aquele parecia ser um dia estranho. Não sabia que distância manter do Escalade. Ele perceberia que eu o estava seguindo? Tinha minhas dúvidas, mesmo estando com uma placa de Massachusetts no estado de Nova York. Ele dobrou à direita no Francis Lewis Boulevard. Mantive-me a dois carros de distância. Esperto. Senti-me como Starsky e Hutch. Um dos dois, pelo menos.

Quando estou nervoso, fico fazendo um monte de piadas idiotas para mim mesmo.

O cara do terno brilhante parou em frente a uma loja de flores enorme, chamada Global Garden. Que ótimo, pensei. Vai comprar coroas de flores para o enterro de Otto. Outra coisa bizarra dos funerais: vista-se de preto, mas use uma coisa bem colorida, como flores, para decorar o ambiente. A loja, no entanto, estava fechada. Não sabia o que pensar daquilo, então não pensei nada. Ele dirigiu até os fundos. Fiz a mesma coisa, porém mais para o lado, a uma boa distância. Ele saltou do Escalade pela porta do motorista e caminhou cheio de marra até a loja. Ele era bom naquilo. Não queria julgar, mas, com base nas companhias em que andava, no brilho do terno e no jeito marrento, eu desconfiava que o cara era o que os alunos hoje em dia qualificam tecnicamente como "prego". Bateu na porta com o anel do dedo mindinho, saltando feito um boxeador prestes a entrar no ringue. Achei que era exibicionismo. Mas não.

Um garoto – poderia ser um dos meus alunos – vestindo avental verde-brilhante e boné do Brooklin Nets virado para trás, abriu, e o cara de terno lhe deu um soco no rosto.

Cara, onde eu havia me metido?

O boné foi parar no chão. O garoto o seguiu, segurando o nariz. Terno Brilhante o agarrou pelo cabelo. Baixou a cabeça de um jeito que cheguei a temer que fosse morder o nariz – provavelmente quebrado – do garoto e começou a berrar com ele. Depois se levantou e deu um chute em suas costelas, fazendo o garoto se revirar de dor.

Ok, chega.

Agindo sob o efeito de uma não só precipitada como também perigosa mistura de temor e instinto, abri a porta do carro. O medo podia ser controlado. Havia aprendido a fazer isso durante os anos como segurança de bar. Qualquer pessoa com um mínimo de humanidade se assusta diante da violência. Somos assim. O segredo é se dominar, não deixar que esse temor o paralise ou enfraqueça. A experiência ajuda.

– Pare! – gritei. Depois (essa era a parte em que entrava o instinto) acrescentei: – Polícia!

O cara de terno brilhante virou a cabeça para mim.

Enfiei a mão no bolso, peguei a carteira e a abri. Não, não tenho identificação, mas ele estava longe demais para ver. Minha atitude o convenceria. Permaneci firme, calmo.

O garoto correu de volta para a porta. Parou para recuperar o boné de beisebol do Brooklin Nets, enfiou-o na cabeça com a aba para trás e desapareceu dentro do prédio. Não me importei. Fechei a carteira e comecei a andar na direção do Terno Brilhante. Ele também devia ter alguma experiência naquilo. Não correu. Não parecia culpado. Não tentou explicar. Apenas aguardou, paciente, que me aproximasse.

– Tenho uma pergunta para você – falei. – Se responder, vamos esquecer isso tudo.

– Isso tudo o quê? – retrucou ele, sorrindo. Os dentes pequenos pareciam balas Tic Tac. – Não há nada para esquecer.

O celular estava na minha mão, exibindo a foto mais nítida que tinha de Bob.

– Quem é esse cara?

Ele deu uma olhada e sorriu outra vez para mim.

– Deixe-me ver sua identificação.

Ai, ai, quem mandou blefar?

– Só me diga...

– Você não é da polícia. – Ele achou graça naquilo. – Sabe como sei?

Não respondi. A porta da loja se abriu numa fresta. Pude ver o garoto espiando. Ele me olhou nos olhos e demonstrou sua gratidão.

– Se fosse, saberia quem ele é.

– Então me diga o nome dele e...

O cara começou a enfiar a mão no bolso. Poderia estar procurando a arma, uma faca, um lenço de papel. Eu não sabia o quê. Nem perguntei. Não estava interessado.

Para mim bastava.

Sem dizer uma palavra ou dar qualquer aviso, dei um soco em seu nariz. Deu para ouvir o estalo, como se eu tivesse pisado num grande besouro. O sangue escorreu pelo rosto. Mesmo pela pequena fresta da porta, foi possível ver o garoto rindo.

– O que...?

Dei-lhe outro soco, mirando mais uma vez no nariz, definitivamente quebrado.

– Quem é ele? – perguntei. – Como se chama?

Ele protegeu o nariz com a mão, como se fosse um passarinho morrendo que desejasse salvar. Dei-lhe uma rasteira. Terno Brilhante caiu quase no mesmo lugar que sua vítima, menos de um minuto antes. Atrás dele, a fresta na porta sumiu. O garoto não queria se envolver naquilo, imaginei. Não o culpei. O sangue estava sujando o terno brilhante do amigo de Bob. Aposto que seria facilmente removível, como num vinil. Abaixei-me com o punho cerrado.

– Quem é ele?

– Ai, cara – sua voz nasalada tinha um traço de espanto. – Você é um homem morto.

Aquilo quase me tirou o ímpeto.

– Quem é ele?

Mostrei-lhe outra vez o punho. Ele levantou a mão num lamentável gesto defensivo. Poderia socá-lo mesmo assim.

– Ok, ok. Danny Zucker. É com ele que você está se metendo, cara. Danny Zucker.

Ao contrário de Otto, Bob não tinha usado o nome verdadeiro.

– Você é um cara morto, irmão.

– Já ouvi – retruquei, mas eu mesmo podia notar o medo na minha voz.

– E Danny não é de perdoar. Ai, cara, você está tão ferrado. Ouviu o que estou dizendo? Sabe o que você é?

– Um cara morto, sei, já entendi. Fique de barriga para baixo. Encoste o lado direito do rosto na calçada.

– Por quê?

Cerrei o punho de novo. Terno Brilhante ficou de barriga para baixo e pôs o lado errado do rosto contra a calçada. Disse isso a ele, que então virou a cabeça. Tirei sua carteira do bolso de trás.

– Vai me roubar agora?

– Cale a boca.

Olhei a identidade e li alto seu nome:

– Edward Locke, daqui mesmo de Flushing, Nova York.

– É, e daí?

– E daí que agora sei seu nome. E onde mora. Veja, duas pessoas podem jogar esse jogo.

Ele riu baixinho.

– O que foi?

– Ninguém joga esse jogo como Danny Zucker.

Deixei a carteira cair na calçada.

– Você está pensando em contar a ele sobre nosso encontro? – perguntei.

– Por quê?

– Você vai contar a ele sobre isso?

Vi-o sorrir por trás do sangue.

– Assim que você for embora, cara. Qual é, está querendo me ameaçar?

– Não, nem um pouco, acho que você deve contar a ele – respondi, usando meu tom de voz mais calmo. – O que vai ficar parecendo?

Com o rosto ainda encostado na calçada, ele franziu a testa:

– O que vai ficar parecendo?

– Você, Edward Locke, acaba de ir ao chão, esmurrado por um cara que nem conhece. Ele quebrou seu nariz e estragou seu lindo terno. E como você se salvou de levar uma surra ainda maior? Ora, abriu o bico como um passarinho.

– O quê?

– Você entregou Danny Zucker depois de levar dois socos.

– Eu não! De jeito nenhum, eu nunca...

– Falou o nome dele depois de levar só dois murros. Acha que isso vai impressionar o Danny positivamente? Você o conhece muito bem. Como ele vai reagir a essa história de entregá-lo assim?

– Não o entreguei!

– Acha que ele vai interpretar as coisas assim?

Silêncio.

– É com você – falei. – Eu sugeriria o seguinte: se não disser nada, Danny nunca vai ficar sabendo que você pisou na bola, que um cara bateu em você. Não vai saber que você o entregou depois de só dois socos. – Mais silêncio. – Estamos entendidos, Edward?

Ele não respondeu, e não me dei o trabalho de insistir. Eu tinha que ir embora. Duvidava que Edward conseguisse ver a placa do carro de Benedict, mas não queria correr nenhum risco.

– Vou-me embora. Fique com o rosto assim até eu ter partido e, depois, tudo isso vai passar.

– Menos meu nariz quebrado – queixou-se ele.

– Ele vai ficar bom também. Fique deitadinho aí.

De olho nele, caminhei até o carro. Edward Locke não fez movimento algum. Entrei e dei a partida. Sentia-me muito bem comigo mesmo, o que, ironicamente, não era algo de que me orgulhasse. Voltei a Northern Boulevard e passei pela casa funerária. Não havia razão para estacionar ali. Já tinha arrumado confusão suficiente por ora. Quando parei no sinal seguinte, abri rapidamente meu e-mail. Bingo. Havia uma mensagem do site que investigava instituições de caridade. O assunto dizia:

Análise completa da Novo Começo.

Isso não podia esperar até eu chegar em casa, não é? Ou talvez... Fiquei atento. Não demorou muito. Dois quarteirões depois, vi um lugar chamado Cybercraft Internet Café. Ficava suficientemente longe da casa funerária, e eu não achava que eles fossem ficar me procurando pelos estacionamentos das redondezas.

O lugar parecia um departamento de informática apertado. Havia dezenas de computadores alinhados em cubículos estreitos, ao longo da parede. Todos estavam ocupados. Nenhum cliente além de mim parecia ter mais de 20 anos.

– Vai demorar um pouco – disse-me um jovenzinho arrogante, com mais *piercings* que dentes.

– Tudo bem – falei.

Na verdade, aquilo podia esperar. Queria ir para casa. Já ia saindo quando um grupo do que só podiam ser aficionados de jogos eletrônicos soltou um grito. Começaram a dar tapinhas nas costas um do outro, apertando-se as mãos com gestos elaborados de congratulações, e se levantaram dos computadores.

– Quem ganhou? – perguntou o garoto arrogante.

– Randy Corwick, cara.

Ele pareceu gostar.

– Pode ir pagar. – Depois virou-se para mim: – Quanto tempo vai precisar do computador, tio?

– Dez minutos – respondi.

– Você tem cinco. Pode usar a máquina 6. Cuidado com os sites que vai visitar. O conteúdo é vigiado.

Que incrível. Rapidamente, acessei meu e-mail. Baixei o relatório sobre a Novo Começo. Tinha dezoito páginas. Incluía declaração de imposto de renda, um gráfico das despesas e outro com rendimentos, lucros, grau de liquidez; um que trazia a vida útil de prédios e equipamentos, outro com uma tal de lista abrangente de riscos gerais, balancete; e mais outro que se chamava "análises comparativas"...

Ensino ciência política. Não entendo de negócios nem de números.

No final, encontrei uma história da organização. Ela tinha sido de fato fundada vinte anos atrás por três pessoas. O nome do professor Malcolm Hume constava como conselheiro acadêmico. Dois alunos apareciam na diretoria. Um era Todd Sanderson. O outro, Jedediah Drachman.

Meu sangue gelou. Qual seria o apelido comum para alguém chamado Jedediah?

Jed.

Ainda não tinha ideia do que se tratava, mas sabia que tudo girava em torno da Novo Começo.

– Acabou o tempo, tio. – O jovenzinho imprestável me interrompeu. – Daqui a quinze minutos vai vagar outro computador.

Balancei a cabeça. Paguei o valor cobrado e voltei para o carro em choque. Será que o meu mentor estava envolvido nisso de alguma forma? Que tipo de trabalho beneficente a Novo Começo fazia que envolvia tentar me matar? Eu não sabia. Era hora de ir para casa e talvez discutir isso tudo com Benedict. Talvez ele tivesse alguma pista.

Dei partida no carro e, ainda tonto, peguei a direção oeste em Northern Boulevard. Tinha programado o GPS com o endereço da Franklin Funeral Home, mas, para a volta, imaginei que bastaria selecionar "destinos anteriores", porque Benedict teria o endereço de casa ali. Já ia procurar seu endereço em Lanford, Massachusetts, quando meu olhar se fixou no primeiro da lista, o último lugar que ele tinha visitado. Era outro endereço.

Kraftboro, Vermont.

capítulo 26

Meu mundo caiu, girou, balançou e ficou de cabeça para baixo.

Só olhava para o GPS. O endereço completo estava registrado como 260 VT-14, Kraftsboro, Vermont. Eu o conhecia. Não fazia muito tempo que o havia digitado no meu próprio GPS.

Era o endereço da Colônia Renovação Criativa.

Meu melhor amigo tinha visitado o retiro onde Natalie estivera seis anos atrás. O lugar onde se casara com Todd. Onde, mais recentemente, Jed e sua gangue tentaram me matar.

Por alguns segundos, talvez mais, não consegui me mexer. Fiquei sentado no carro. O rádio estava ligado, mas não conseguiria dizer que música estava tocando. Parecia que o mundo havia parado. Demorei um pouco para assimilar a realidade, mas, quando consegui, ela me atingiu como uma bolada.

Eu estava sozinho.

Até meu melhor amigo havia mentido para mim. Ou melhor: *ainda* estava mentindo.

Espere, pensei. Tinha que haver uma explicação lógica.

Tipo o quê? Que explicação poderia haver para que Benedict tivesse aquele endereço no GPS? Que diabos estava acontecendo? Em quem eu podia confiar?

Só sabia a resposta dessa última pergunta: ninguém.

Sou adulto. Considero-me bastante independente. Mas naquele momento, acho que nunca me senti tão pequeno e tão desesperadamente sozinho.

Balancei a cabeça. Ok, Jake, saia dessa. Chega de autopiedade. Hora de agir.

Primeiro verifiquei o restante da lista de locais no GPS de Benedict. Não havia nada de interessante. Encontrei seu endereço de casa e cliquei nele para me guiar até lá. Peguei a estrada. Fiquei trocando a estação de rádio, procurando a canção perfeita, sempre ilusória. Não encontrei. Passei a assoviar junto com qualquer porcaria que tocasse. Não resolveu. Os canteiros de obra na estrada martelavam sobre o que havia sobrado da minha psique.

Passei a maior parte do percurso tendo conversas imaginárias com Benedict. Cheguei a ensaiar como o abordaria, o que diria, o que ele poderia responder e como eu o desmentiria.

Apertei o volante com mais força quando entrei na sua rua. Olhei o relógio. Ele tinha um seminário que só acabaria dali a uma hora, portanto, ainda estaria por lá. Bom. Estacionei perto da casa de hóspedes e fui até a principal. Pensei outra vez no que fazer. A verdade era que precisava de mais informações. Não estava pronto para interrogá-lo. Não sabia o bastante. O axioma simples de Francis Bacon, que enfatizamos constantemente para os alunos, aplicava-se bem ali: conhecimento é poder.

Benedict escondia uma chave sobressalente de casa numa pedra falsa ao lado da lixeira. Você pode se perguntar como eu sabia disso: somos melhores amigos. Não temos segredos um para o outro.

Outra voz disse em minha cabeça: não seria isso tudo mentira? Nossa amizade terá sido verdadeira?

Pensei no que Cookie tinha sussurrado para mim naquele bosque escuro: "Se você não parar, vai matar todos nós."

Ela não havia exagerado. No entanto eu não parava, ali estava, me arriscando, sem saber quantas eram "todas" aquelas vidas. Quem eram "todos"? Não estaria eu o tempo inteiro, num certo sentido, pondo-os em risco? Seria a função de Benedict, não sei, ficar de olho em mim ou algo assim?

Não vamos ficar completamente paranoicos por causa disso.

Tudo bem, um passo de cada vez. Ainda havia a possibilidade de uma explicação inocente para o endereço de Vermont estar no GPS. Não sou um cara muito criativo. Tenho o hábito de ver as coisas de forma linear. Talvez alguém tenha pedido o carro emprestado, por exemplo. Talvez alguém possa tê-lo roubado. Talvez uma das suas conquistas na madrugada quisesse visitar uma fazenda orgânica. Talvez eu estivesse mais uma vez me enganando.

Coloquei a chave na fechadura. Será que eu ia mesmo cruzar aquela linha? Investigar a vida do meu melhor amigo?

Pode apostar que sim.

Entrei pelos fundos. Meu apartamento poderia, com um pouco de boa vontade, ser descrito como funcional. A casa de Benedict parecia o harém de um príncipe do terceiro mundo. Era um covil que ostentava dezenas de pufes de luxo em cores brilhantes. Nas paredes, havia tapeçarias igualmente vibrantes. Havia belas esculturas africanas nos quatro cantos. De mil maneiras, a decoração era exagerada, mas sempre havia me sentido confortável ali. O grande pufe amarelo era o meu preferido. Assistira a muito futebol e jogara um bocado de Xbox largado ali.

Os controles do jogo estavam sobre ele agora. Olhei-os, apesar de achar que não forneceriam muita informação. Perguntei-me o que estava procurando. Uma pista, pensei. Algo que me dissesse por que Benedict teria ido de carro até aquela fazenda/retiro/esconderijo de sequestradores em Kraftboro, Vermont. Eu não fazia a menor ideia.

Comecei revistando as gavetas. Procurei nas da cozinha primeiro. Nada. Fui até o quarto que ficava ao lado. Nada. Tentei o armário e a escrivaninha no escritório. Nada. Benedict tinha uma mesa lá, com computador. Verifiquei as gavetas de baixo. Nada.

Encontrei um arquivo. Olhei a estante. Só havia contas comuns. Vi também trabalhos de alunos e horários de aulas. No que dizia respeito a coisas pessoais de verdade, não havia – que rufem os tambores – nada.

Absolutamente nada.

Fiquei pensando nisso. Quem não tem algo pessoal em casa? O que se poderia encontrar na minha? Mais do que havia ali, com certeza. Eu tinha fotos antigas, algumas cartas pessoais, algo que indicasse meu passado.

Benedict não tinha nada disso.

Continuei procurando, na esperança de encontrar algo que o ligasse à Colônia Renovação Criativa, a Vermont ou a qualquer outra coisa. Tentei sentar à mesa. Benedict é muito menor que eu e meus joelhos não cabiam embaixo dela. Inclinei-me para a frente e apertei uma tecla no computador. A tela se iluminou. Como a maioria das pessoas, ele não tinha desligado a máquina. De repente me dei conta de como fazer busca numa casa estava fora de moda. Ninguém mais guarda segredos nas gavetas.

Mas no computador.

Abri o diretório de documentos recentes. O primeiro da lista era um arquivo Word chamado VBM-WXY. Que nome estranho. Cliquei nele.

Era protegido por senha.

Opa.

Não fazia sentido tentar adivinhar a senha. Não tinha nenhuma pista. Pensei numa forma de contornar aquilo. Nada me vinha à cabeça. O restante dos arquivos "recentes" eram recomendações de alunos. Dois para faculdades de Medicina, dois para Direito e um para Administração.

O que haveria no documento protegido?

Nenhuma ideia. Cliquei no ícone de e-mail embaixo. Mas também pedia senha. Olhei por sobre a mesa, procurando algum pedaço de papel onde ela pudesse estar anotada – muitas pessoas faziam isso –, mas não encontrei nada. Outro beco sem saída.

E agora?

Cliquei no navegador de internet. A página do Yahoo! apareceu. Nada de novo ali. Abri o histórico de navegação e por fim encontrei alguma coisa. Benedict tinha entrado no Facebook recentemente. Cliquei no link, que me levou ao perfil de um homem chamado John Smith. Não tinha foto dele. Não tinha amigos nem informações de status. O endereço constava como Nova York.

O Facebook estava conectado à conta desse John Smith.

Pensei nisso. Era uma conta falsa. Sei que muitas pessoas têm uma. Um amigo meu usava um serviço de música pelo Facebook que mostrava a todos os seus amigos as canções que ele ouvia. Ele não gostava disso. Criou então uma conta falsa para que ninguém mais pudesse conhecer seu gosto musical.

O fato de Benedict também ter uma conta falsa não significava nada. O mais interessante, porém, foi que, ao digitar seu nome na ferramenta de busca, descobri que Benedict Edwards não tinha conta no Facebook. Havia duas contas com esse nome. Uma era de um músico de Oklahoma City; a outra, de um dançarino de Tampa, na Flórida. Nenhum dos dois era o meu amigo.

Mais uma vez, o que fazer agora? Muitas pessoas não têm conta no Facebook. Criei uma, mas quase nunca uso. Minha foto do perfil era a fotografia no anuário da universidade. Aceitava amigos uma vez por semana talvez. Devia ter uns cinquenta. Inscrevi-me porque as pessoas me mandavam links de fotos e outras coisas, e a única forma de vê-los era fazendo uma conta. Tirando isso, as redes sociais em geral tinham muito pouco interesse para mim.

Talvez fosse isso o que Benedict havia feito. Estávamos em muitas listas de e-mails iguais. Provavelmente ele tinha aberto a conta falsa para acessar os links.

Quando voltei ao histórico, essa teoria caiu por terra. O primeiro link da lista era o perfil do Facebook de um cara chamado Kevin Backus. Cliquei. Por um segundo, pensei que talvez fosse outra conta falsa de Benedict, que aquele nome seria apenas um pseudônimo. Mas não era o caso. Kevin Backus era uma espécie de cara irreconhecível. Estava de óculos escuros na foto do perfil e fazia uma pose com o polegar para cima. Franzi a testa.

Kevin Backus. Nem o nome nem o rosto eram familiares.

Cliquei no link "sobre". Estava em branco. Não havia endereço, escola em que estudou, trabalho, nada. A única coisa que fora preenchida era que "estava num relacionamento sério com Marie-Anne Cantin".

Cocei o queixo. Marie-Anne Cantin. Esse nome não me dizia nada. Por que Benedict tinha visitado a página desse Kevin Backus? Eu não sabia, mas desconfiava de que fosse importante. Poderia jogar o nome dele no

Google. Olhei outra vez para o nome Marie-Anne Cantin. Estava em letras azuis, um link para o perfil dela. Bastava clicar.

Foi o que fiz.

Quando a página se abriu – e vi a foto do perfil –, reconheci o rosto quase imediatamente.

Benedict tinha seu retrato na carteira.

Ai, cara. Engoli em seco, recostei-me, respirei fundo. Agora entendia. Quase podia sentir a dor de Benedict. Eu tinha perdido o grande amor da minha vida. Ao que parecia, ele também. Marie-Anne Cantin era mesmo uma mulher estonteante. Eu a descreveria como uma afrodescendente de maçãs salientes e porte régio. Só que, ao analisar o perfil com mais atenção, vi que a primeira parte estava errada.

Ela não era afrodescendente. Era africana mesmo. Marie-Anne Cantin, de acordo com sua página no Facebook, morava em Gana.

Achei o fato interessante, apesar de não ser da minha conta. Em algum lugar do caminho, Benedict tinha conhecido essa mulher. Amava-a até hoje. O que isso podia ter a ver com sua visita a Kraftboro, em Vermont...

Espere aí.

Eu também não tinha me apaixonado por uma mulher? Eu também a amava até hoje. E eu também estivera em Kraftboro, Vermont.

Seria Kevin Backus o Todd Sanderson de Benedict?

Fiz uma careta. Isso parecia brincadeira. E de mau gosto. Ainda assim, precisava investigar. Marie-Anne Cantin era a única pista que tinha no momento. Cliquei no seu link "sobre". Era impressionante. Havia estudado Economia na Universidade de Oxford e se formado em Direito por Harvard. Era conselheira jurídica das Nações Unidas. Nasceu e morava em Acra, capital de Gana. Como eu já sabia, estava "num relacionamento sério com Kevin Backus".

E agora?

Cliquei nas suas fotos, mas eram privadas. Não podia vê-las. Tive uma ideia. Apertei a seta de "voltar" até chegar outra vez na página de Kevin Backus. As fotos dele não eram privadas. Podia ver todas elas. Ok. Comecei a clicar nelas. Não sei por quê. Não sabia o que esperava encontrar.

Ele tinha vários álbuns. Comecei com um chamado "Tempos Felizes". Eram vinte ou 25 fotos, todas dele com sua deusa, Marie-Anne, ou dela sozinha, obviamente tiradas pelo próprio Kevin. Pareciam felizes. Imaginei Benedict sentado ali, clicando naquelas mesmas fotografias da mulher que ele amava com esse cara, Kevin. Podia ver o copo de uísque em sua mão. A sala escurecendo. A luz azul da tela refletida nos óculos. Uma lágrima solitária rolando por seu rosto.

Exagero?

O Facebook adora torturar as pessoas mantendo os ex bem na sua frente. Não se pode mais escapar deles. Suas vidas ficam justo ali para você ver. Cara, isso é horrível. Então era isso que Benedict ficava fazendo à noite – torturando-se. Não tinha como provar, claro, mas estava certo de que era assim. Lembrei-me daquela noite de bebedeira no bar, da forma como pegou cuidadosamente a foto amassada de Marie-Anne. Ainda podia sentir a agonia na fala arrastada:

– A única garota que amei.

Benedict, coitado.

Mas eu ainda não tinha nenhuma indicação do que isso significava, ou como se relacionava com sua recente visita a Vermont. Cliquei em outros álbuns. Havia um chamado "Família". Kevin tinha dois irmãos e uma irmã. A mãe aparecia em algumas fotos. Não havia nenhum sinal do pai. Vi outro, chamado "Kintampo Falls", e mais outro, "Mole National Park", cuja maioria das fotos era da vida selvagem e de belezas naturais.

O último álbum se chamava "Formatura em Oxford". Curioso. Foi onde Marie-Anne Cantin cursara Economia. Teriam estudado juntos? Seria um namoro de faculdade? Tinha minhas dúvidas. Parecia tempo demais para estar "num relacionamento sério", mas quem sabe?

As fotografias desse álbum eram bem mais antigas. A se julgar por cabelos, roupas e pela cara de Kevin, diria que eram de, no mínimo, quinze, talvez vinte anos atrás. Apostava que essas fotos eram anteriores às câmeras digitais. Ele devia tê-las escaneado no computador. Passei os olhos pelas fotos minimizadas, sem esperar encontrar nada interessante, quando uma delas, na segunda fileira, me detve.

Minha mão tremia. Peguei o mouse, consegui colocar o cursor sobre a imagem e cliquei. A foto se ampliou. Mostrava um grupo de oito pessoas, todas vestindo becas pretas de formatura e exibindo grandes sorrisos. Reconheci Kevin Backus. Estava à direita, ao lado de uma mulher que eu não conhecia. A expressão corporal sugeria que formavam um casal. Na verdade, quando olhei mais de perto, pareciam quatro casais no dia da formatura. Não podia ter certeza, claro. Talvez estivessem só alinhados em pares, mas não achava que fosse isso.

Meu olhar foi atraído de imediato para uma mulher à esquerda. Era Marie-Anne Cantin. Tinha um sorriso magnífico, devastador, que podia entortar o coração de um homem, fazê-lo se apaixonar só por vê-la. Ele desejaria contemplá-lo todo dia, ser aquele que o provocava e iria querê-lo só para si.

Agora entendi tudo, Benedict. Realmente entendi.

Marie-Anne estava olhando de forma amorosa para um homem que não reconheci.

Pelo menos, não a princípio.

Ele também era africano ou afrodescendente. Tinha a cabeça raspada. Não havia pelos no rosto. Não usava óculos. Por isso não o reconheci de cara. Era por isso que, mesmo olhando com atenção, não conseguia ter certeza. A não ser pelo fato de que era a única coisa que fazia sentido.

Benedict.

Havia só dois problemas. Primeiro, ele não se formara em Oxford. Segundo, o nome sob o retrato não era Benedict Edwards, mas Jamal W. Langston.

Como?

Talvez não fosse ele. Quem sabe esse tal de Jamal W. Langston só se parecesse com meu amigo.

Fiz uma careta. Fazia sentido, claro. Poderia ser que, por coincidência, Benedict arrastasse a asa por uma mulher que, tempos atrás, namorou um cara parecidíssimo com ele!

Hipótese idiota.

Mas que outra haveria? A óbvia: Benedict Edwards era na verdade Jamal W. Langston.

Não conseguia entender isso, ou talvez entendesse. Talvez as peças estivessem, enfim, não se encaixando, mas sendo postas na mesa. Digitei Jamal W. Langston. O primeiro link veio de um jornal chamado *Statesman*, que era, segundo a informação, "o jornal mais antigo de Gana – Fundado em 1949".

Cliquei no artigo. Quando percebi o que era – ao ler o cabeçalho – quase gritei.

Era o obituário de Jamal W. Langston.

Como podia ser...? Comecei a ler, arregalando os olhos à medida que algumas das peças começavam a se encaixar.

Atrás de mim, uma voz cansada me provocou um arrepio:

– Cara, seria melhor se você não tivesse visto isso.

Virei-me devagar na direção de Benedict. Ele estava com uma arma na mão.

capítulo 27

Se fosse classificar os vários momentos surreais pelos quais tinha passado nos últimos dias, ver meu melhor amigo apontando uma arma para mim ficaria em primeiro lugar. Balancei a cabeça. Como não tinha percebido nem sentido nada? Os óculos e a armação eram mais que ridículos. O corte de cabelo me fazia questionar sua sanidade e a relação com o tempo-espaço.

Benedict estava ali parado, vestindo uma blusa de gola rulê, calça de veludo cotelê bege e casaco de tweed – com uma arma na mão. Uma parte de mim queria soltar uma gargalhada bem alta. Tinha um milhão de perguntas para lhe fazer, mas comecei com aquela que vinha me fazendo repetidamente desde o começo.

– Onde está Natalie?

Se ficou surpreso com o que perguntei, o rosto não demonstrou.

– Não sei.

Apontei para a arma na sua mão.

– Você vai atirar em mim?

– Fiz um juramento – disse ele. – Uma promessa.

– De atirar em mim?

– De matar qualquer um que descobrisse meu segredo.

– Mesmo o seu melhor amigo?

– Sim.

Balancei a cabeça.

– Já entendi.

– Entendeu o quê?

– Jamal W. Langston – falei, fazendo um gesto em direção à tela. – Ele foi um promotor comprometido com o combate aos cartéis de tráfico em Gana, sem se preocupar com a própria segurança. Desbaratou-os quando ninguém conseguia. O homem morreu como herói.

Fiquei esperando que dissesse alguma coisa. Ele permaneceu calado.

– Um cara corajoso – continuei.

– Um idiota – corrigiu Benedict.

– Os cartéis juraram se vingar dele e, se o artigo está dizendo a verdade, conseguiram. Jamal W. Langston foi queimado vivo. Mas na verdade não foi. Estou certo?

– Depende.

– Depende de quê?

– Não, Jamal não foi queimado vivo – disse Benedict. – Mas os cartéis conseguiram se vingar mesmo assim.

O véu estava se levantando diante dos meus olhos. Bem, não, parecia mais uma câmera ajustando o foco. O ponto indistinguível a distância estava ganhando forma e contorno. Giro por giro – ou nesse caso, minuto a minuto –, o foco ia ficando mais preciso. Natalie, o retiro, nosso rompimento súbito, o casamento, o departamento de polícia de Nova York, a foto da câmera de segurança, seu e-mail misterioso para mim, a promessa que me obrigou a fazer seis anos antes... Estava tudo se encaixando agora.

– Você forjou a própria morte para salvar essa mulher, não foi?

– Sim. E a mim também, acho.

– Mas principalmente ela.

Benedict – ou deveria chamá-lo de Jamal? – não respondeu. Em vez disso, veio em direção à tela do computador. Os olhos estavam úmidos quando esticou o dedo e tocou delicadamente o rosto de Marie-Anne.

– Quem é ela? – perguntei.

– Minha esposa.

– Ela sabe o que você fez?

– Não.

– Espere – falei, minha cabeça rodando diante daquela informação. – Até ela acha que você está morto?

Ele assentiu.

– Essas são as regras. É parte do juramento que fazemos. A única forma de ter certeza de que todo mundo esteja a salvo.

Pensei de novo em Benedict sentado ali, olhando para aquela página do Facebook, vendo as fotos, o status dela, as atualizações – como a que informava que estava "num relacionamento sério" com outro homem.

– Quem é Kevin Backus? – perguntei.

Benedict tentou alguma coisa parecida com um sorriso.

– Kevin é um velho amigo. Esperou um longo tempo por essa chance. Tudo bem. Não quero que ela fique sozinha. Ele é um homem bom.

O silêncio era de partir o coração.

– Você vai me contar o que está acontecendo? – perguntei.

– Não tenho nada para contar.

– Eu acho que tem.

Ele negou com a cabeça.

– Já lhe disse. Não sei onde está Natalie. Nunca a conheci. Nem ouvira seu nome, a não ser por seu intermédio.

– Tenho problemas para acreditar nisso.

– Que pena – ele ainda estava com a arma na mão. – O que o fez suspeitar de mim?

– O GPS no seu carro. Mostrava que você tinha ido ao retiro de Kraftboro.

Ele fez uma careta.

– Que burrice a minha!

– Por que foi até lá?

– Por que você acha?

– Não sei.

– Tentei salvar sua vida. Cheguei na fazenda de Jed logo depois da polícia. Parece que você não precisava da minha ajuda.

Lembrei-me então – aquele carro vindo pelo acesso quando os policiais encontraram meu telefone enterrado.

– Vai atirar em mim? – perguntei.

– Você deveria ter escutado Cookie.

– Não pude. Você, mais que qualquer um, devia entender isso.

– Eu? – Havia algo semelhante à fúria em sua voz agora. – Você ficou louco? Fiz tudo aquilo para manter a mulher que amava em segurança. Mas e você? Está tentando matá-la.

– Vai atirar em mim ou não?

– Preciso que você entenda.

– Acho que entendo – respondi. – Como já falamos antes, você trabalhava como promotor. Pôs na cadeia umas pessoas muito más. Elas tentaram se vingar de você.

– Fizeram mais que tentar – falou ele, em voz baixa, olhando outra vez para a foto de Marie-Anne. – Eles a pegaram. Chegaram a... machucá-la.

– Oh, não – falei.

Seus olhos se encheram de lágrimas.

– Foi um aviso. Consegui trazê-la de volta. Mas foi quando tive certeza de que nós dois tínhamos que ir embora.

– E por que não foram?

– Eles nos encontrariam. O cartel de Gana vende para os latino-americanos. Seus tentáculos chegam em qualquer lugar. Para onde quer que fôssemos, eles nos rastreariam. Pensei em forjar a nossa morte, mas...

– Mas o quê?
– Mas Malcolm disse que eles nunca iriam acreditar nisso.
Engoli em seco.
– Malcolm Hume?
Ele concordou.
– Não se esqueça de que a Novo Começo tem funcionários naquela área. Ficaram sabendo da minha situação. O professor Hume foi encarregado de tomar conta de mim, apesar de isso ser considerado uma infração das regras. Ele me mandou para cá porque achava que eu poderia ter alguma utilidade como professor e para ajudar outras pessoas, se necessário.
– Você está querendo dizer alguém como Natalie?
– Não sei nada sobre isso.
– Sabe, sim.
– As coisas são muito setorizadas. Pessoas diferentes cuidam de coisas diferentes, de membros diferentes. Eu só tinha contato com Malcolm. Passei um tempo naquela unidade de treinamento em Vermont, mas até poucos dias atrás nunca tinha ouvido falar em Todd Sanderson, por exemplo.
– A nossa amizade era parte do seu trabalho? Você tinha que ficar de olho em mim?
– Não. Por que precisaríamos ficar de olho em você?
– Por causa de Natalie.
– Já falei. Nunca a conheci. Não sei nada sobre o caso dela.
– Mas o caso existe, não?
– Você não entende. Já disse que não sei – respondeu, balançando a cabeça. – Ninguém nunca me disse nada sobre a sua Natalie.
– Mas faz sentido, certo? Você confirma isso?
Ele não respondeu.
– Você não chamou aquele lugar de retiro – falei –, mas de centro de treinamento. Que ideia brilhante. Disfarçar tudo como uma espécie de retiro para artistas numa área tão remota. Quem desconfiaria, não é?
– Já falei demais – disse Benedict. – Isso não é importante.
– Claro que é. Novo Começo. Eu devia ter adivinhado pelo nome. É isso que eles fazem. Dão um recomeço às pessoas que precisam. Um cartel de drogas queria ver você morto. Aí eles o salvaram. Deram um recomeço. Não sei o que isso inclui. Identidades falsas, imagino. Uma razão plausível para que uma pessoa desapareça. Um cadáver, no seu caso. Ou talvez você tenha subornado um legista ou um policial, não sei. Talvez alguma espécie

de treinamento de como se comportar, aprender uma língua, um sotaque novo, ou a usar um disfarce como o seu. Por falar nisso, dá para você tirar esses óculos idiotas agora?

Ele quase sorriu.

– Não posso. Costumava usar lentes de contato.

Balancei a cabeça.

– Seis anos atrás, então, Natalie estava naquele centro de treinamento. Ainda não sei por quê. Imagino que tenha algo a ver com a fotografia do vídeo de segurança que a polícia de Nova York nos mostrou. Talvez tenha cometido algum crime, mas minha opinião é que ela testemunhou alguma coisa. Algo sério.

Calei-me. Aquilo não estava adiantando, mas resolvi insistir:

– Nós nos conhecemos e nos apaixonamos. Isso não foi bem visto ou, não sei, talvez ela estivesse lá por outra razão quando começamos nosso relacionamento. Não entendo exatamente o que aconteceu, mas, de repente, Natalie precisava desaparecer. Sumir rápido. Se ela quisesse me levar também, como a sua organização reagiria?

– Não de forma positiva.

– Certo. Como você e Marie-Anne. – Mal parei para pensar naquilo, só via as peças se encaixando. – Mas Natalie me conhecia também. Sabia o que eu sentia por ela e que, se terminasse comigo simplesmente, eu não iria engolir essa. Sabia que se desaparecesse de repente, sumisse, eu a seguiria até os confins da Terra, que jamais abriria mão dela.

Benedict só me olhava, sem dizer uma palavra.

– E o que aconteceu depois? – prossegui. – Acho que a sua organização poderia ter forjado a morte dela, como fez com você, mas ninguém acreditaria no caso de Natalie. Se caras como Danny Zucker e o departamento de polícia de Nova York estavam atrás dela, iam querer uma prova muito sólida de que estava morta. Quereriam ver o corpo, fazer exame de DNA, sei lá. Não iria funcionar. Ela encenou então aquele casamento falso. Seria perfeito de várias formas. Me convenceria e, ao mesmo tempo, à irmã e aos amigos mais chegados. Matava dois coelhos com uma cajadada só. Ela me disse que Todd era um ex-namorado, e que havia chegado à conclusão de que ele era o grande amor da sua vida. Isso era muito mais plausível que um cara que tivesse acabado de conhecer. Mas quando falei com Julie, ela me disse que não o conhecia. Achava que tivesse sido só uma paixão fulminante. De um jeito ou de outro, mesmo se todos nós achássemos aquilo estranho, o que poderíamos fazer? Natalie tinha casado e mudado.

Olhei para ele.

– Estou certo, Benedict? Ou Jamal? Ou qualquer que seja o seu nome. Estou pelo menos perto?

– Não sei. Não estou mentindo. Não sei nada sobre Natalie.

– Você vai atirar em mim?

Ele ainda estava com a arma na mão.

– Não, Jake. Acho que não.

– Por que não? E o seu precioso juramento?

– O juramento é verdade. E você não faz ideia como. – Ele enfiou a mão no bolso e tirou uma caixa pequena. Minha avó costumava guardar os comprimidos numa igual àquela. – Todos nós carregamos uma dessas.

– O que tem dentro? – perguntei.

Ele abriu. Havia apenas uma cápsula preta e amarela.

– Cianureto – falou, e a palavra gelou o ambiente. – Quem quer que tenha matado Todd Sanderson, deve tê-lo pegado desprevenido, antes que tivesse a chance de enfiar isso na boca. – Benedict deu um passo na minha direção. – Agora você entende, não? Entende por que Natalie fez você prometer?

Fiquei ali parado, sem conseguir me mexer.

– Se você a encontrar, ela está morta. É exatamente assim. Se a organização for ameaçada, muita gente vai morrer. Gente boa. Pessoas como a sua Natalie e a minha Marie-Anne. Pessoas como você e eu. Está entendendo agora? Está entendendo por que tem que desistir?

Sim, entendia. Mas ainda me revoltava contra o sistema.

– Tem que haver outro jeito.

– Não tem.

– É que você ainda não pensou nisso.

– Pensei, sim – disse ele, com a voz mais suave que já ouvi. – Mais vezes do que imagina. Anos e anos. Você não faz ideia.

Ele pôs a caixinha de comprimido outra vez no bolso.

– Você sabe que estou dizendo a verdade, Jake. Você é meu melhor amigo. Tirando a mulher que nunca mais vou ver ou tocar de novo, você é a pessoa mais importante da minha vida. Por favor, Jake. Não me obrigue a matá-lo.

capítulo 28

QUASE ACREDITEI NAQUILO.

À primeira impressão, Benedict – ele queria ter certeza de que eu sempre o chamaria por aquele nome, de que jamais haveria um tropeço – parecia estar absolutamente certo. Eu tinha que recuar.

Não sabia de todos os detalhes, claro. Não sabia qual era o verdadeiro negócio da Novo Começo. Não sabia com certeza por que Natalie havia desaparecido ou para onde tinha ido. A verdade era que nem sequer sabia se estava viva. A polícia de Nova York desconfiava que ela estivesse morta. Ignorava por que, mas eles provavelmente imaginavam que, se caras como Danny Zucker e Otto Devereaux querem ver uma pessoa morta, alguém como Natalie não sobrevive e fica fora do radar durante seis anos.

Havia mais coisas que eu não entendia: como a Novo Começo funcionava, como o centro de treinamento era retiro também, sobre Jed e Cookie, ou que papel cada pessoa desempenhava naquela organização. Ignorava o número de pessoas que tinham ajudado a desaparecer, quando haviam começado, embora, de acordo com o relatório sobre obras de caridade, tudo tivesse começado vinte anos antes, quando Todd Sanderson ainda era estudante. Mas ainda havia muita coisa que eu não sabia. Isso não tinha mais importância. O que interessava agora, claro, era que vidas estavam em jogo. Entendia o juramento e que aqueles que haviam feito tantos sacrifícios e corrido tantos riscos matariam para se proteger e defender seus entes queridos.

Havia também o conforto tremendo de saber que o relacionamento com Natalie não fora uma mentira, que ela tinha, ao que parecia, sacrificado o amor mais verdadeiro da minha vida a fim de nos salvar. Mas esse reconhecimento e a total impotência que o acompanhava cravava uma faca no meu coração. A dor estava de volta – diferente talvez, porém mais forte ainda.

Como diminuir esse sofrimento? Acho que todos já sabem. Benedict e eu fomos para o Bar Biblioteca. Não precisávamos fingir dessa vez que cair nos braços de uma estranha ajudaria. Sabíamos que só amigos como Jack Daniel's e Ketel One poderiam apagar, ou ao menos borrar, imagens tão torturantes.

Estávamos já bem imersos na nossa amizade Jack-Ketel quando fiz uma pergunta muito simples:

– Por que não posso ficar com ela?

Benedict não respondeu. De repente ficou fascinado com algo no fundo do seu copo. Tinha esperança de que eu fosse deixar passar, mas não.

– Por que não posso desaparecer também e viver sozinho com ela?

– Porque não – disse ele.

– Porque não? – repeti. – Quantos anos você tem, 5?

– Você ia querer fazer isso, Jake? Parar de dar aula, desistir da sua vida aqui, todas essas coisas?

– Sim – falei sem hesitar. – Claro.

Benedict olhou de novo para o copo.

– É, entendo – disse ele, numa voz muito triste.

– E então? – indaguei.

Benedict fechou os olhos.

– Lamento, mas você não pode.

– Por que não?

– Por duas razões – respondeu ele. – Primeira, porque isso não se faz. É parte das regras, de como compartimentamos as coisas. É muito perigoso.

– Mas eu poderia – falei, ouvindo o tom de súplica na minha voz arrastada. – Já são seis anos. Posso me mudar para o exterior ou...

– Você está falando alto demais.

– Desculpe.

– Jake?

– Sim?

Ele me olhou nos olhos.

– Essa é a última vez que falamos disso. Sei como é difícil, mas você tem que me prometer que não vai mais levantar a voz assim. Está entendendo?

Não respondi diretamente.

– Você disse que havia duas razões para eu não poder ficar com ela.

– Certo.

– Qual é a segunda?

Ele baixou os olhos e terminou o drinque, dando um gole enorme. Ficou com a bebida na boca e fez sinal ao barman para lhe trazer outra. O cara franziu a testa. Estávamos lhe dando um bocado de trabalho.

– Benedict?

Ele levantou o copo e tentou enxugar as últimas gotas. Depois disse:

– Ninguém sabe onde Natalie está.

Fiz uma careta.

– Entendo que haja segredo...

– Não é só uma questão de segredo. – Ele fulminava agora o barman com um olhar impaciente. – Ninguém sabe onde ela está.

– Espere aí. Alguém deve saber.

Ele balançou a cabeça.

– Faz parte do negócio. É o nosso diferencial. É o que mantém nosso pessoal vivo. Ou assim espero. Todd foi torturado. Você sabe disso, não? Poderia revelar certas coisas, o retiro em Vermont ou o nome de alguns membros. Mas nem ele sabe para onde eles vão depois de obter – ele fez o sinal de aspas com os dedos – o "novo começo".

– Mas eles sabem quem você é.

– Só Malcolm. Fui uma exceção porque vim do exterior. O restante? A Novo Começo os estabelece. Eles recebem todas as ferramentas. Depois, para segurança de todos, cada um se vira e não conta a ninguém onde vai parar. É isso que quero dizer com compartimentalização. Sabemos apenas o suficiente, e nada mais que isso.

Ninguém tinha conhecimento de onde Natalie estava. Tentei digerir aquilo. Não dava. Ela estava em perigo, e eu não podia fazer nada em relação a isso. Andava por aí sozinha, e eu não podia estar com ela.

Benedict se calou então. Já tinha explicado o máximo. Eu sabia disso agora. Quando fomos embora do bar e cambaleamos de volta para casa, fiz minha espécie de promessa. Recuaria. Deixaria aquilo para lá. Podia aguentar esse sofrimento – já o tinha suportado de outras formas durante seis anos – em troca da segurança da mulher que amava.

Poderia viver sem Natalie, porém não conseguiria mais se fizesse algo que a colocasse em perigo. Tinha sido alertado várias vezes. Agora era hora de dar ouvidos.

Estava fora daquilo.

Era isso que me dizia enquanto me arrastava para o chalé de hóspedes. Era o que planejava fazer ao bater minha cabeça no travesseiro e fechar os olhos. Era nisso que acreditava quando deitei de barriga para cima e vi o teto rodando por causa do excesso de bebida. Era isso que sabia ser a verdade até – de acordo com o despertador digital, na mesa de cabeceira – às 6h18 da manhã, quando me lembrei de uma coisa que tinha quase me escapado:

O pai de Natalie.

Sentei-me na cama, todo o meu corpo subitamente rígido.

Ainda não sabia o que acontecera com o professor Aaron Kleiner.

Havia a chance remota, imaginei, de que Julie Pottham estivesse certa, que o pai tivesse fugido com uma aluna e depois se casado de novo, mas, se esse fosse o caso, Shanta o teria encontrado sem problemas. Não, ele desaparecera.

Exatamente como a filha Natalie faria vinte anos depois.

Talvez houvesse uma explicação simples. Quem sabe a Novo Começo o tivesse ajudado também. Mas, não, a instituição só fora criada anos depois. Teria o desaparecimento do professor Kleiner sido o precursor da organização? Malcolm Hume conhecia o pai de Natalie. Na verdade, a mãe havia ido até ele quando o marido abandonou a família. Talvez meu mentor o tenha ajudado a desaparecer e então, não sei, anos depois, formou um grupo sob o disfarce de uma obra de caridade para ajudar outros como ele.

Quem sabe?

Exceto pelo fato de que, vinte anos depois, a filha teve, de repente, que desaparecer também. Isso fazia sentido?

Não.

E por que o departamento de polícia de Nova York teria me mostrado uma fotografia, feita a partir de um vídeo de segurança, de seis anos atrás? Como isso poderia se relacionar com o pai de Natalie? E quanto a Danny Zucker e Otto Devereaux? Como o que estava acontecendo agora com ela tinha relação com o pai, desaparecido vinte anos antes?

Boas perguntas.

Saí da cama e considerei qual seria meu próximo passo. Mas que próximo passo? Havia prometido a Benedict que ficaria fora daquilo. Além do mais, entendia agora, de forma bastante real e concreta, os perigos de prosseguir nessa busca – não só para mim como também para a mulher que amava. Natalie optara por desaparecer. Se fez isso para se proteger, ou a mim, ou a nós dois, eu tinha que respeitar sua vontade e decisão. Ela analisara o apuro em que estava metida com mais conhecimento que eu, havia pesado os prós e os contras, e resolvido que era preciso desaparecer.

Quem era eu para estragar isso?

Mais uma vez estava para deixar aquilo de lado, resignar-me a viver com aquela frustração horrível, embora necessária, quando outro pensamento me ocorreu com uma intensidade que me fez quase cambalear. Fiquei completamente imóvel, tentando assimilá-lo, examinando-o sob todos os ângulos possíveis. Sim, era verdade – algo que todos tínhamos deixado escapar. Uma coisa que alterava a natureza do que Benedict me convencera a fazer.

Ele já estava entrando em sala de aula quando surgi do lado de fora. Ao ver meu olhar, ele também gelou.

– Que foi?

– Não posso deixar essa história para lá.

Benedict suspirou:

– Já falamos sobre isso.

– Eu sei, mas deixamos passar uma coisa.

Seus olhos se moveram de um lado para outro, como se temesse que alguém próximo pudesse escutar.

– Jake, você prometeu...

– Não fui eu que comecei isso.

– Começou o quê?

– Esse novo perigo. O departamento de polícia de Nova York fazendo perguntas. Otto Devereaux e Danny Zucker. A Novo Começo sob cerco. Não fui eu quem começou. Não desencadeei isso tudo tentando encontrar Natalie. Não foi por isso que a coisa começou.

– Não entendo o que você está falando.

– O assassinato de Todd – concluí. – Foi o motivo de eu ter me envolvido nisso tudo. Vocês continuam pensando que fui eu quem se intrometeu no grupo. Não. Alguém já sabia. Alguém descobriu sobre Todd, depois o torturou e matou. Foi assim que me envolvi, quando vi o obituário dele.

– Isso não muda nada – retrucou Benedict.

– Claro que muda. Se Natalie estivesse instalada em segurança em algum lugar, eu entenderia. Deixaria isso para lá. Mas você não vê? Ela está correndo perigo. Alguém sabe que ela na verdade não se casou nem desapareceu no exterior. Esse alguém chegou ao extremo de matar Todd. Está atrás dela, e Natalie não sabe disso.

Benedict começou a coçar o queixo.

– Eles a estão procurando – continuei. – Não posso simplesmente me retirar da história. Dá para entender?

Ele balançou a cabeça.

– Não entendo. – Sua voz soava cansada, débil e exausta. – Não entendo como você possa fazer qualquer coisa, a não ser conseguir que a matem. Escute, Jake. Entendo a sua linha de raciocínio, mas já nos colocamos na defensiva. Protegemos o grupo. Todo mundo cavou um buraco para se esconder até os efeitos desse golpe se dissiparem.

– Mas Natalie está...

– Está segura, desde que você esqueça essa história. Se não o fizer, se formos todos descobertos, o resultado vai ser a morte não só dela como também a de Marie-Anne e de muitos, muitos outros. Entendo o que diz, mas você não está enxergando bem as coisas. Não quer aceitar a verdade. Você a quer tanto que está deturpando os fatos para poder entrar em ação. Será que não vê isso?

Fiz que não com a cabeça.

– Não, não vejo.

Ele olhou para o relógio.

– Escute, tenho que entrar em sala. Vamos conversar sobre isso depois. Não faça nada até lá, ok?

Não falei nada.

– Prometa, Jake.

Prometi. Dessa vez, no entanto, mantive a promessa por seis minutos, em vez de seis anos.

capítulo 29

FUI AO BANCO E SAQUEI 4 mil dólares. O caixa teve que pedir permissão ao supervisor, que precisou falar com o gerente. Tentei me lembrar da última vez em que tinha ido à boca do caixa, em vez de usar o atendimento eletrônico, mas não consegui.

Depois parei para comprar dois telefones pré-pagos. Sabendo que a polícia podia rastrear qualquer aparelho que estivesse ligado, desliguei o meu celular e o coloquei de volta no bolso. Se precisasse fazer chamadas, usaria os novos, mantendo-os também desligados o máximo de tempo possível. Se a polícia tinha como rastrear esses telefones, um cara como Danny Zucker poderia fazê-lo da mesma forma, eu imaginava. Era impossível ter certeza disso, mas meu grau de paranoia estava em níveis estratosféricos.

Talvez não conseguisse ficar muito tempo fora de ação, mas, se o fizesse por alguns dias, seria o ideal.

As coisas mais importantes primeiro. Benedict disse que ninguém envolvido na Novo Começo sabia onde Natalie estava. Eu não tinha tanta certeza. A organização havia começado em Lanford por solicitação, mesmo que em parte apenas, do professor Malcolm Hume.

Era hora de ligar para o meu antigo mentor.

A última vez que vi o homem cuja sala agora ocupo havia sido uns dois anos antes, num seminário de Ciência Política sobre violações constitucionais. Ele chegou da Flórida, forte e bronzeado. Os dentes estavam de um branco ofuscante. Como muitos habitantes aposentados daquele estado, parecia descansado, feliz e muito velho. Passamos bons momentos, mas havia um distanciamento entre nós na época. Malcolm Hume era assim, às vezes. Adorava aquele cara. Tirando o meu pai, ele era a coisa mais próxima que tive de um exemplo a seguir. Mas o professor deixara claro que a aposentadoria era um fim. Sempre tinha detestado os tipos acadêmicos que se agarravam aos empregos, professores e administradores mais velhos que permaneciam na ativa, com o prazo de validade vencido, como esportistas que não querem encarar o inevitável. Depois de ter deixado nosso estabelecimento sagrado, o professor Hume não apreciava a ideia de voltar. Não aceitava viver de nostalgia ou dos louros passados. Mesmo aos 80 anos, Malcolm Hume era um cara que olhava para a frente. Para ele, o passado era apenas o passado.

Assim, apesar do que eu considerava ser nossa preciosa história, não nos falávamos regularmente. Essa parte da sua vida tinha acabado. Malcolm Hume agora gostava de golfe, de um clube de livros de mistério e do grupo de bridge, lá na Flórida. A Novo Começo deveria também ser algo que deixara para trás. Não sabia como ele reagiria a meu telefonema – se ficaria agitado ou não. Nem estava muito preocupado com isso.

Precisava de respostas.

Digitei seu número em Vero Beach. Cinco toques depois, a secretária eletrônica atendeu. A gravação da voz retumbante de Malcolm, um pouco mais áspera pela idade, convidou-me a deixar uma mensagem. Já ia fazê-lo quando percebi que não tinha um número para que ele me retornasse, e ainda mais com o telefone desligado a maior parte do tempo. Tentaria outra vez mais tarde.

E agora?

Minha cabeça voltou a fervilhar, concentrando-se pela enésima vez no pai de Natalie. Ele era a solução ali. Quem, perguntei-me, poderia jogar uma luz sobre o que lhe acontecera? A resposta era um tanto óbvia: a mãe de Natalie.

Pensei em telefonar para Julie Pottham e perguntar se poderia falar com sua mãe, mas isso me pareceu outra vez total perda de tempo. Fui até a biblioteca local e coloquei meu nome na lista para usar a internet. Fiz uma busca por Sylvia Avery. O endereço que constava era o da filha, em Ramsey, Nova Jersey. Recostei-me por um segundo e pensei naquilo. Entrei no site das Páginas Amarelas e pesquisei os estabelecimentos geriátricos na área de Ramsey. Apareceram três. Liguei para eles e pedi para falar com Sylvia Avery. Todos disseram que não tinham nenhuma "residente" (os três usaram esse termo) com aquele nome. Voltei ao computador e ampliei a busca até Bergen County, ainda em Nova Jersey. Surgiu uma quantidade enorme. Peguei um mapa e comecei a telefonar para os que ficavam mais perto de Ramsey. Na sexta ligação, a telefonista da clínica Hyde Park disse:

– Sylvia? Acho que está fazendo trabalhos manuais com Louise. Quer deixar recado?

Trabalhos manuais com Louise. Como se fosse uma criança num acampamento de verão.

– Não, ligo depois. Obrigado. Vocês têm horário de visita?

– Das oito da manhã às oito da noite.

– Obrigado.

Desliguei. Dei uma olhada no site da Hyde Park. Eles tinham uma agenda de atividades on-line. Trabalhos manuais com Louise estava incluído. Segundo o horário, a próxima coisa era um Jogo da Palavra. Em seguida, vinha uma tal de Viagem Social na Poltrona – não fazia a menor ideia do que isso significava – e depois, Lembranças ao Forno. Amanhã, haveria uma saída de três horas até o shopping Paramus Park, mas hoje as atividades eram todas internas. Bom.

Fui até uma loja de aluguel de automóveis e pedi um de tamanho médio. Deram-me um Ford Fusion. Tive que usar o cartão de crédito, não havia como evitar. Hora de cair na estrada outra vez – agora para visitar a mãe de Natalie. Não estava muito preocupado com a possibilidade de ela não estar lá quando eu chegasse. Residentes de lares para idosos raramente fazem passeios não programados. E se por um acaso fizesse, seria algo rápido. Eu podia esperar. Além disso, não tinha nenhum lugar para ir. Quem sabe outra noite deliciosa com Mabel no Motel Razoável estivesse no programa?

Quando cheguei à rota 95, lembrei-me imediatamente do trajeto naquela mesma estrada... Uau, tinha sido só ontem. Pensei nisso. Parei e peguei o celular. Liguei-o. Havia e-mails e chamadas perdidas. Vi três de Shanta. Ignorei-as. Entrei na internet e fiz uma busca rápida no Google sobre Danny Zucker. Havia um famoso, trabalhando em Hollywood, que dominava os resultados. Tentei colocar o nome e a palavra *criminoso* junto. Nada. Entrei no fórum de aficionados por gângsteres. Não constava nenhuma menção a Danny Zucker.

E agora?

Poderia estar escrevendo errado o nome. Tentei Zucker, Zooker e Zoocker. Nada significativo. A saída para Flushing estava perto. Seria um desvio, mas nada sério. Decidi arriscar. Entrei e peguei o Francis Lewis Boulevard. A megaloja de flores e artigos para jardinagem Global Garden, o lugar onde tinha pego Edward, estava aberta. Pensei naqueles socos. Sempre havia me orgulhado de ser cumpridor das leis e tinha justificado para mim mesmo minha violência de ontem, alegando que estava salvando o garoto, mas a verdade era que não precisava ter acertado Edward no nariz. Queria informações. Desrespeitei a lei para consegui-las. Era fácil racionalizar o que havia feito. A razão para obter essas informações, enquanto dava a Edward um estímulo para que cooperasse, era certamente constrangedora.

Porém, vinha mais ao caso – e essa era uma coisa que precisaria explorar quando tivesse tempo – perguntar-me se uma parte de mim gostara daquilo. Teria sido realmente necessário socá-lo para conseguir a informação? Na verdade, não. Existiam outras formas. E mesmo sendo horrível deixar aquele pensamento entrar na minha cabeça, não teria uma pequena parte de mim sentido certo prazer com a morte de Otto? Nas minhas aulas, falava com frequência sobre a importância dos instintos primitivos na filosofia e na teoria política. Será que me considerava imune? Talvez essas regras que apreciava tanto estivessem aí mais para nos proteger de nós mesmos que para proteger os outros.

Em seu curso de Pensamento Político Antigo, Malcolm Hume adorava explorar essas linhas tênues. Eu rejeitava essa ideia. Existe o certo. Existe o errado.

Em que lado da linha eu estaria agora?

Estacionei perto da entrada, passei por uma grande liquidação de "Plantas Perenes e Vasos" e fui entrando. A loja era grande. O cheiro penetrante de folhas em decomposição enchia o ar. Fui para a esquerda, contornei flores frescas, arbustos, acessórios para casa, mobília de jardim, terra, turfa – tudo que havia. Meus olhos examinavam todos os funcionários de avental verde brilhante. Levou uns cinco minutos, mas encontrei o garoto, estranhamente, trabalhando na seção de fertilizantes.

Havia um curativo em seu nariz. Os olhos estavam roxos. Ainda usava o boné de beisebol dos Brooklyn Nets, com a aba virada para trás. Colocava sacos de fertilizante num carrinho, ajudando um cliente, que lhe dizia algo. O garoto balançava a cabeça entusiasmado. Tinha um brinco na orelha. O cabelo, que escapava por sob o boné, era de um louro raiado, provavelmente tingido. Trabalhava duro, sorrindo o tempo todo, fazendo questão de satisfazer as necessidades do freguês. Fiquei impressionado.

Movi-me até ficar de pé atrás dele e esperei. Tentei imaginar um ângulo de aproximação que o impedisse de fugir. Quando terminou com o cliente, imediatamente começou a procurar outra pessoa para atender. Cheguei por trás dele e bati no seu ombro.

Ele se virou de sorriso aberto.

– Posso...?

Quando viu meu rosto, parou. Eu estava preparado, em caso de ele sair correndo, mas não sabia exatamente como fazer. Encontrava-me perto o bastante para agarrá-lo, se tentasse. Isso, entretanto, atrairia o tipo errado de atenção. Precavi-me e fiquei aguardando sua reação.

– Bacana! – Ele passou os braços em torno de mim, puxando-me. Eu não esperava aquilo, mas me deixei levar. – Obrigado, cara. Muito obrigado mesmo.

– Hum, de nada.

– Ai, cara, você é o meu herói, sabia? Aquele Edward é um mané. Ele me persegue só porque sabe que não sou de briga. Obrigado, cara. Muito obrigado.

Disse-lhe outra vez "de nada".

– Qual é a sua? – perguntou ele. – Você não é da polícia. Eu sei. Será que é tipo um, sei lá, um super-herói ou algo assim?

– Super-herói?

– É, você fica por aí salvando pessoas, essas coisas. Depois, pergunta o nome do contato delas no MM? – Seu rosto escureceu de repente. – Bacana, espero que você tenha um grupo de Vingadores por trás se for enfrentar aquele cara.

– É isso que queria perguntar a você – falei.

– Ah!

– Edward trabalha para um cara chamado Danny Zucker, certo?

– Você já sabe.

– Quem é Danny Zucker?

– O cara mais doente que já existiu. Ele mata um filhote de cachorro se passar na frente dele. Não dá para acreditar que possa ser tão psicótico e maluco. Ele faz o Edward mijar nas calças. Verdade.

Incrível.

– Para quem Danny trabalha?

O garoto deu um passo para trás.

– Você não sabe?

– Não. É por isso que estou aqui.

– Sério?

– Sim.

– Eu estava brincando sobre você ser super-herói. Acho que me viu apanhando e, sei lá, você é um cara grande, detesta covardia, essas coisas. Não foi?

– Não. Preciso de uma informação.

– Espero que, entre os seus superpoderes, esteja resistência a bala. Se for se meter com esses caras...

– Vou tomar cuidado – afirmei.

– Não queria que você se machucasse, essas coisas, só porque me deu uma força, está entendendo?

– Sim – respondi, tentando usar meu melhor tom professoral. – Conte-me o que você sabe.

O garoto deu de ombros.

– Eddie faz as minhas apostas. Só isso. Eu fico de fora. Ele gosta de machucar as pessoas, mas é peixe pequeno. Como eu disse, ele trabalha para o Danny Z. E o Danny é figurão do MM.

– O que é MM?

– Eu curvaria o nariz com o dedo para te mostrar se ele não estivesse me matando de dor.

Assenti.

– O Danny Z. faz parte da máfia, então? É isso que você está tentando dizer?

– Não sei se eles chamam assim. Quer dizer, só ouço essa palavra em filme muito antigo. O que posso te dizer é que o Danny Z. trabalha diretamente com o chefe do MM. O cara é uma lenda.

– Como é o nome dele?

– Você está falando sério? Não sabe? Como é que mora aqui e não sabe?

– Não moro aqui.

– Ah.

– Você vai me dizer?

– Eu lhe devo essa. Claro. Como eu disse, Danny Z. é como um braço direito do MM.

– E o MM é?

Uma senhora de idade se interpôs entre nós.

– Olá, Harold.

Ele lhe deu um grande sorriso.

– Olá, Sra. H. Como estão indo suas petúnias?

– Você estava absolutamente certo quanto a colocá-las no vaso da janela. Você é um gênio com essas coisas.

– Obrigado.

– Se tiver um tempo...

– Vou terminar de falar com esse senhor e já vou lhe atender.

A Sra. H se afastou arrastando os pés. Harold ficou observando-a, sorrindo o tempo todo.

– Harold – falei, tentando fazê-lo voltar ao assunto –, quem é MM?

– Qual é, cara, você não lê jornal? MM. Danny Z. presta contas diretamente ao cara mais importante e mau deles todos: Maxwell Minor.

Fazia sentido. Meu rosto deve ter revelado isso, porque Harold disse:
– Ei, cara, você está bem?

Meu pulso se acelerou. O sangue começou a latejar nos ouvidos. Poderia olhar no meu celular, mas precisava na verdade de uma tela grande.

– Preciso de um computador.

– O dono não deixa ninguém usar a internet aqui. Está bloqueada.

Agradeci a ele e saí às pressas. Minor. Já tinha ouvido aquele nome ligado a isso tudo. Dirigi que nem um louco até Northern Boulevard. Encontrei o mesmo café Cybercraft Internet. O mesmo jovenzinho estava atrás do balcão. Se me reconheceu, não demonstrou. Havia quatro computadores vagos. Sentei em frente a um e digitei rapidamente o endereço dos jornais de Nova York. Clicando em "arquivos", coloquei de novo a data de 25 de maio – o dia seguinte àquele em que a fotografia de Natalie havia sido tirada. O computador parecia estar demorando um século para me dar o resultado da pesquisa.

Vamos lá, vamos lá...

E aí apareceu o cabeçalho:

FILANTROPO MORTO A TIROS
Archer Minor é executado em seu escritório

Tive vontade de gritar "Eureca!" bem alto, mas me controlei. Ah, isso não era coincidência. Cliquei na matéria e li:

> Archer Minor, filho do famoso líder de facção criminosa Maxwell Minor e defensor dos direitos de vítimas de crimes, foi executado em seu escritório de advocacia, num arranha-céu na Park Avenue, na noite passada, aparentemente vítima de uma sentença emitida pelo próprio pai. Conhecido como o filho de Minor que se regenerou, Archer trabalhava com vítimas de crimes, chegando ao extremo de denunciar publicamente o pai nas últimas semanas, prometendo à promotoria pública fornecer provas dos delitos da família.

A matéria não dava muitos detalhes. Voltei à ferramenta de busca e pesquisei Archer Minor. Havia pelo menos um artigo por dia durante a semana seguinte. Comecei a vasculhá-los, procurando alguma espécie de pista, uma ligação qualquer entre Archer Minor e Natalie. Um artigo que saiu dois dias depois do assassinato me chamou atenção:

Departamento de polícia de Nova York busca testemunha da execução de Minor

Uma fonte da polícia de Nova York diz que o departamento está procurando uma mulher que teria testemunhado o assassinato do filho de gângster que se tornou herói, Archer Minor. A informação não faz nenhuma alusão direta à testemunha.

"Na verdade, estamos investigando várias pistas", disse Anda Olsen, porta-voz do departamento. "Esperamos ter algum suspeito sob custódia em breve."

Encaixava-se mais ou menos.

Pensei na foto da câmera de segurança, no que parecia ser um saguão de prédio de escritórios. Não sei como, Natalie teria estado lá naquela noite, no escritório de Minor. Viu o crime. Isso explicaria o medo em seu rosto. Ela fugiu, na esperança de não ter sido detectada, mas, depois, o departamento de polícia de Nova York devia ter examinado a câmera de segurança e a visto caminhando pelo saguão.

Havia ainda algo importante ali que estava me escapando. Continuei a ler:

Quando perguntado sobre o motivo do crime, Olsen disse: "Acreditamos que Archer Minor foi morto porque queria fazer a coisa certa." Hoje, o prefeito Bloomberg chamou Minor de herói. "Ele superou o nome e a história da família para ser um grande nova-iorquino. Seu trabalho incansável em prol das vítimas e ao levar à justiça os que cometem crimes violentos jamais será esquecido."

Muita gente se pergunta por que Archer Minor, que havia recentemente denunciado o pai, Maxwell Minor, e sua famosa organização do crime organizado, conhecida como MM, não recebeu proteção policial. "Foi a pedido dele", informou Olsen.

Uma fonte próxima à viúva de Minor revelou que o marido havia trabalhado a vida toda para reparar os crimes do pai. "Archer, no começo, só queria uma boa educação e viver honestamente", disse a fonte, "mas, por mais rápido que caminhasse, não conseguia fazer o bastante para se livrar daquela sombra horrível".

Não foi por falta de tentativa. Archer Minor era um defensor assumido dos direitos das vítimas de crimes. Após se formar na faculdade de Direito, em Colúmbia, trabalhou próximo a agentes da lei. Representava vítimas de crimes violentos, tentando conseguir penas mais longas para os culpados e compensações pelo sofrimento dos clientes.

O departamento de polícia de Nova York não deseja especular, mas uma teoria corrente, apesar de chocante, para o crime é que Maxwell Minor tenha proferido uma sentença de morte para o próprio filho. Ele não negou diretamente a acusação, mas emitiu uma breve nota dizendo o seguinte: "Minha família e eu estamos devastados com a morte do meu filho Archer. Peço à mídia que dê alguma privacidade ao nosso luto."

Passei a língua nos lábios e cliquei no link da "próxima página". Quando vi a fotografia de Maxwell Minor, não fiquei nem um pouco surpreso. Era o homem de bigode fino que estava no enterro de Otto Devereaux.

As coisas estavam se juntando agora.

Percebi que tinha prendido a respiração. Recostei-me e tentei relaxar por um momento. Coloquei as mãos atrás da cabeça e fechei os olhos. Havia várias pequenas linhas de conexões se formando em minha mente. Natalie tinha estado lá na noite do bombástico assassinato de Archer Minor. Havia, teorizava eu, testemunhado o crime. Em algum momento, o departamento de polícia de Nova York a identificou no vídeo da câmera de segurança. Ela, temendo por sua vida, decidiu se esconder.

Continuaria checando, mas era uma aposta muito segura dizer que ninguém fora condenado pelo assassinato de Archer Minor. Era por isso que a polícia ainda estava procurando Natalie tantos anos depois.

O que aconteceu então?

Ela se envolveu com a Novo Começo. Como? Eu não fazia ideia. Mas, na verdade, como as pessoas se envolviam com a organização? Imagino que eles ficassem de olho. Como no caso de Jamal, ou Benedict. Abordavam os que necessitavam e mereciam ajuda.

Seja como for, Natalie foi enviada para a Colônia Renovação Criativa, que era, ao menos em parte, uma fachada para a organização. E brilhante, devo acrescentar. Talvez alguns dos frequentadores estivessem lá de fato por razões artísticas. Ela poderia estar por ambas as razões. Imaginem uma pessoa se esconder à vista de todos. Provavelmente disseram a Natalie que se refugiasse ali até que se pudesse saber como o caso Archer Minor se desdobraria. Talvez a polícia conseguisse resolver o caso sem ela. Aí poderia retornar à vida normal. Talvez eles não identificassem, ou ao menos não tivessem ainda identificado, a mulher na foto. Sabe-se lá. Eu estava tentando adivinhar, mas não devia estar muito longe da verdade.

Em algum momento, a realidade levantou sua cabeça feia, esmagando e matando qualquer esperança de ela permanecer com o namorado novo. A escolha era clara: desaparecer ou morrer.

Aí ela desapareceu.

Li mais algumas matérias sobre o caso, mas não havia muita coisa nova. Archer Minor era retratado como uma espécie de enigma heroico. Fora criado para ser o pior dos bandidos. O irmão mais velho tinha sido executado ao "estilo das gangues", como os jornais diziam, enquanto Archer ainda estava na faculdade. Imaginava-se então que fosse assumir os negócios da família. Quase me fazia lembrar de *O poderoso chefão*, exceto que esse bom filho especial nunca concordou. Archer Minor não só se recusou terminantemente a entrar para a MM, como também trabalhou de forma incansável para derrubá-la.

Perguntei-me mais uma vez o que teria levado a minha doce Natalie a se encontrar naquele escritório de advocacia tarde da noite. Poderia ser cliente, imaginei, mas isso não explicaria ter estado lá tão tarde. Talvez conhecesse Archer Minor, mas eu não fazia ideia de como. Já ia desistir daquilo, classificar sua visita como mero acaso, quando li um obituário pequeno e sem importância.

O que...?

Tive de fechar os olhos, esfregá-los e depois ler outra vez desde o início. Porque aquilo não podia ser. Justo quando as coisas estavam começando a fazer sentido – quando pensei que estava fazendo algum progresso –, mais uma vez levava um golpe de onde menos esperava:

> Archer Minor, 41, de Manhattan, ex-morador de Flushing, Queens, Nova York. Sr. Minor era sócio principal do escritório de advocacia Pashaian, Dressner e Rosenburgh, localizado no prédio Lock-Horne, em 245 Park Avenue, na cidade de Nova York. Archer recebeu vários prêmios e condecorações por seus trabalhos de caridade. Estudou na escola Saint Francis e formou-se *summa cum laude* em Lanford College...

capítulo 30

D<small>O OUTRO LADO DA LINHA</small>, ouvi a Sra. Dinsmore suspirar.

– Você não está suspenso?

– Você está com saudade de mim. Confesse.

Mesmo no meio dessa combinação crescente de horror e confusão, ela me fazia sentir com os pés no chão. Havia poucas constantes. Implicar com a Sra. Dinsmore era uma delas. Era reconfortante me agarrar à minha própria versão de ritual, enquanto o restante do mundo girava loucamente.

– A suspensão inclui telefonar para o corpo de funcionários da universidade – disse ela.

– Mesmo que seja só para fazer sexo por telefone?

Podia sentir seu olhar de desaprovação a 250 quilômetros de distância.

– O que você quer, engraçadinho?

– Preciso de um grande favor – falei.

– E em troca?

– Você não ouviu o que eu disse sobre sexo por telefone?

– Jake?

Acho que ela nunca tinha me chamado pelo primeiro nome.

– Sim?

Sua voz se tornou carinhosa de repente.

– Qual é o problema? Receber suspensão não é do seu feitio. Você é um exemplo aqui.

– É uma história muito longa.

– Você me perguntou sobre a filha do professor Kleiner. Essa por quem você é apaixonado.

– Sim.

– Você ainda a está procurando?

– Sim.

– A sua suspensão tem alguma coisa a ver com isso?

– Tem.

Silêncio. Depois a Sra. Dinsmore pigarreou.

– Do que o senhor precisa, professor Fisher?

– De uma ficha de aluno.

– De novo?

– Sim.

– Você precisa da permissão dele – disse a Sra. Dinsmore. – Já lhe disse da última vez.

– E como da última vez, o aluno já morreu.

– Ah – falou ela. – Qual o nome dele?

– Archer Minor.

Houve uma pausa.

– Você o conheceu? – perguntei.

– Como aluno, não.

– Mas?

– Mas me lembro de ler no *Lanford News* que ele foi assassinado alguns anos atrás.

– Há seis anos.

Dei partida no carro, mantendo o telefone colado ao ouvido.

– Deixe-me ver se estou entendendo – falou a Sra. Dinsmore. – Você está procurando Natalie Avery, correto?

– Correto.

– E ao procurá-la, precisou ver a ficha pessoal não só de um, mas de dois alunos assassinados.

Curiosamente, nunca havia pensado dessa maneira.

– Acho que sim – respondi.

– Sei que não é da minha conta, mas isso não parece muito uma história de amor.

Eu não disse nada. Alguns segundos se passaram.

– Retorno mais tarde – respondeu a Sra. Dinsmore, antes de desligar.

◆ ◆ ◆

O lar para idosos Hyde Park parecia um Marriott Courtyard.

Agradável, de luxo, com um desses pavilhões vitorianos na frente, mas tudo denotava um aspecto de cadeia, impessoal, pré-fabricado. O prédio principal tinha três andares com torres falsas nos cantos. Uma placa de tamanho exagerado dizia ENTRADA DO LAR PARA IDOSOS. Segui o caminho, subi uma rampa para cadeiras de roda e abri a porta.

A mulher atrás do balcão usava um penteado que parecia uma colmeia em forma de capacete, visto pela última vez na esposa de algum senador por volta de 1964. Recebeu-me com um sorriso tão insípido, inodoro e incolor que o confundi com um copo d'água.

– Em que posso ajudá-lo?

Sorri também e abri os braços. Tinha lido uma vez, em algum lugar, que abrir os braços torna a pessoa mais aberta e confiável, ao passo que mantê-los cruzados dá a impressão oposta. Não tinha como verificar a autenticidade da informação. Era como se eu pudesse agarrar uma pessoa, colocá-la no ombro e sair correndo com ela.

– Vim aqui para ver Sylvia Avery – falei.

– Ela está esperando o senhor?

– Não. É que eu estava aqui por perto...

Ela pareceu incerta. Não podia culpá-la. Duvidava que muitas pessoas passassem num lar para idosos.

– O senhor se importa de se registrar?

– Nem um pouco.

Ela girou na minha direção um livro de visitantes enorme, do tipo que se associa a casamentos, funerais e hotéis em filmes antigos e me entregou uma caneta que era uma pena grande. Assinei meu nome. A mulher virou o livro de volta para ela.

– Sr. Fisher – disse, lendo o nome bem devagar. Depois olhou para mim e piscou. – Posso perguntar como conheceu a Sra. Avery?

– Por meio da filha, Natalie. Achei que seria bom visitá-la.

– Tenho certeza de que Sylvia vai apreciar. – Ela fez um gesto para a esquerda. – Nossa sala de estar está disponível e é convidativa. Tudo bem encontrá-la lá?

Convidativa?

– Claro – respondi.

Dirigi-me à sala de estar disponível e convidativa. Percebi então o que estava acontecendo. A cabelo de colmeia queria que o encontro se desse num lugar público, em caso de eu não ter sido honesto. Fazia sentido. O seguro morreu de velho, e essa coisa toda. As poltronas eram bonitas, com estampas florais, mas mesmo assim não davam a impressão de algo que deixasse a pessoa confortável. Nada ali dava. A decoração parecia de maquete, perfeitamente ordenada para enfatizar os pontos positivos, mas o cheiro de desinfetante antisséptico em escala industrial e – sim, ouso dizer – de pessoas velhas era inconfundível. Permaneci de pé. Vi uma idosa com andador e um robe de chambre esfarrapado parada num canto. Estava falando com a parede e gesticulando furiosamente.

Meu novo celular começou a tocar. Olhei para o identificador de chamadas, mas só tinha dado esse número a uma pessoa: a Sra. Dinsmore. Havia uma placa dizendo que era proibido o uso de celular, mas como agora já aprendi, às vezes vivo no limite. Fui até um canto, virei de cara para a parede, como a idosa de andador, e sussurrei:

— Alô?

— Já estou com a ficha de Archer Minor — disse a Sra. Dinsmore. — Quer que mande por e-mail?

— Seria ótimo. Está com ela aí na sua frente?

— Sim.

— Tem algo de estranho nela?

— Não olhei ainda. Estranho como?

— Se importa de dar uma olhada rápida?

— O que devo procurar?

Pensei um pouco.

— Que tal alguma ligação entre as duas vítimas de assassinato. Viviam no mesmo dormitório? Fizeram alguma matéria juntos?

— Essa é fácil. Não. Archer Minor se formou bem antes de Todd Sanderson sequer estar matriculado aqui. Alguma outra coisa?

Enquanto fazia as contas na cabeça, senti uma lâmina fria entrando no meu peito.

A Sra. Dinsmore disse:

— Você ainda está aí?

Engoli em seco.

— Archer Minor estava no campus quando o professor Kleiner fugiu?

Houve uma breve pausa. Depois, a Sra. Dinsmore falou, numa voz distante:

— Acho que devia ser calouro ou estar no segundo ano.

— Dá para checar e ver se...?

— Já pensei nisso.

Pude ouvir o som de páginas sendo folheadas. Olhei para trás. Do outro lado da sala, a idosa de andador e robe de chambre piscou para mim sugestivamente. Pisquei de volta com o mesmo grau de insinuação. Por que não?

Depois a Sra. Dinsmore disse:

— Jake?

Usou novamente meu primeiro nome.

— Sim?

— Archer Minor se inscreveu num curso do professor Kleiner chamado Cidadania e Pluralismo. Segundo a ficha, tirou A.

A cabelo de colmeia voltou empurrando a mãe de Natalie numa cadeira de rodas. Reconheci Sylvia Avery do casamento seis anos antes. O tempo não havia sido muito generoso com ela.

Com o telefone ainda no ouvido, perguntei a Sra. Dinsmore:

– Quando?

– Quando o quê?

– Quando Archer Minor fez esse curso?

– Deixe eu ver – ouvi depois seu breve arfar, mas já sabia a resposta. – Foi no semestre em que o professor Kleiner se demitiu.

Balancei a cabeça para mim mesmo. Daí o A. Todo mundo recebeu a mesma nota naquele semestre.

Minha cabeça ficaria girando de mil formas até domingo. Ainda tonto, agradeci a Sra. Dinsmore e desliguei enquanto a cabelo de colmeia trazia Sylvia Avery até mim. Havia esperado que ficássemos sozinhos, mas ela não arredou o pé. Pigarreei.

– Sra. Avery, talvez a senhora não se lembre de mim...

– Do casamento de Natalie – disse ela, sem hesitação. – Você era o rapaz inconsolável que ela tinha largado.

Olhei para a cabelo de colmeia, que pôs a mão no ombro da Sra. Avery.

– Você está bem, Sylvia?

– Claro que estou – retrucou ela. – Vá embora e nos deixe a sós.

O sorriso insípido, inodoro e incolor nem sequer tremeu. A cabelo de colmeia voltou para a recepção, lançando-nos mais um olhar, como se dissesse, *posso não ficar sentada com vocês, mas vou estar vigiando*.

– Você é alto demais – disse Sylvia Avery.

– Lamento.

– Não tem nada que lamentar. Só faz o favor de sentar porque não quero ficar com o pescoço doendo.

– Ah – falei. – Desculpe.

– Sempre se desculpando. Sente-se.

Sentei-me num sofá. Ela me estudou um pouco.

– O que você quer?

Sylvia Avery parecia pequena e mirrada na cadeira de rodas, mas quem parece grande e forte nelas? Respondi-lhe com outra pergunta.

– A senhora tem alguma notícia de Natalie?

Ela me lançou um olhar desconfiado.

– Quem quer saber?

– Hum... eu.

– Recebo postais de vez em quando. Por quê?

– Mas não tem visto sua filha?

– Não. Mas tudo bem. Ela é um espírito independente, você sabe. Quando você liberta um espírito assim, ele voa. Provavelmente foi o que aconteceu.

– A senhora sabe onde esse espírito independente aterrissou?

– Não que seja da sua conta, mas ela mora no exterior. Está muito feliz ao lado de Todd. Espero que os dois tenham filhos um dia. – Seus olhos se estreitaram um pouco. – Como é mesmo seu nome?

– Jake Fisher.

– Você casou, Jake?

– Não.

– Nunca?

– Não.

– Tem alguma namorada firme?

Não me dei o trabalho de responder.

– Pena – Sylvia Avery balançou a cabeça. – Um homem grande e forte como você... Devia estar casado, fazendo alguma garota se sentir segura, e não sozinho.

Não gostei de aonde aquela conversa estava nos levando. Era hora de mudar de assunto.

– Sra. Avery?

– Sim?

– Sabe o que faço da vida?

Ele me olhou de cima a baixo.

– Você parece jogador de futebol americano.

– Sou professor universitário – falei.

– Ah.

Virei o corpo de forma a ter uma visão mais clara de sua reação ao que eu ia dizer.

– Dou aulas de ciência política em Lanford College.

O pouco de cor que ainda permanecia em sua face desapareceu.

– Sra. Kleiner.

– Meu nome não é esse.

– Mas era, certo? A senhora o trocou depois que seu marido foi embora de Lanford.

Ela fechou os olhos.

– Quem lhe contou isso?
– É uma longa história.
– Natalie lhe disse alguma coisa?
– Não – respondi. – Nunca. Nem quando a levei até o campus.
– Bom. – Ela levou a mão trêmula até a boca. – Meu Deus, como é que você sabe disso?
– Preciso falar com seu ex-marido.
– O quê? – seus olhos se esbugalharam de medo. – Ah, não, isso não pode ser...
– O que não pode ser?
Ela ficou ali sentada, com a mão na boca, sem dizer nada.
– Por favor, Sra. Avery. É muito importante que eu fale com ele.
Sylvia Avery fechou os olhos, apertando-os como uma criança pequena que não quer ver um monstro. Olhei para trás. A cabelo de colmeia nos observava com curiosidade indisfarçada. Forcei um sorriso tão falso quanto o dela para mostrar que estava tudo bem.

A voz de Sylvia Avery era um murmúrio.
– Por que você está revivendo isso agora?
– Preciso falar com ele.
– Já faz tanto tempo. Você sabe o que tive de fazer para superar isso? Sabe o quanto dói?
– Não quero fazer ninguém sofrer.
– Não? Então pare. Por que, meu Deus, você precisa encontrar esse homem? Você sabe o que Natalie passou quando ele foi embora?
Aguardei, na esperança de que ela falasse mais.
– Você precisa entender. Julie, ora, era pequena. Mal se lembra do pai. Mas Natalie? Nunca conseguiu superar isso. Nunca o tirou da cabeça.
A mão tremulou de volta ao rosto. Ela olhou para o lado. Esperei um pouco mais, porém ficou claro que Sylvia Avery, no momento, havia parado de falar.

Tentei me manter firme:
– Onde está o professor Kleiner agora?
– Na Califórnia – disse ela.
– Onde na Califórnia?
– Não sei.
– Los Angeles? San Francisco? San Diego? É um estado grande.
– Já disse, não sei. Não nos falamos.

– Como sabe então que ele está na Califórnia?

Isso a fez hesitar. Vi algo passar por seu rosto.

– Não sei – respondeu ela. – Ele pode ter se mudado.

Mentira.

– A senhora disse a suas filhas que ele se casou de novo.

– É verdade.

– Como ficou sabendo?

– Aaron me ligou contando.

– Pensei que vocês não se falassem.

– Há muito não nos falamos.

– Qual é o nome da esposa dele?

Ela balançou a cabeça.

– Não sei. E não lhe diria se soubesse.

– Por que não? Para suas filhas, ok, entendo. Estava protegendo-as. Mas por que não me contar?

Seus olhos se moviam da esquerda para a direita. Decidi blefar.

– Chequei os registros matrimoniais – disse. – Vocês dois nunca se divorciaram.

Sylvia Avery soltou um leve gemido. Não havia como a cabelo de colmeia ter ouvido, mas suas orelhas ainda assim levantaram como as de um cão escutando um som que ninguém mais consegue ouvir. Dei-lhe o mesmo sorriso de "tudo bem".

– Como seu marido se casou de novo se vocês dois nunca se divorciaram?

– Você vai ter que perguntar a ele.

– O que aconteceu, Sra. Avery?

Ela meneou a cabeça.

– Deixe para lá.

– Ele não fugiu com uma aluna, fugiu?

– Fugiu, sim – retorquiu ela. Agora era sua vez de tentar passar firmeza. Mas não convencia. Estava muito na defensiva, muito ensaiada. – Sim, Aaron fugiu e me largou.

– Lanford College é um campus pequeno, a senhora sabe disso, não?

– Claro que sei. Passei sete anos lá. E daí?

– Uma estudante fugindo com um professor seria notícia. Os pais teriam exigido explicações. Haveria reuniões com funcionários. Alguma coisa. Examinei os registros. Ninguém abandonou o curso quando seu marido desapareceu. Nenhuma aluna saiu da universidade. Nenhuma estudante desapareceu.

Esse foi outro blefe, mas foi bom. Universidades pequenas como Lanford não guardam bem segredos. Se uma aluna fugisse com um professor, todo mundo, especialmente a Sra. Dinsmore, saberia seu nome.

– Talvez ela fosse de Strickland. Aquela universidade estadual na mesma rua. Acho que ela estudava lá.

– Não foi isso que aconteceu – falei.

– Por favor – disse a Sra. Avery. – O que você está tentando fazer?

– Seu marido desapareceu. E agora, 25 anos depois, sua filha também.

Isso chamou sua atenção.

– O quê? – ela balançou a cabeça com firmeza, fazendo-me pensar numa criança teimosa. – Já lhe disse. Natalie mora no exterior.

– Não, Sra. Avery. Não mora. Ela nunca se casou com Todd. Ele já era casado. Alguém o assassinou há pouco mais de uma semana.

A bomba explodiu provocando estragos. A cabeça de Sylvia Avery caiu primeiro para o lado e depois para baixo, como se o pescoço tivesse se transformado em borracha. Atrás dela, vi a cabelo de colmeia pegar o telefone. Mantendo o olho em mim, começou a conversar com alguém. O sorriso, insípido, inodoro e incolor havia desaparecido.

– Natalie era uma menina tão feliz. – A cabeça ainda estava baixa, o queixo encostado no peito. – Você não pode imaginar. Ou talvez possa. Você a amava. Viu-a como era, mas isso foi muito depois. Depois de tanta coisa mudar.

– O que mudou?

– Veja, quando Natalie era pequena, meu Deus, aquela menina vivia para o pai. Meu marido entrava pela porta depois das aulas, e ela corria para ele gritando de alegria. – Sylvia Avery finalmente levantou a cabeça. Havia um sorriso no rosto, os olhos vendo a lembrança no passado. – Aaron a levantava e rodava, e ela morria de rir...

Ela balançou a cabeça.

– Éramos todos tão felizes.

– E o que aconteceu?

– Ele fugiu.

– Por quê?

Ela balançou a cabeça outra vez.

– Isso não importa.

– Claro que importa.

– Pobre Natalie. Ela não conseguiu superar isso e então...

– Então o quê?
– Você não entende. Nunca vai entender.
– Me faça entender então.
– Por quê? Quem você pensa que é?
– Sou o homem que a ama – respondi. – Sou o homem que ela ama.

Ela não soube como reagir àquilo. Os olhos ainda estavam fixos no chão, quase como se não tivesse força nem para levantá-los.

– Quando o pai foi embora, Natalie mudou. Ficou muito sombria. Perdi minha garotinha. Foi como se Aaron tivesse levado sua felicidade com ele. Ela não conseguia aceitar aquilo. Por que o pai a abandonara? O que tinha feito de errado? Por que ele não a amava mais?

Imaginei aquilo, minha Natalie criança, sentindo-se perdida e abandonada pelo próprio pai. Uma dor me atravessou o peito.

– Ela teve crises de confiança durante muito tempo. Você não faz ideia. Mandava todo mundo embora e, no entanto, nunca perdia a esperança. – Ela levantou a cabeça e olhou para mim. – Você sabe o que é ter esperança, Jake?

– Acho que sim – respondi.

– É a coisa mais cruel do mundo. A morte é melhor. Quando se morre, a dor para. Mas a esperança põe a pessoa lá em cima e depois solta, deixando que caia no chão duro. Protege nosso coração com as mãos e depois esmaga com um soco. Várias e várias vezes. Nunca para. É isso que a esperança faz.

Ela pôs as mãos sobre o colo e me olhou com dureza.

– Então tentei tirar a esperança do caminho.

Assenti.

– Tentou fazer com que Natalie esquecesse o pai – disse.

– Sim.

– Dizendo que ele tinha ido embora e abandonado vocês todas?

Seus olhos começaram a se encher de lágrimas.

– Achei que era o melhor. Entende? Que isso faria Natalie esquecê-lo.

– A senhora disse a ela que o pai tinha se casado novamente – afirmei. – Tido outros filhos. Mas era tudo mentira, não era?

Sylvia Avery não respondeu. A expressão do rosto endureceu.

– Sra. Avery?

Ela me olhou.

– Deixe-me em paz.

– Preciso saber...

– Não me interessa o que você precisa saber. Quero que me deixe em paz.

Ela começou a pôr a cadeira em movimento. Segurei-a, impedindo as rodas de girarem. A parada súbita fez com que o cobertor no seu colo deslizasse em direção ao chão. Quando olhei para baixo, minha mão soltou a cadeira sem qualquer comando por parte de Sylvia Avery. Metade da perna esquerda havia sido amputada. Ela puxou a manta para cima, mais devagar que o necessário. Queria que eu visse.

– Diabetes – falou ela. – Perdi-a três anos atrás.

– Lamento.

– Acredite, isso não foi nada. – Estendi a mão, mas ela a rejeitou. – Adeus, Jake. Deixe a minha família em paz.

Ela moveu a cadeira outra vez. Não havia escolha agora. Eu teria que usar energia nuclear.

– A senhora se lembra de um aluno chamado Archer Minor?

A cadeira parou. Sua boca se abriu.

– Ele se inscreveu num curso do seu marido em Lanford – falei. – Lembra-se dele?

– Como...? – Os lábios se moveram, mas nenhuma palavra saiu por alguns momentos. Depois: – Por favor. – Se sua voz havia soado apenas assustada antes, agora parecia aterrorizada. – Por favor, não se meta nisso.

– Archer Minor está morto, sabia? Foi assassinado.

– Bem-feito – replicou ela, cerrando os lábios com força depois, como se tivesse se arrependido das palavras no momento em que escaparam.

– Por favor, me conte o que aconteceu.

– Deixe isso para lá.

– Não posso.

– Não entendo o que isso tem a ver com você. Não é da sua conta – ela deu de ombros. – Faz sentido.

– O quê?

– Que Natalie se apaixonasse por você.

– Como assim?

– Você é um sonhador, como o pai dela. Ele também não desistia fácil. Algumas pessoas não conseguem. Sou uma mulher velha. Ouça o que digo. O mundo é confuso, Jake. Certas pessoas querem que ele seja preto no branco. E elas sempre pagam um preço por isso. Meu marido foi uma delas. Ele não desistia. E você, Jake, está indo pelo mesmo caminho.

Ouvi ecos de um passado distante, de Malcolm Hume, Eban Trainor e de Benedict também. Pensei nas minhas ações mais recentes, no que havia sido socar e até matar um homem.

– O que aconteceu com Archer Minor? – perguntei.

– Você não desiste. Vai continuar vasculhando até todo mundo morrer.

– Vai ficar entre nós dois – continuei. – Não vai sair desta sala. Por favor, me diga.

– E se não disser?

– Vou continuar vasculhando. O que aconteceu com Archer Minor?

Ela olhou novamente para o lado, puxando o lábio com os dedos, como se imersa em pensamentos profundos. Sentei-me um pouco mais ereto, tentando olhá-la nos olhos.

– Conhece o ditado que diz que a maçã não cai longe da árvore?

– Sim – respondi.

– Esse garoto tentou. Archer Minor quis ser a maçã que caiu e rolou para longe. Quis ser bom, fugir do que era. Aaron entendeu isso. Tentou ajudá-lo.

Ela fez hora ajeitando o cobertor sobre o colo.

– E o que aconteceu? – perguntei.

– Archer estava abaixo do padrão de Lanford. No ensino médio, o pai pressionava os professores, que lhe davam A. Não sei se ele merecia de fato aquela média geral tão alta no histórico escolar. Não entendo como passou nos exames de admissão, mas, academicamente, aquele garoto estava abaixo dos requisitos da universidade.

Ela parou de novo.

– Por favor, continue.

– Não há razão – disse ela.

Lembrei-me então de uma coisa que a Sra. Dinsmore tinha dito quando perguntei a ela sobre o professor Aaron Kleiner pela primeira vez.

– Houve um escândalo de fraude num trabalho, não?

Sua expressão corporal me disse que eu tinha acertado em cheio.

– Archer Minor estava envolvido? – perguntei.

Ela não respondeu, nem precisava.

– Sra. Avery?

– Ele comprou um trabalho de conclusão de semestre de um aluno que tinha se formado um ano antes e recebido A. Archer o datilografou novamente e entregou como sendo seu. Não mudou uma palavra sequer. Imaginou que não haveria como Aaron se lembrar. Mas Aaron se lembrava de tudo.

Eu conhecia as regras da universidade. Esse tipo de fraude significava expulsão automática de Lanford.

– Seu marido o denunciou?

– Eu disse a ele que não fizesse isso. Que desse uma segunda chance ao rapaz. Na verdade, pouco me importava essa segunda chance. Era porque eu sabia.

– Sabia que a família dele ia ficar aborrecida.

– Aaron, no entanto, denunciou.

– A quem?

– Ao chefe do departamento.

Meu coração parou.

– Malcolm Hume?

– Sim.

Recostei-me.

– E o que Malcolm disse?

– Quis que Aaron deixasse para lá. Disse a ele que fosse para casa e pensasse sobre aquilo.

Pensei no meu caso com Eban Trainor. Ele havia me dito algo parecido, não? Malcolm Hume. Ninguém consegue ser secretário de estado sem transigir, fazer acordos, negociar termos e entender que o mundo está cheio de zonas indeterminadas.

– Estou muito cansada, Jake.

– Não entendo uma coisa.

– Deixe para lá.

– Archer Minor nunca foi denunciado. Se formou aprovado com mérito.

– Começamos a receber telefonemas com ameaças. Um homem me visitou. Entrou em casa enquanto eu estava no chuveiro. Quando saí, encontrei-o sentado na minha cama, segurando fotos de Natalie e Julie. Não disse nada. Depois levantou e foi embora. Você consegue imaginar o que é isso?

Pensei em Danny Zucker sentado na minha cama.

– A senhora contou ao seu marido?

– Claro.

– E?

Dessa vez, ela se demorou.

– Acho que ele entendeu finalmente o perigo. Mas foi tarde demais.

– O que ele fez?

– Foi embora. Pela nossa segurança.

Balancei a cabeça, entendendo tudo agora.

– Mas a senhora não podia contar isso a Natalie nem a ninguém. Iria colocá-los em perigo. Então disse a todos que ele tinha ido embora. Depois a senhora se mudou e trocou de nome.

– Sim – disse ela.

Mas estava faltando alguma coisa. Muita coisa, desconfiava eu. Havia algo que não estava se encaixando ali, que me incomodava lá no fundo e que eu não conseguia ainda saber o que era. Como, por exemplo: Natalie encontrou Archer Minor vinte anos depois?

– Natalie pensava que o pai a tivesse abandonado – falei.

Ela fechou os olhos apenas.

– Mas a senhora disse que ela não o esquecia.

– Ela não parava de me pressionar. Estava tão triste. Nunca deveria ter lhe dito aquilo. Mas que escolha eu tinha? Tudo que fiz foi para proteger minhas filhas. Você não entende. Não compreende o que uma mãe tem que fazer às vezes. Precisava proteger minhas filhas, entende?

– Entendo – disse.

– E veja o que aconteceu. Veja o que fiz. – Ela pôs as mãos no rosto e começou a soluçar. A senhora idosa de andador e robe de chambre esfarrapado parou de falar com a parede. A cabelo de colmeia parecia estar se preparando para intervir. – Eu deveria ter inventado outra história. Natalie ficava me pressionando, querendo saber o que tinha acontecido com o pai. Não parava.

Entendi então.

– A senhora acabou lhe contando a verdade.

– Isso arruinou a vida dela, entende? Crescer pensando que o pai fez uma coisa daquelas com você. Ela precisava de um desfecho. Nunca lhe dei isso. Então, sim, acabei lhe contando a verdade. Disse-lhe que o pai a amava. Que ela não tinha feito nada de errado. Que ele jamais a abandonaria.

Assenti diante daquelas palavras.

– Contou a ela, portanto, sobre Archer Minor. Foi por isso que estava lá naquele dia.

Sylvia Avery não disse nada. Apenas soluçava. A cabelo de colmeia não se aguentou mais. Pôs-se a caminho.

– Onde está seu marido agora, Sra. Avery?

– Não sei.

– E Natalie? Onde está ela?

– Também não sei. Mas, Jake?
A cabelo de colmeia estava ao seu lado.
– Acho que já é o suficiente.
Ignorei-a.
– O que, Sra. Avery?
– Não se meta nisso. Em nome de todos nós. Não seja como o meu marido.

capítulo 31

Quando cheguei à estrada, peguei o celular. Não achava que ninguém estivesse me rastreando, mas se fosse o caso, iriam me encontrar na rota 287, perto do shopping Palisades. Não me parecia que isso fosse ajudá-los. Parei à direita no acostamento. Havia dois e-mails novos e três ligações de Shanta, cada uma mais urgente que a outra. Eram cinco tentativas de entrar em contato comigo. Nos dois e-mails, ela me pedia educadamente que a procurasse. Nas duas primeiras chamadas, a solicitação era mais urgente. Na última, ela entregava o jogo:

> Para: Jacob Fisher
> De: Shanta Newlin
>
> Jake,
> Pare de me ignorar. Descobri uma ligação importante entre Natalie Avery e Todd Sanderson.
> Shanta

Opa! Entrei na ponte Tappan Zee e parei na primeira saída. Desliguei o celular e peguei um dos pré-pagos. Digitei o número de Shanta e esperei. Ela atendeu no segundo toque.

– Já sei – disse ela. – Você está furioso comigo.

– Você deu o número daquele celular para a polícia de Nova York. Ajudou-os a me rastrear.

– Sim, confesso. Mas foi para o seu próprio bem. Você poderia ter sido baleado ou detido por resistir à prisão.

– Só que não resisti à prisão nenhuma. Só fugi de uns loucos que estavam tentando me matar.

– Conheço Mulholland. É um cara legal. E eu não queria que nenhum "cabeça quente" disparasse contra você.

– Por quê? Eu mal era um suspeito.

– Isso não importa, Jake. Você não tem que confiar em mim. Tudo bem. Mas precisamos conversar.

Estacionei o carro e desliguei o motor.

– Você disse que encontrou uma ligação entre Natalie Avery e Todd Sanderson.

– Sim.

– E qual é?

– Conto quando conversarmos. Pessoalmente.

Pensei naquilo.

– Olha, Jake. O FBI queria pegar você para um interrogatório completo. Disse a eles que deixassem isso comigo.

– O FBI?

– Sim.

– O que eles querem comigo?

– Apenas venha, Jake. Está tudo bem. Confie em mim.

– Até parece.

– Você pode conversar comigo ou com eles – suspirou Shanta. – Escuta, se eu disser sobre o que é, você promete vir falar comigo?

Pensei outra vez.

– Sim.

– Promete?

– Prometo. Diz o que é então.

– É sobre um roubo a banco, Jake.

◆ ◆ ◆

Meu novo eu infrator de leis e que vivia no limite ultrapassou várias vezes a velocidade permitida no caminho de volta a Lanford, Massachusetts. Tentei separar um pouco as coisas de que tinha ficado sabendo, colocando-as em ordem, testando teorias e hipóteses, rejeitando-as, tentando outra vez. Sob alguns aspectos, estava tudo se juntando; sob outros, havia peças que, para se encaixarem, era preciso forçar um pouco.

Faltavam muitas ainda, inclusive a principal: onde estava Natalie?

Vinte e cinco anos atrás, o professor Aaron Kleiner foi até o chefe do departamento, o professor Malcolm Hume, porque tinha pego um aluno plagiando (na verdade, comprando) um trabalho de fim de período. Meu antigo mentor lhe pediu, encarecidamente, que esquecesse aquilo – da mesma forma como me havia pedido que fizesse com o professor Eban Trainor.

Perguntei-me se foi o próprio Archer Minor quem ameaçou a família de Aaron Kleiner ou se tinha sido alguém a mando do MM. Não importava.

Eles o intimidaram a ponto de ter certeza de que precisava desaparecer. Provavelmente Kleiner ficou assustado, encurralado e sem saída.

A quem iria pedir ajuda?

Primeira ideia: Malcolm Hume.

E anos mais tarde, quando sua filha estava na mesma situação, assustada, encurralada e sem saída...

As digitais do meu antigo mentor estavam por toda parte ali. Precisava realmente falar com ele. Digitei o número de Malcolm na Flórida e não obtive resposta outra vez.

Shanta Newlin morava numa casa de tijolos, com terraço, que minha mãe descreveria como "pretensiosa". Havia vasos com flores e janelas em forma de arco. Tudo era perfeitamente simétrico. Percorri o caminho de pedras e toquei a campainha. Fiquei surpreso ao ver uma garotinha atender a porta.

– Quem é você? – perguntou ela.

– Sou o Jake. E você?

A menina deveria ter 5 ou 6 anos. Ela já ia responder quando Shanta chegou correndo com uma expressão aflita no rosto. Estava de cabelo preso, mas mechas dele caíam sobre os olhos. Na testa, gotas de suor.

– Deixa que eu atendo, Mackenzie – disse ela à menina. – O que eu falei sobre abrir a porta sem um adulto por perto?

– Nada.

– Bem, sim, acho que é verdade – ela pigarreou. – Você não deve nunca abrir a porta sem um adulto por perto.

A garota apontou para mim.

– Ele está perto. Ele é adulto.

Shanta me lançou um olhar exasperado. Dei de ombros. A criança tinha razão. Ela me convidou a entrar e disse a Mackenzie que fosse brincar lá dentro.

– Posso ir lá pra fora? – perguntou a menina. – Quero brincar no balanço.

Shanta me olhou. Encolhi os ombros outra vez. Estava ficando bom naquilo.

– Claro, podemos todos ir lá para fora – falou ela, com um sorriso tão forçado que parecia precisar de grampos.

Ainda não fazia ideia de quem era Mackenzie, nem do que estava fazendo ali, mas tinha grandes preocupações em relação ao assunto. Fomos para o quintal. Havia um balanço novinho, de cedro, além de um cavalo de madeira, escorregador, forte coberto e caixa de areia. Pelo que sabia, Shanta morava sozinha, o que tornava aquilo curioso. Mackenzie pulou sobre o cavalo de madeira.

– Essa é a filha do meu noivo – explicou ela.
– Ah.
– Nós nos casaremos no outono. Ele vai se mudar para cá.
– Bom.

Observávamos Mackenzie se balançando no cavalo com prazer. Ela lançou um olhar malicioso para Shanta.

– Essa menina me odeia – comentou.
– Você não leu contos de fadas quando era criança? Você é a madrasta malvada.
– Obrigada, isso ajuda. – Shanta levantou os olhos na minha direção. – Uau, você está com uma aparência horrível.
– Essa é a hora em que digo "você deveria ver o outro cara"?
– O que está fazendo com você mesmo, Jake?
– Procurando a pessoa que amo.
– Será que ela quer ser encontrada?
– O coração não faz perguntas.
– O pau não faz perguntas – disse ela. – O coração em geral é um pouquinho mais inteligente.

É verdade, pensei.

– Que história é essa de roubo a banco?

Ela protegeu os olhos contra a luz do sol.

– Como estamos impacientes.
– Não estou para brincadeiras, com certeza.
– É justo. Lembra-se de quando você me pediu a primeira vez para fazer uma checagem sobre Natalie Avery?
– Sim.
– Quando coloquei seu nome no sistema, apareceram dois resultados. Um envolvia o departamento de polícia de Nova York. Era o principal. Ela tinha muita importância para eles. Tive que jurar manter segredo sobre isso. Você é meu amigo. Quero que confie em mim. Mas sou uma agente da lei também. Não tenho permissão para comentar com os amigos investigações em curso. Você entende isso, não?

Assenti da maneira mais minimalista possível.

– Naquele momento, mal notei o outro resultado – continuou Shanta. – Eles não estavam interessados em encontrá-la nem em conversar com ela. Era uma menção muito casual.

– O que era?

– Vou chegar lá num segundo. Deixe-me concluir o raciocínio, ok?

Assenti outra vez ligeiramente com a cabeça. Primeiro os ombros, agora a cabeça.

– Vou fazer uma demonstração de boa-fé agora – disse ela. – Não precisava, mas falei com o departamento de polícia de Nova York, e eles me deram permissão. Você tem que entender. Não estou quebrando nenhum sigilo jurídico.

– É só uma confidência entre amigos.

– Golpe baixo.

– É, eu sei.

– E injusto. Estava tentando ajudar você.

– Ok, desculpe. Qual o problema com o departamento de polícia de Nova York?

Ela me deixou um segundo ou dois na expectativa.

– A polícia de Nova York acha que Natalie Avery testemunhou um crime. Que ela viu, na verdade, o criminoso e pode identificá-lo perfeitamente. Eles acreditam também que esse assassino é uma figura importante do crime organizado. Resumindo, a sua Natalie tem o poder de pôr na cadeia um dos figurões do mundo do crime em Nova York.

Esperei que ela falasse mais, porém Shanta não o fez.

– Que mais? – perguntei.

– É tudo que posso contar.

Balancei a cabeça.

– Você deve achar que sou um idiota.

– Quê?

– A polícia de Nova York me interrogou. Me mostraram um vídeo de câmera de segurança e disseram que precisavam conversar comigo. Eu já sabia disso tudo. E mais ainda, *você* sabia que eu sabia. Demonstração de boa-fé. Pare com isso. Você está querendo ganhar a minha confiança me contando o que já sei.

– Isso não é verdade.

– Quem é a vítima do assassinato?

– Não tenho liberdade para...

– Archer Minor, filho de Maxwell Minor. A polícia acredita que o pai pôs a cabeça do próprio filho a prêmio.

Ela pareceu atordoada.

– Como você soube disso?

– Não foi difícil imaginar. Mas me diga uma coisa.

Shanta negou.

– Não posso.

– Você ainda me deve a demonstração de boa-fé, certo? A polícia de Nova York sabe por que Natalie estava lá naquela noite? Só quero saber isso.

Seus olhos retornaram para os brinquedos. Mackenzie tinha saído do cavalinho e estava indo para o escorregador.

– Eles não sabem.

– Não têm ideia?

– A polícia examinou os vídeos de segurança do edifício Lock-Horne. São de última geração. O primeiro que viram mostrava sua namorada disparando por um corredor do vigésimo segundo andar. Também havia imagens dela no elevador. A mais nítida porém, aquela que mostraram a você, era dela saindo do saguão no andar térreo.

– O criminoso aparecia em algum vídeo?

– Não posso dizer mais nada.

– Eu perguntaria "não pode ou não quer?", mas seria muito clichê.

Ela franziu a testa. Pensei que fosse pelo que eu tinha dito, mas depois vi que não era. A menina estava de pé no alto do escorregador.

– Mackenzie, isso é perigoso.

– Sempre faço isso – retorquiu ela.

– Não me interessa o que você sempre faz. Sente-se, por favor, e escorregue.

A menina sentou, mas não escorregou.

– E o roubo a banco? – perguntei.

Shanta balançou a cabeça – a ação, mais uma vez, não era uma reação ao que eu tinha dito, mas à menina teimosa no alto do escorregador.

– Você está sabendo sobre a onda de assaltos a bancos na área de Nova York?

Lembrei-me de algumas notícias que tinha lido.

– São assaltados à noite, quando estão fechados. A mídia chama os ladrões de "os invisíveis" ou algo assim.

– Certo.

– E o que Natalie tem a ver com eles?

– Seu nome apareceu ligado a um desses roubos. Mais exatamente ao de Canal Street, no centro de Manhattan, duas semanas atrás. O banco era considerado mais seguro que o Fort Knox. Os ladrões levaram 12 mil em espécie e arrombaram quatrocentos cofres.

– Doze mil não parece uma tonelada de dinheiro.

– Não. Apesar do que a gente vê no cinema, os bancos não guardam milhões de dólares nos porões. Mas esses cofres podem valer uma fortuna. É nisso que esses caras estão se concentrando. Quando minha avó morreu, minha mãe pôs o anel de diamante dela, de quatro quilates, num desses cofres para me dar um dia. Só esse anel deve valer uns 40 mil dólares. Quem sabe quanto tem lá? O seguro diz que num dos primeiros roubos eles levaram 3,7 milhões. Claro que as pessoas mentem. De repente, uma relíquia de família caríssima estava também no cofre. Você entende o que quero dizer.

Entendia, mas não estava muito interessado.

– E o nome de Natalie apareceu vinculado a esse roubo em Canal Street.

– Sim.

– Como?

– Muito, muito superficialmente – Shanta pôs o dedo indicador e o polegar separados por um centímetro. – Quase insignificante mesmo. Não seria nada para se preocupar.

– Mas você se preocupa.

– Agora, sim.

– Por quê?

– Porque muita coisa em torno do seu grande amor não faz mais sentido. Não havia o que discutir diante daquilo.

– E o que você acha disso? – perguntou ela.

– Do quê? Não sei o que dizer sobre isso. Nem sei onde Natalie está, muito menos como poderia estar ligada "muito, muito superficialmente" a um roubo a banco.

– É aí que quero chegar. Também não achei que isso fosse importante, até começar a investigar o outro nome que você mencionou. Todd Sanderson.

– Não pedi a você que o investigasse.

– Não, mas investiguei assim mesmo. Consegui dois resultados sobre ele também. O mais importante, claro, foi o fato de ele ter sido assassinado há uma semana.

– Espera, Todd também está ligado a esse mesmo roubo a banco?

– Sim. Você já leu Oscar Wilde?

Fiz uma careta.

– Já.

– Ele tem uma frase maravilhosa: "Perder um dos pais pode ser considerado uma infelicidade; mas perder os dois parece descaso."

– Está em *A importância de ser prudente* – falei, porque sou um acadêmico e não consigo me controlar.

– Exato. Uma das pessoas sobre as quais você pediu informação aparece vinculada a um roubo a banco. Até aí, nada de mais. Mas duas? Não é coincidência.

E, pensei, mais ou menos uma semana depois do roubo, Todd Sanderson foi assassinado.

– E a ligação de Todd com esse roubo foi também "muito, muito superficial"?

– Não. Foi só superficial, eu diria.

– Como foi?

– Mackenzie!

Virei-me na direção do grito e vi uma mulher que parecia com Shanta Newlin um pouco demais para o meu gosto. Mesma altura, mesmo peso, penteado. Estava de olhos muito abertos, como se um avião tivesse de repente caído no quintal. Segui seu olhar. Mackenzie estava outra vez de pé no escorregador.

Shanta ficou mortificada.

– Sinto muito, Candace. Já disse a ela para se sentar.

– Você *disse* a ela? – repetiu Candace, incrédula.

– Desculpe-me. Eu a estava vigiando e conversando aqui com um amigo.

– E isso é desculpa?

Mackenzie, com um sorriso que dizia *já acabei meu trabalho aqui*, sentou-se, escorregou e correu em direção a Candace.

– Oi, mamãe.

Mamãe. Nada surpreendente.

– Vou levar vocês até a porta – tentou Shanta.

– Não precisa – retrucou Candace. – Podemos dar a volta pela frente.

– Espere, Mackenzie fez um desenho lindo. Está lá dentro. Aposto que ela vai querer levar para casa.

Candace e Mackenzie já estavam indo para a frente da casa.

– Tenho centenas de desenhos da minha filha – replicou Candace. – Fique com esse.

Shanta ficou observando as duas desaparecerem no jardim da frente. Sua postura militar habitual havia desaparecido.

– O que estou fazendo, Jake?

– Está tentando – respondi. – Vivendo.

Ela balançou a cabeça.

– Isso não vai dar certo nunca.

– Você o ama?

– Sim.

– Vai dar certo. Só vai ser complicado.

– Como você pode ser tão sábio?

– Estudei em Lanford College – respondi – e assisto a uma porção de programas de entrevista durante o dia.

Shanta se virou e olhou para os brinquedos.

– Todd Sanderson tinha um cofre no banco da Canal Street – disse ela. – Foi uma das vítimas do roubo. Só isso. À primeira vista, isso é insignificante.

– Mas uma semana depois, ele é assassinado – completei.

– Sim.

– Espere, o FBI acha que ele tem alguma coisa a ver com esses roubos?

– Não tenho acesso à investigação completa.

– Mas?

– Não vejo como possa haver ligação. O roubo ao banco foi em Manhattan, e ele foi assassinado em Palmetto Bluff.

– E agora?

– Bem, a sua Natalie apareceu também.

– De maneira "muito, muito superficial".

– Sim.

– Como?

– Depois de um roubo a banco desses, o FBI faz um inventário de tudo. Tudo mesmo. Assim, quando os cofres são arrombados, se vê todo tipo de documentos importantes neles. Ações e apólices, procurações, certidões de propriedade de imóveis, essas coisas. Grande parte fica no chão, claro. Por que um ladrão iria querer levar documentos? Aí o FBI examina isso tudo e cataloga. Então, por exemplo, um cara estava guardando o certificado de compra do carro do irmão. O nome desse irmão entra na lista.

Eu tentava acompanhar o que ela estava dizendo.

– Deixe-me ver se estou entendendo. O nome de Natalie estava num desses documentos guardados nos cofres de segurança?

– Sim.

– Mas ela não tinha um cofre lá?

– Não. Foi encontrado num cofre que pertencia a Todd Sanderson.

– E o que era? Que tipo de documento?

Shanta se virou e me olhou nos olhos.

– Seu testamento.

capítulo 32

Shanta disse que o FBI queria averiguar meu grau de conhecimento sobre aquele assunto. Contei-lhe a verdade: não sabia de nada. Perguntei-lhe o que dizia o testamento. Era muito simples: todas as suas posses deveriam ser divididas igualmente entre a mãe e a irmã. Ela tinha também deixado uma solicitação para ser cremada e, curiosamente, queria que as cinzas fossem espalhadas no bosque que dá para o quadrilátero de Lanford College.

Fiquei pensando nesse testamento e em onde tinha sido encontrado. A resposta não estava a meu alcance, mas tinha a impressão de estar voando em círculos bem em cima dela.

Quando me levantei para ir embora, Shanta perguntou:
– Tem certeza de que não faz nenhuma ideia sobre isso?
– Tenho – respondi.

Mas achava que talvez tivesse agora. Só não queria compartilhar com Shanta nem com o FBI. Confiava nela tanto quanto podia confiar numa pessoa que tinha dito para mim, claramente, que sua primeira escolha era sempre o lado da lei. Contar-lhe sobre a Novo Começo, por exemplo, seria catastrófico. Mais objetivamente – e esse era o ponto –, Natalie não confiara no lado da lei.

Por quê?

Era uma coisa sobre a qual nunca havia pensado antes. Natalie poderia ter confiado na polícia, testemunhado e entrado num desses programas de proteção. Mas não fez isso. Por quê? O que saberia a ponto de impedi-la de tomar essa atitude? E se ela não confiava na polícia, por que eu deveria?

Peguei novamente o celular e tentei o número de Malcolm Hume na Flórida. Mais uma vez, nenhuma resposta. Chega! Dirigi-me a Clark House. A Sra. Dinsmore estava justamente instalando-se em sua mesa. Ela me olhou por sobre os óculos de leitura em formato de meia-lua.

– Você não deveria estar aqui.

Não me dei o trabalho de me defender nem fiz piada. Disse a ela que estava tentando falar com Malcolm Hume.

– Ele não está em Vero Beach – replicou a Sra. Dinsmore.
– E você sabe onde está?
– Sei.

– Pode me dizer?

Ela se demorou folheando uns papéis e colocando uns clipes.

– Ele está na sua cabana do lago Canet.

Eu tinha sido convidado muitos anos atrás a uma pescaria, mas não fora. Odeio pescar. Não entendo a graça, mas também nunca gostei de atividades tranquilas, zen. Tenho dificuldade para me desligar. Prefiro ler a relaxar, manter a mente ativa. Mas lembrava que a propriedade pertencia à família da Sra. Hume havia gerações. Ele costumava brincar que gostava de se sentir um invasor, isso fazia o lugar parecer mais um local de veraneio.

Ou um local perfeito para se esconder.

– Não sabia que ele ainda tinha casa aqui – falei.

– Ele vem algumas vezes por ano. Gosta do isolamento.

– Não sabia.

– Ele não conta a ninguém.

– Contou para você.

– Ora – disse a Sra. Dinsmore, como se isso fosse a coisa mais óbvia do mundo. – Ele não gosta de ter companhia lá. Precisa ficar sozinho para escrever e pescar com paz e sossego.

– É – repliquei. – Fugir daquela vida frenética e cheia de gente do condomínio em Vero Beach.

– Que engraçado.

– Obrigado.

– Você está de licença remunerada – disse ela. – Que tal dar licença então?

– Sra. Dinsmore?

Ela me olhou.

– Sabe essas coisas que venho perguntando ultimamente?

– Você está falando dos alunos assassinados e dos professores desaparecidos?

– Sim.

– O que tem isso?

– Preciso que me você dê o endereço da casa no lago. Tenho que falar com o professor Hume em particular.

capítulo 33

A VIDA DE UM PROFESSOR UNIVERSITÁRIO, em especial a de um que more num campus pequeno, é muito restrita. Ele vive no mundo surreal do assim chamado alto saber. Sente-se confortável ali. Tem muito poucas razões para abandoná-lo. Eu tinha carro, mas o dirigia não mais que uma vez por semana – se tanto. Ia caminhando para todas as minhas aulas. Andava até a cidade de Lanford para ir a lojas, lugares favoritos, cinemas, restaurantes, o que fosse. Era um mundo isolado não só para os estudantes, mas também para os que fazem desses locais seu meio de vida.

A pessoa tende a viver no globo de neve da academia de artes liberais.

Isso alterava o estado de espírito, claro, mas num nível meramente físico. Eu tinha feito mais viagens naquela semana em que li o obituário de Todd Sanderson do que nos últimos seis anos. Pode ser exagero, mas nem tanto. Aquelas altercações violentas, combinadas com a imobilidade de horas sentado em carros e aviões, estavam sugando minha energia. O nível de adrenalina era alto, claro, mas aprendera da forma mais difícil que esse recurso tinha limitações.

Quando saí da Rota 202 e comecei a subir na direção da área rural, ao longo da fronteira entre Massachusetts e New Hampshire, minhas costas começaram a doer. Parei então num quiosque chamado Lee para esticar um pouco as pernas. Uma placa na frente fazia promoção do sanduíche de hadoque frito, mas preferi um cachorro-quente com batata frita e Coca. Estava tudo maravilhoso e, por um segundo, dirigindo-me àquela cabana isolada, pensei sobre o conceito de última refeição. Não era um estado de espírito muito saudável. Comi com voracidade. Paguei, pedi mais um e voltei para o carro. Sentia-me estranhamente renovado.

Passei pela floresta Otter River State. Encontrava-me a apenas cerca de dez minutos da casa de Malcolm Hume. Não sabia o número de seu celular – nem se ele tinha um –, mas de qualquer forma não ligaria. A ideia era aparecer de repente e ver qual era. Não queria dar ao professor tempo para se preparar. Precisava de respostas e desconfiava que meu antigo mentor as tivesse.

Não era necessário ter o conhecimento de tudo. Já sabia o suficiente. Queria só ter certeza de que Natalie estava em segurança e que ela soubesse que havia umas pessoas muito más atrás dela. Se possível, ver se também poderia sumir e ficar com ela. Sim, já tinha ouvido falar das regras, dos juramentos da Novo Começo e daquilo tudo, mas o coração não conhece regras nem juramentos.

Devia haver um jeito.

Quase não vejo a pequena placa em que estava escrito Attal Drive. Dobrei à esquerda, peguei uma estrada de terra e comecei a subir a montanha. Quando cheguei no alto, vi o lago Canet lá embaixo, ainda como um espelho. As pessoas usam a palavra *imaculado*, mas ela atingiu um sentido novo de pureza quando vi a água. Parei o carro e saltei. O ar tinha esse tipo de frescor que faz a pessoa saber que mesmo uma inspiração apenas pode alimentar os pulmões. O silêncio e o sossego eram quase devastadores. Sabia que, se soltasse um grito, ele permaneceria ecoando e jamais se dissiparia por completo. Ficaria morando naqueles bosques, diminuindo de intensidade, sem nunca morrer, e se juntaria com outros sons passados, ainda reverberando naquele zum-zum baixinho que era a vida ao ar livre.

Procurei uma casa em volta do lago. Não tinha nenhuma. Vi só dois atracadouros. Havia canoas amarradas a ambos. Nada mais. Voltei ao carro e dirigi para a esquerda. A estrada de terra não era boa ali. O carro sacolejava no terreno irregular, pondo à prova os amortecedores, que não funcionavam bem. Fiquei feliz por ter feito seguro na locadora, o que era uma coisa bizarra para se pensar numa hora daquelas, mas a mente vai por onde quer. Lembrei que o professor Hume tinha uma caminhonete com tração nas quatro rodas, o que não era padrão para um motorista vindo das artes liberais. Agora eu sabia por quê.

Mais acima, vi duas caminhonetes estacionadas lado a lado. Parei o carro atrás delas e saltei. Foi impossível não notar várias marcas de pneus na terra. Ou Malcolm havia ido e vindo repetidas vezes ou tinha companhia.

Não sabia o que pensar daquilo.

Quando olhei para o alto do morro e vi o pequeno chalé de janelas escuras, senti os olhos marejarem.

Dessa vez, não havia o brilho suave da manhã nem o tom róseo do começo de um novo dia. O sol estava se pondo atrás dele, lançando sombras alongadas, transformando o que parecia vazio e abandonado em algo mais sinistro e ameaçador.

Era o chalé do quadro de Natalie.

Subi o morro em direção à porta da frente. Havia algo de onírico naquela trilha, quase como Alice no país das maravilhas, como se eu estivesse saindo do mundo real e entrando no quadro de Natalie. Cheguei à porta. Não tinha campainha. Quando bati, o som quebrou a tranquilidade como um tiro.

Esperei, mas não ouvi nenhum barulho.

Bati outra vez. Nada novamente. Pensei qual seria meu próximo movimento. Poderia descer até o lago e ver se Malcolm estava lá, mas o silêncio que já observara antes parecia indicar que não havia ninguém. Tinha também a questão das marcas de pneu.

Coloquei a mão na maçaneta. Ela girou. A porta não só não estava trancada como também, agora eu podia ver, não havia fechadura alguma – nenhum buraco para enfiar a chave. Abri e entrei. O lugar estava escuro. Acendi as luzes.

Ninguém.

– Professor Hume?

Depois que me formei, ele insistira em que o chamasse de Malcolm. Nunca consegui.

Examinei a cozinha. Estava vazia. Só havia um quarto. Fui em sua direção, na ponta do pé, por alguma razão.

Ah, não...

Malcolm Hume estava na cama, deitado de costas, com uma espuma seca sobre o rosto. A boca se encontrava semiaberta, o rosto crispado num grito final de agonia.

Meus joelhos falsearam. Usei a parede para me apoiar. Lembranças me inundaram, quase me fazendo cair: o primeiro curso que fiz com ele, no meu ano de calouro (Hobbes, Locke e Rousseau), a primeira vez em que o encontrei naquela sala que agora chamava de minha (discutimos representações da lei e da violência na literatura), as horas passadas trabalhando na minha tese (assunto: Estado de direito), a forma como me abraçou no dia em que me formei, com lágrimas nos olhos.

Uma voz atrás de mim disse:

– Você não conseguiu sair desta história.

Girei e vi Jed apontando uma arma para mim.

– Não fui eu que fiz isso – falei.

– Eu sei. Foi ele mesmo. – Jed me encarou. – Cianureto.

Lembrei-me então da caixinha de comprimidos de Benedict. Todos os membros da Novo Começo carregavam uma, dissera ele.

– Nós lhe falamos para sair desta história.

Balancei a cabeça, tentando mantê-la clara, procurando dizer ao lado meu que queria desabar e chorar que haveria tempo para isso mais tarde.

– Essa coisa toda começou antes de eu me envolver. Não sabia de nada disso até ver o obituário de Todd Sanderson.

Jed pareceu exausto de repente.

– Não interessa. Pedimos a você, de um milhão de formas diferentes, que parasse. Você não quis. Não faz a menor diferença se é culpado ou inocente. Você sabe sobre nós. Fizemos um juramento.

– Que iam me matar.

– Nesse caso, sim. – Jed olhou de novo para a cama. – Se Malcolm foi responsável o suficiente para fazer isso com ele mesmo, não devo ser também responsável o suficiente para matar você?

Mas ele não disparou. Jed não tinha mais vontade de me matar. Podia ver isso. Teve, quando pensou que eu fosse o assassino de Todd, mas a ideia de me matar só para me silenciar começava a oprimi-lo agora. Olhou de novo para o corpo.

– Malcolm adorava você – disse Jed. – Amava-o como a um filho. Ele não gostaria que... – sua voz sumiu. Ele baixou a arma.

Tentei dar um passo em sua direção.

– Jed?

Ele se virou para mim.

– Acho que sei como os homens de Maxwell Minor encontraram Todd.

– Como?

– Primeiro preciso perguntar uma coisa para você – falei. – A Novo Começo teve início com Todd Sanderson, com Malcolm Hume ou, bem, com você?

– O que isso tem a ver com qualquer coisa?

– Confie em mim só por um segundo, ok?

– A Novo Começo teve início com Todd – disse Jed. – Seu pai foi acusado de um crime infame.

– Pedofilia – falei.

– Sim.

– E acabou se matando por causa disso – completei.

– Você não pode imaginar o que isso foi para Todd. Eu era seu colega de quarto e melhor amigo. Vi-o ficar arrasado, revoltar-se contra a injustiça daquilo tudo. Se o pai tivesse podido ir para longe, pensamos. Mas claro que, mesmo que pudesse, esse tipo de acusação segue a pessoa. Não há como fugir.

– A não ser com um novo começo – falei.

– Exatamente. Percebemos que havia pessoas que precisavam ser resgatadas. E a única forma de fazer isso era lhes dando uma vida nova. O professor Hume entendeu também. Ele teve na sua vida uma pessoa para quem um novo começo poderia ter sido útil.

Pensei naquilo. Perguntei-me se essa "pessoa" não poderia muito bem ser o professor Aaron Kleiner.

– Assim nos juntamos – continuou Jed. – Formamos esse grupo sob a fachada de uma instituição de caridade legítima. Meu pai era delegado federal, responsável pelo serviço de proteção à testemunha. Eu conhecia todas as regras. Herdei aquela fazenda do meu avô. Nós a transformamos num retiro. Ensinávamos às pessoas como agir quando trocavam de identidade. Se gostavam de jogar, por exemplo, não podiam ir a Las Vegas nem às pistas de corrida. Trabalhávamos com elas psicologicamente até perceberem que desaparecer era uma forma de suicídio e renovação. Mata-se um ser para se criar outro. Fabricávamos identidades novas impecáveis. Utilizávamos a desinformação para levar os perseguidores pelo caminho errado. Fazíamos com que os perseguidos se tatuassem e se disfarçassem para enganá-los. Em alguns casos, Todd realizava cirurgias plásticas para mudar a aparência da pessoa.

– E depois? – perguntei. – Onde vocês realocavam essas pessoas que resgatavam?

Jed sorriu.

– Isso era o melhor de tudo. Não realocávamos ninguém.

– Não entendo.

– Você fica procurando por Natalie sem escutar. Nenhum de nós sabe onde ela está. É assim que funciona. Não poderíamos lhe dizer nem se quiséssemos. Damos a essas pessoas todas as ferramentas e, a certa altura, as deixamos numa estação de trem, e não temos mais a menor ideia de onde vão parar. Isso faz parte de como mantemos a coisa toda em segurança.

Tentei assimilar o que ele estava dizendo, a noção de que não havia absolutamente nenhuma forma de encontrá-la, nenhuma esperança de que pudéssemos algum dia ficar juntos. Era uma sensação esmagadora pensar que tudo aquilo tinha sido inútil desde o começo.

– Em algum momento – falei – Natalie foi até vocês em busca de ajuda.

Mais uma vez, Jed olhou para a cama.

– Foi até Malcolm.

– Como ela o conheceu? – perguntei.

– Não sei.

Mas eu sabia. A mãe de Natalie havia contado à filha sobre o escândalo de fraude envolvendo Archer Minor e como seu pai fora forçado a desaparecer. Ela devia ter tentado encontrar o pai, de forma que Malcolm Hume seria uma das primeiras pessoas que procuraria. O professor provavelmente a recebeu bem, a filha do querido colega que havia sido obrigado a sumir. Teria ele ajudado o pai a fugir da família de Archer Minor? Não sei, mas desconfiava que sim. De qualquer forma, Aaron Kleiner foi o incentivo para que Malcolm entrasse para a Novo Começo. A filha do amigo seria alguém que ele, de imediato, colocaria sob sua proteção.

– Natalie foi até vocês porque testemunhou um assassinato – falei.

– E não foi qualquer um, mas o de Archer Minor.

Assenti.

– Então ela testemunha o assassinato. Vai até Malcolm, que a leva até o seu retiro.

– Ele a trouxe para cá primeiro.

Claro, pensei. O quadro. Aquele lugar a inspirou.

Jed estava sorrindo.

– Que foi?

– Você não percebeu, não é?

– Percebi o quê?

– Você era tão próximo a Malcolm – disse ele. – Como eu disse. Ele o amava como a um filho.

– Não estou entendendo.

– Seis anos atrás, quando você precisou de ajuda para escrever sua dissertação, foi Malcolm Hume quem sugeriu o retiro em Vermont, não foi?

Senti um leve frio na espinha.

– Foi, e daí?

– A Novo Começo não é só nós três, claro. Temos um corpo de funcionários comprometido. Você conhece Cookie e outros mais. Não há muitos, por razões óbvias. Temos que confiar completamente uns nos outros. A certa altura, Malcolm pensou que você seria um trunfo para a organização.

– Eu?

– Foi por isso que ele sugeriu que você se hospedasse no retiro. Esperava poder lhe mostrar o que a Novo Começo estava fazendo, para que você se juntasse a nós.

Não sabia o que dizer, fiz então uma pergunta óbvia:

– E por que não fez isso?

– Porque percebeu que você não seria uma boa aquisição.

– Não entendo.

– Nós operamos num mundo escuso, Jake. Algumas coisas que fazemos são ilegais. Criamos nossas próprias regras. Decidimos quem merece ou não. A linha que separa inocência e culpa não é muito clara com a gente.

Assenti, enfim entendendo. O preto no branco – e os tons de cinza.

– O professor Eban Trainor.

– Ele infringiu uma norma. Você quis puni-lo. Não conseguiu enxergar as circunstâncias atenuantes.

Lembrei-me de como Malcolm tinha defendido Eban Trainor depois da festa em que dois alunos precisaram ser levados ao hospital por embriaguez. Agora via a verdade. A defesa de Trainor pelo professor Hume fora, em parte, um teste – no qual, na cabeça de Malcolm, eu não havia passado. Mas ele estava certo. Acredito no Estado de direito. Se a pessoa começa a fazer concessões, leva com ela, ladeira a baixo, tudo o que nos torna civilizados.

Ao menos, era o que eu achava antes dessa semana.

– Jake?

– Sim?

– Você sabe como os Minor encontraram Todd Sanderson?

– Acho que sim – disse. – Vocês guardam alguns papéis sobre a Novo Começo, certo?

– Só em nuvem. E é preciso dois de nós três, entre Todd, Malcolm e eu, para acessá-la – ele piscou, olhou para o lado e piscou mais um pouco. – Acabo de me dar conta. Sou o único que sobrou. A documentação está perdida para sempre.

– Mas deve haver uma parte física que vocês armazenam, não?

– Tipo o quê? – perguntou ele.

– Tipo o testamento das pessoas.

– É, esse tipo de documentos, sim. Mas estão guardados onde ninguém pode encontrá-los.

– Você está se referindo a um cofre em Canal Street?

Jed ficou de boca aberta.

– Como você pode saber disso?

– Houve um roubo. Alguém arrombou os cofres. Não sei dizer com certeza o que aconteceu, mas Natalie ainda era uma grande prioridade para a família Minor. Se fosse encontrada, isso renderia um bom dinheiro. Meu palpite é que alguém, os ladrões, um policial subornado, sei lá, reconheceu seu nome. Os Minor ficaram sabendo e viram que a caixa pertencia a um cara chamado Todd Sanderson, que vivia em Palmetto Bluff, na Carolina do Sul.

– Meu Deus – disse Jed. – Então fizeram uma visita a ele.

– Sim.

– Todd foi torturado – acrescentou Jed.

– Eu sei.

– Fizeram-no falar. Um homem não consegue aguentar tanta dor. Mas ele não sabia onde estava Natalie nem qualquer outra pessoa. Entende? Só podia contar a eles o que sabia.

– Como sobre você e o retiro em Vermont – falei.

Jed balançou a cabeça.

– Foi por isso que tivemos de fechá-lo, ir embora e fingir que não havia nada lá, só uma fazenda. Está dando para entender?

– Sim, claro – falei.

Ele olhou de novo para o corpo de Malcolm.

– Precisamos enterrá-lo, Jake. Você e eu. Lá fora, neste lugar que ele tanto adorava.

Percebi então outra coisa que fez meu sangue gelar. Jed viu isso no meu rosto.

– O que foi?

– Todd não teve a chance de tomar o comprimido de cianureto.

– Provavelmente ele foi surpreendido.

– Certo, mas, se eles o torturaram e ele entregou seu nome, faz sentido que tenha entregado o de Malcolm também. Eles devem ter enviado alguns comparsas até Vero Beach. Mas o professor não estava mais lá, porque tinha vindo para cá, para esta cabana. A casa devia estar vazia. Mas esses caras não desistem com facilidade. Tinham acabado de descobrir a primeira pista em seis anos. Não iam deixar passar. Fariam perguntas e fuçariam registros pessoais. Mesmo que essa propriedade ainda estivesse em nome da falecida esposa, eles podem ter descoberto o lugar.

Estava pensando em todas aquelas marcas de pneu lá fora.

– Ele está morto – falei, olhando para a cama. – Preferiu se matar e, pela ausência de putrefação, fez isso muito recentemente. Por quê?

– Ah, Deus. – Jed compreendeu então. – Porque os caras de Minor o encontraram.

No momento em que ele disse essas palavras, ouvi o som de carros freando. Estava tudo claro agora. Os homens de Minor já tinham estado ali. Malcolm Hume os tinha visto chegar e resolvido as coisas à sua maneira.

E o que eles fariam agora em relação a isso?

Deviam ter armado uma emboscada. Deixado um homem vigiando a casa, na eventualidade de alguém mais aparecer.

Jed e eu corremos até a janela quando os dois carros pretos pararam. As portas se abriram. Cinco homens armados saltaram.

Um deles era Danny Zucker.

capítulo 34

Os HOMENS SE ESPALHARAM, abaixados.

Jed enfiou a mão no bolso e tirou a caixinha de comprimidos. Abriu-a e atirou a cápsula para mim.

– Não quero isso – falei.

– Eu estou com a arma. Vou tentar contê-los. Você procura um jeito de escapar. Mas se não conseguir...

Lá de fora, ouvimos Danny gritar.

– Só tem um jeito de se livrar desta! É sair com as mãos para cima.

Nós tínhamos nos deitado no chão.

– Você confia nele? – perguntou Jed.

– Não.

– Nem eu. Eles não vão nos deixar vivos de jeito nenhum. Tudo que estamos fazendo neste momento é lhes dando tempo para planejar algo. – Ele começou a se levantar. – Procure um caminho para fugir pelos fundos, Jake. Vou mantê-los ocupados.

– O quê?

– Vá!

Sem nenhum aviso, Jed quebrou o vidro da janela e começou a apertar o gatilho. Em segundos, eles revidaram o fogo, acertando a lateral da casa e quebrando o restante da vidraça. Cacos de vidro caíram sobre mim.

– Vá! – gritou Jed.

Não houve necessidade de ele me dizer aquilo pela terceira vez. Rastejei em direção à porta dos fundos. Essa era a minha única chance. Jed começou a atirar às cegas, mantendo as costas contra a parede. Entrei na cozinha, ainda deitado sobre o piso. Cheguei à porta dos fundos.

Ouvi Jed soltar um grito de comemoração.

– Acertei um!

Ótimo. Faltavam quatro. Mais tiroteio. Pesado agora. As paredes começavam a ceder, com as balas penetrando e enfraquecendo a madeira. De onde estava, vi Jed ser atingido uma e, em seguida, outra vez. Comecei a rastejar de volta em sua direção.

– Não! – gritou ele.

– Jed...

– Não se atreva! Saia daqui agora!

Queria ajudá-lo, mas percebi também a inutilidade do gesto. Não poderia ajudá-lo em nada, seria apenas suicídio. Jed conseguiu se pôr de pé, encaminhando-se para a porta da frente.

– Ok! – gritou ele para fora. – Eu me rendo.

Estava com a arma na mão. Virou-se, olhou para mim, piscou e fez um gesto para eu ir embora.

Olhei pela janela dos fundos, preparando-me para correr. A casa dava para uma área arborizada. Poderia entrar naquele bosque e rezar para tudo dar certo. Não tinha outro plano. Pelo menos, nada que me ajudasse de imediato. Peguei o celular e liguei-o. Havia sinal. Liguei para a emergência enquanto olhava pela janela.

Um dos homens estava na parte de trás, à esquerda, cobrindo a porta. Merda.

– Pois não, qual é sua emergência?

Disse rapidamente à telefonista que havia um tiroteio e ao menos dois homens feridos. Dei-lhe o endereço e abaixei o telefone, deixando a linha aberta. Atrás de mim, ouvi Danny Zucker gritar:

– Ok, largue a arma primeiro.

Acho que vi um sorriso no rosto de Jed. Ele estava sangrando. Não sabia a gravidade do ferimento, se era fatal ou não, mas ele sabia que sua vida estava acabada, não importava o que fizesse. Com isso, parecia lhe ter vindo uma estranha sensação de paz.

Ele abriu a porta e começou a atirar. Ouvi um homem gritar de dor – talvez outra das suas balas tivesse atingindo o alvo – e depois o estalido seco de uma pistola automática despedaçando carne. De onde estava, vi o corpo de Jed cair para trás, os braços levantados como numa dança macabra. Ele desabou dentro da casa. Mais balas o atingiram, sacudindo seu corpo sem vida.

Estava acabado. Para ele e provavelmente para mim também.

Mesmo que Jed tivesse conseguido matar dois deles, haveria ainda três, vivos e armados. Que chance me restava? Calculei as possibilidades em nanossegundos. Quase nenhuma. Só tinha uma alternativa, na verdade. Protelar e protelar até a polícia conseguir chegar lá. Pensei em como estávamos longe de tudo. No trecho íngreme pela estrada de terra. E em que não havia nenhuma casa num raio de quilômetros, em torno daquele lugar.

A cavalaria não iria chegar a tempo.

Mas talvez os Minor me quisessem vivo.

Eu era sua última possibilidade de obter alguma informação sobre Natalie. Poderia enrolar um pouco nessa situação.

Eles estavam se aproximando da casa. Procurei um lugar para me esconder. Protelar. Só protelar.

Mas não havia lugar nenhum para onde ir. Levantei-me e olhei outra vez pela janela dos fundos. O homem estava lá, esperando por mim. Atravessei a cozinha e fui para o quarto. Malcolm não se mexera, mas eu não esperava que o fizesse.

Ouvi alguém entrando no chalé.

Abri a janela do quarto. Estava contando – e era minha única esperança, na verdade – que o cara nos fundos ainda estivesse lá, vigiando a porta. Essa janela ficava na lateral direita. De onde ele estava, quando o vi da cozinha, não conseguiria ver essa parte da casa.

Na sala, ouvi Danny Zucker dizer:

– Professor Fisher? Sabemos que está aí. Vai ser pior para o senhor se nos fizer esperar.

A janela rangeu quando a abri. Zucker e outro comparsa correram na direção do som. Vi-os enquanto rolava para fora e começava a correr até a floresta.

Outro tiroteio irrompeu atrás de mim.

Escapei por pouco. Não sabia se tinha sido imaginação ou realidade, mas poderia jurar que senti balas passarem raspando pelos meus flancos. Não me virei. Continuei a...

Alguém me agarrou pelo outro lado.

Devia ser o cara lá de trás. Pegou-me pelo lado esquerdo, e caímos os dois. Preparei um soco e o desferi com força na cara dele, que recuou. Tomei impulso para dar outro. Acertei de novo. Ele desabou.

Porém, era tarde demais.

Danny Zucker e o outro comparsa já haviam chegado até nós. Os dois apontaram as armas para mim.

– Você pode viver – disse ele apenas. – É só me dizer onde ela está.

– Não sei.

– Então você não vale nada para mim.

Era o fim. O cara que tinha me agarrado balançou a cabeça. Ficou de pé e pegou a arma. Ali estava eu. Caído no chão, cercado por três homens, todos armados. Não podia fazer nenhum movimento. Não ouvia o som de nenhuma sirene distante vindo me salvar. Um dos caras se colocou à minha esquerda, o outro – aquele que eu tinha derrubado –, à direita.

Olhei para Danny Zucker, que permanecia a um passo de distância. Arrisquei mais uma cartada:

– Você matou Archer Minor, não foi?

Isso o pegou desprevenido. Pude ver confusão em seu rosto.

– O quê?

– Alguém tinha que apagá-lo – falei – e Maxwell Minor jamais mataria o próprio filho.

– Você está louco.

Os outros dois caras se entreolharam.

– Por que outro motivo você tentaria tanto encontrá-la? – perguntei. – Já faz seis anos. Para que ela jamais deponha contra você.

Danny Zucker balançou a cabeça. Havia algo parecido com tristeza no seu rosto.

– Você não faz a menor ideia, não é?

Ele levantou a arma, de forma quase relutante. Eu tinha dado minha última cartada. Não queria morrer daquele jeito, no chão, embaixo deles. Levantei-me, perguntando-me qual seria meu último movimento, quando algo aconteceu.

Foi um único tiro. A cabeça do cara à minha esquerda explodiu como um tomate esmagado por uma bota pesada.

O restante de nós se virou na direção do disparo. Fui o primeiro a me recuperar. Deixando que o cérebro réptil assumisse o comando outra vez, pulei imediatamente em cima do cara que já havia socado. Era quem se encontrava mais perto e estaria mais fraco por causa dos golpes que já lhe dera.

Poderia pegar sua arma.

Mas o homem reagiu mais depressa do que imaginei. Provavelmente seu cérebro réptil se encontrava em funcionamento também. Ele deu um passo para trás e mirou. Eu estava afastado demais para alcançá-lo a tempo.

Foi quando sua cabeça explodiu em outra nuvem vermelha.

O sangue respingou no meu rosto. Danny Zucker não hesitou. Pulou atrás de mim, usando-me como escudo. Passou o braço pela minha garganta e me pôs a arma na cabeça.

– Não se mexa – sussurrou.

Obedeci. Havia silêncio agora. Ele permaneceu colado em mim, movendo-nos rumo à casa para se proteger.

– Apareça – gritou Zucker – ou vou explodir os miolos dele.

Ouviu-se um farfalhar. Zucker empurrou minha cabeça para a direita, fazendo com que meu corpo cobrisse o seu. Virou-me mais para a direita – de onde tinha vindo o som. Olhei para a clareira.

Meu coração parou.

Descendo o morro, com a arma ainda na mão e apontada para nós, vinha Natalie.

capítulo 35

DANNY ZUCKER FALOU PRIMEIRO.

– Ora, ora, veja só quem está aí.

Meu corpo tinha amolecido diante da visão dela. Nossos olhos se encontraram e o mundo explodiu de mil formas diferentes. Foi uma das experiências mais fortes da minha vida, esse simples ato de olhar dentro dos olhos azuis da mulher que eu amava, e mesmo naquele instante, com uma arma apontada para a cabeça, senti-me estranhamente grato. Se ele puxasse o gatilho, tudo bem. Eu havia estado, nesse único momento, mais vivo do que nos últimos seis anos. Podia morrer naquele instante – mas não queria. Na verdade, acima de tudo desejava viver e ficar com aquela mulher –, morreria uma pessoa mais completa, tendo vivido uma vida mais completa, do que se tivesse morrido alguns momentos antes.

Ainda com a arma apontada para nós, Natalie disse:

– Solte-o.

Tinha os olhos fixos em mim.

– Acho que não, meu bem – retrucou Zucker.

– Solte-o e me entrego a você.

Gritei:

– Não!

Zucker enfiou o cano da arma na lateral do meu pescoço.

– Cale a boca – e depois, para Natalie, disse: – Por que deveria confiar em você?

– Se me preocupasse mais comigo do que com ele, não teria mostrado o rosto.

Natalie mantinha os olhos em mim. Quis protestar. Não permitiria aquela troca de jeito nenhum, mas algo em seu olhar me dizia para ficar quieto, ao menos por enquanto. Fiquei pensando naquilo. Estava quase mandando que eu obedecesse, que deixasse a coisa se desenrolar da maneira que ela queria.

Talvez, pensei, não estivesse sozinha ali. Quem sabe não haveria outros. Era possível que tivesse um plano.

– Ok, então – disse Zucker, ainda se escondendo atrás do meu corpo. – Solte a arma e o deixo ir.

– Acho que não – falou ela.

– Hein?

– Nós o levamos até o carro. Você o coloca atrás do volante. No momento que ele se afastar, solto a arma.

Zucker pareceu pensar naquilo.

– Eu o ponho no carro. Você solta a arma e ele dá partida.

Natalie balançou a cabeça, ainda olhando diretamente para mim, quase me mandando obedecer.

– Fechado – disse ela.

Fomos em direção à frente da casa. Natalie mantinha a distância, permanecendo cerca de 30 metros atrás de nós. Perguntava-me se Cookie, Benedict ou algum outro membro da Novo Começo estaria por perto. Talvez estivessem aguardando próximo ao carro, armados, prontos para eliminar Zucker com uma única bala.

Quando chegamos lá, Zucker se colocou num ângulo que fizesse com que o veículo e meu corpo ainda o protegessem.

– Abra a porta – falou.

Hesitei.

Ele apertou a arma contra meu pescoço.

– Abra a porta.

Olhei para Natalie. Ela me deu um sorriso confiante que me chegou ao coração, esmagando-o feito casca de ovo. Quando sentei no banco do motorista, percebi com horror crescente o que ela estava fazendo.

Não havia plano nenhum para salvar nós dois.

Não havia nenhum outro membro da Novo Começo que fosse interceder. Nem ninguém escondido, esperando para atacar. Natalie tinha prendido minha atenção, oferecendo aquela promessa nos olhos, para que eu não reagisse nem fizesse o sacrifício que estava prestes a fazer por mim.

Que fosse tudo para o inferno então.

Dei a partida. Natalie começou a baixar a arma. Eu dispunha de um segundo, não mais, para realizar minha manobra. Era suicídio. Sabia que não havia maneira de os dois sobreviverem àquilo. Esse foi meu pensamento. Um de nós tinha de morrer. No fim das contas, Jed, Benedict e Cookie estavam certos. Eu havia estragado tudo. Tinha dado ouvidos a um mantra interior do tipo "o amor vence tudo", e agora estávamos ali, exatamente onde me avisaram que estaria, com Natalie encarando a morte.

Não ia deixar isso acontecer.

Depois que eu já estava dentro do carro, ela parou de andar e concentrou a atenção em Danny Zucker, que, compreendendo que era a sua vez, tirou a arma do meu pescoço. Ele trocou de mão para que a arma não ficasse longe demais de mim, mesmo sentado, no caso de eu fazer alguma besteira.

– Sua vez – falou ele.

Natalie pôs a arma no chão.

Era hora. Havia passado esses segundos planejando meu movimento exato, fazendo cálculos, contando com o elemento surpresa, tudo isso. Então, não hesitei. Zucker teria tempo, eu estava quase certo, de me dar um tiro. Isso não importava. Ele ia ter que se defender. Se o fizesse disparando contra mim, isso possibilitaria que Natalie corresse ou, mais provavelmente, pegasse sua arma no chão e atirasse.

Não tinha mais escolha. Não ia pôr o carro em movimento, isso era certo.

Sem nenhum aviso, levantei a mão esquerda. Acho que ele não esperava aquilo. Zucker tinha imaginado que se eu fosse fazer alguma coisa, seria tentar pegar a arma. Agarrei seu cabelo com força e o puxei na minha direção. Como havia previsto, ele apontou a pistola para mim.

Com a mão esquerda, trouxe seu rosto para perto do meu. Ele esperava que eu fosse tentar pegar a arma com a direita.

Mas não fiz isso.

Usando a mão direita, enfiei o comprimido de cianureto que Jed me dera na boca de Zucker. Seus olhos se arregalaram de terror quando percebeu o que eu tinha feito. Isso o fez hesitar – a noção de que havia veneno em sua boca e que, se não o expelisse, seria um homem morto. Tentou cuspir, mas minha mão estava lá. Mordeu com força, fazendo-me gritar, sem que a retirasse, entretanto. Ao mesmo tempo, disparou a arma contra a minha cabeça.

Baixei-a.

A bala acertou meu ombro. Mais agonia.

Danny começou a ter convulsões, enquanto tentava dar outro tiro. Mas não conseguiu. A primeira bala de Natalie acertou-o atrás da cabeça. Ela disparou mais duas, mas não havia necessidade.

Recostei-me, a mão sobre o ombro latejante, tentando estancar o sangue. Esperei que ela viesse até mim.

Mas isso não aconteceu. Ficou onde estava.

Nunca tinha visto nada mais belo e esmagador que a expressão do seu rosto naquele momento. Uma lágrima escorria por ele. Ela balançou a cabeça devagar.

– Natalie?

– Tenho que ir – replicou.

Meus olhos se abriram muito.

– Não – agora, finalmente, ouvia sirenes. Estava perdendo sangue e me sentindo fraco. Nada disso importava. – Deixe-me ir com você. Por favor.

Natalie se retraiu. As lágrimas vieram com mais força então.

– Não poderia viver se alguma coisa acontecesse com você. Dá para entender? Foi por isso que fugi da primeira vez. Posso viver com você de coração partido. Mas não com você morto.

– Sem você eu não estou vivo.

As sirenes estavam se aproximando.

– Tenho que ir – disse ela, em meio às lágrimas.

– Não...

– Sempre vou amar você, Jake. Sempre.

– Então fique comigo – podia ouvir a súplica na minha voz.

– Não posso. Você sabe disso. Não me siga. Não me procure. Mantenha a promessa dessa vez.

Balancei a cabeça.

– Sem chance – falei.

Ela se virou e começou a subir o morro.

– Natalie! – gritei.

Mas a mulher que eu amava continuou a caminhar para fora da minha vida. Mais uma vez.

capítulo 36

UM ANO DEPOIS

Um aluno no fundo da sala levanta a mão.
— Professor Weiss?
— Sim, Kennedy?

Esse é meu nome agora. Paul Weiss. Dou aula numa universidade grande do Novo México. Não posso dizer qual por questões de segurança. Com todos aqueles cadáveres no lago, a polícia achou que eu ficaria melhor entrando para o programa de proteção à testemunha. Aqui estou então, no oeste. A altitude ainda me afeta às vezes, mas no geral gosto daqui. Isso me surpreende. Sempre pensei que era um cara da costa leste, mas viver é se adaptar, acho.

Sinto falta de Lanford, é claro. Da minha antiga vida. Benedict e eu ainda mantemos contato, embora não devêssemos. Usamos um e-mail para *drop box* e nunca clicamos no botão "enviar". Criamos uma conta na AOL (das antigas). Escrevemos mensagens um para o outro e as deixamos na pasta "rascunho". Periodicamente entramos e lemos.

A grande novidade na vida de Benedict é que o cartel de drogas que estava atrás dele acabou. Foi eliminado numa espécie de batalha campal. Em suma, ele está livre por fim para retornar a Marie-Anne, mas quando viu pela última vez seu status no Facebook, este tinha mudado de "em um relacionamento sério" para "casada". Havia fotografias do casamento com Kevin na página dos dois.

Estou insistindo com Benedict para que conte a ela a verdade de qualquer forma. Ele diz que não. Que não quer bagunçar sua vida.

Mas a vida é uma bagunça, disse-lhe eu.

Pensamento profundo, não?

O restante das peças do quebra-cabeça se encaixou finalmente. Demorou um bom tempo. Um dos capangas de Minor, atingido por Jed, sobreviveu. Seu depoimento confirmou o que eu já suspeitava. Foram os ladrões de banco conhecidos como "os invisíveis" que arrombaram a agência da Canal Street. No cofre de Todd Sanderson, havia testamentos e passaportes. "Os invisíveis" levaram estes últimos, imaginando que poderiam ser revendidos no mercado negro. Um deles reconheceu o nome de Natalie – os Minor ainda estavam procurando ativamente por ela, mesmo depois de seis anos – e contou a eles. O cofre estava em nome de Todd Sanderson, de forma que Danny Zucker e Otto Devereaux lhe fizeram uma visita.

A partir daí a história é conhecida. Ou a maior parte.

Mas muitas coisas não se encaixavam. Uma delas foi a questão que levantei com Danny Zucker um pouco antes de sua vida terminar: por que os Minor eram tão obcecados com a ideia de encontrar Natalie? Ela tinha deixado bem claro que não iria testemunhar. Por que fazer tanto alarde, persegui-la, quando o resultado final poderia muito bem ser que ela recorresse à polícia? Eu tinha a certa altura imaginado que quem estava por trás daquilo tudo era Danny Zucker, que ele teria matado Archer Minor e queria ter certeza de que a única pessoa que pudesse contar o fato a Maxwell Minor estivesse morta. Mas isso também não se encaixava realmente, sobretudo ao ver a confusão em seu rosto quando o acusei do crime.

"Você não faz a menor ideia, não é?"

Foi o que Danny Zucker tinha dito. Estava certo. Mas eu começara vagarosamente a juntar as coisas, em especial quando comecei a estranhar a questão central, o incidente que dera início àquilo tudo:

– Onde estava o pai de Natalie?

Descobri a resposta para essa pergunta quase um ano atrás. Dois dias antes de eles me mandarem para o Novo México, visitei outra vez a mãe de Natalie no lar para idosos Hyde Park. Estava usando um disfarce pobre (o que uso agora é mais simples: raspei a cabeça. Lá se foram os rebeldes cachos professorais da minha juventude. Minha careca brilha. Se usasse um brinco de ouro, seria confundido com o Sr. Clean).

– Preciso da verdade dessa vez – falei para Sylvia Avery.

– Já lhe contei.

Podia entender que certas pessoas necessitavam de uma identidade nova e desapareciam porque haviam sido acusadas de pedofilia, tinham incomodado cartéis da droga, sido espancadas por maridos brutais ou testemunhado um crime de gângsteres. Mas não compreendia por que um homem envolvido num escândalo de fraude estudantil precisasse desaparecer pelo resto da vida – até hoje, depois de Archer Minor já ter morrido.

– O pai de Natalie nunca fugiu, não é verdade?

Ela não respondeu.

– Ele foi assassinado – afirmei.

Sylvia Avery parecia fraca demais para continuar protestando. Ficou ali sentada, imóvel como uma pedra.

– A senhora disse a Natalie que o pai nunca, jamais, a abandonaria.

– E é verdade – disse ela. – Ele a amava tanto. Amava Julie também. E a mim. Aaron era um homem muito bom.

– Bom demais – acrescentei. – Sempre vendo o lado positivo das coisas.

– Sim.

– Quando lhe contei que Archer Minor estava morto, a senhora disse, "bem-feito". Foi ele quem matou seu marido?

Ela baixou a cabeça.

– Não há mais ninguém que possa prejudicar qualquer uma de vocês – avisei. O que era apenas parcialmente verdade. – Archer Minor matou seu marido ou foi alguém a mando do pai?

E aí ela respondeu:

– Foi o próprio Archer.

Balancei a cabeça. Já tinha imaginado isso.

– Ele veio até nossa casa com uma arma – disse Sylvia. – Exigiu que Aaron lhe entregasse os papéis que provavam que ele tinha copiado o trabalho. Ele queria mesmo escapar da sombra do pai e, se soubessem que houvera uma fraude...

– Ele seria exatamente como o pai.

– Sim. Implorei a Aaron que lhe desse ouvidos. Mas ele não quis. Achava que o rapaz estava blefando. Aí Archer pôs a arma na cabeça do meu marido e... – ela fechou os olhos. – Ele riu quando fez aquilo. É a coisa de que me lembro mais. Archer Minor estava rindo. Depois mandou que eu lhe desse os papéis ou seria a próxima. Dei-os a ele, claro. Aí entraram dois homens que trabalhavam para seu pai. Eles levaram o corpo de Aaron. Depois um deles me pôs sentada e disse que se eu contasse a alguém sobre aquilo, eles fariam coisas terríveis com as minhas filhas. Ficou enfatizando isso. Mandou-me dizer que Aaron tinha fugido, e assim o fiz. Sustentei essa mentira durante todos esses anos para proteger minhas filhas. Você entende, não?

– Entendo – falei tristemente.

– Tive que fazer meu pobre Aaron ser o bandido. Para que suas filhas não ficassem perguntando sobre ele.

– Mas Natalie não engoliu essa.

– Ela me pressionava.

– E como a senhora disse, a mentira a tinha tornado sombria. A ideia de que o pai a abandonara.

– É uma coisa horrível para uma garota pequena pensar. Eu deveria ter inventado outra coisa. Mas o quê?

– E ela não parava de pressionar a senhora – falei.

– Ela não esquecia. Voltou a Lanford para conversar com o professor Hume.

– Mas Hume também não sabia.

– Não. Mas ela lhe fazia perguntas.

– E isso poderia fazer com que tivesse problemas.

– Sim.

– Então a senhora decidiu lhe contar a verdade. Que o pai não tinha fugido com uma aluna. Nem fugido porque tivesse medo dos Minor. A senhora finalmente contou a ela a história toda. Que Archer Minor havia assassinado o pai dela a sangue-frio, enquanto ria.

Sylvia Avery não respondeu. Nem precisava. Disse-lhe adeus e fui embora.

Agora sabia por que Natalie estava naquele arranha-céu tarde da noite, por que tinha ido visitar Archer Minor quando não havia ninguém por perto, por que Maxwell Minor nunca parara de procurá-la. Não estava preocupado que ela testemunhasse.

Era só um pai querendo vingar o assassinato do filho.

Não tenho certeza disso. Não sei se Natalie atirou em Archer Minor com um sorriso no rosto, se a arma disparou acidentalmente, se ele fez ameaças quando ela o confrontou ou se foi em legítima defesa. Nem quero saber.

Meu antigo eu iria querer. O novo, não.

A aula termina. Atravesso o campus. O céu de Santa Fé é de um azul único. Protejo os olhos e continuo andando.

Nesse dia, há um ano, com a bala ainda no ombro, observei Natalie começar a se afastar, caminhando. Gritei "sem chance" quando me pediu que prometesse não segui-la. Ela não escutou nem parou. Saltei do carro então. A dor no ombro não era nada comparada à de vê-la indo embora outra vez. Corri em sua direção. Passei os braços, mesmo o que estava doendo por causa do ferimento, em volta dela e a puxei para mais perto. Fechamos os olhos, bem apertado. Fiquei abraçado a ela, perguntando-me se já havia sentido tanta alegria antes. Ela começou a chorar. Puxei-a para mais perto ainda. Natalie colocou a cabeça no meu peito. Houve um momento em que tentou se soltar. Mas foi só um momento. Sabia que dessa vez eu não a deixaria ir.

Não importava o que tivesse feito.

Ainda não a deixei ir.

Mais adiante, uma linda mulher chamada Diana Weiss está usando uma aliança igual a minha. Tinha decidido dar sua aula de artes ao ar livre, naquele dia glorioso. Vai indo de aluno em aluno, comentando seus trabalhos, oferecendo orientação.

Ela sabe que sei, mesmo que nunca tenhamos conversado sobre aquilo. Pergunto-me se essa foi uma das razões de ela ter ido embora da primeira vez, como se sentisse que eu nunca poderia viver com o que havia feito. Talvez eu não conseguisse lhe dar apoio naquela época.

Agora posso.

Diana Weiss olha para mim quando me aproximo. Seu sorriso envergonha o sol. Hoje minha bela mulher está brilhando mais que o normal. Posso estar pensando isso porque sou parcial. Ou porque esteja grávida de sete meses do nosso filho.

A aula dela termina. Os alunos ficam um tempo antes de irem se afastando aos poucos. Ela pega a minha mão quando estamos finalmente a sós, olha nos meus olhos e diz:

– Amo você.

– Eu também amo você – respondo.

Sorri para mim. O cinza não tem chance contra esse sorriso, desaparecendo numa névoa maravilhosa de cores brilhantes.

CONHEÇA OUTROS TÍTULOS DO AUTOR

O inocente

Aos 20 anos, Matt Hunter vive uma noite de horror que ficará para sempre gravada em sua memória. Durante uma festa, ao tentar apartar uma briga, ele mata uma pessoa acidentalmente e é considerado culpado pelo júri.

Agora, nove anos depois de ser libertado da prisão, tudo parece ter entrado nos eixos: Olivia, sua esposa, está grávida e os dois estão prestes a comprar uma casa na cidade natal dele. Mas a ilusão acaba quando Matt recebe um vídeo chocante e inexplicável que começa a despedaçar sua vida pela segunda vez.

Para piorar, ele começa a ser seguido por um homem misterioso. Em pouco tempo, o perseguidor é encontrado morto e uma freira querida por todos também é assassinada. Quando as pistas apontam para Matt, ele e Olivia são forçados a desafiar a lei em uma tentativa desesperada de salvar seu futuro juntos.

Fique comigo

A vida de Megan Pierce nem sempre foi um mar de rosas. Houve uma época em que ela nunca sabia como seria o dia seguinte. Mas hoje é mãe de dois filhos, tem um marido perfeito e uma casa de sonhos de qualquer mulher – e, apesar disso, se sente cada vez mais insatisfeita.

Ray Levine já foi um fotógrafo respeitado, mas agora, aos 40 anos, tem um emprego em que finge ser paparazzo para massagear o ego de jovens endinheirados obcecados em se tornar celebridades.

Broome é um detetive incapaz de esquecer um caso que nunca conseguiu resolver: há 17 anos, um pai de família desapareceu sem deixar rastro. Todos os anos ele visita a casa em que a mulher e os filhos do homem esperam seu retorno.

Essas pessoas levam vidas que nunca desejaram. Agora, um misterioso acontecimento fará com que seus caminhos se cruzem, obrigando-as a lidar com as terríveis consequências de fatos que pareciam enterrados havia muito tempo.

E, à medida que se deparam com a faceta sombria do sonho americano – o tédio dos subúrbios, a angústia da tentação, o desespero e os anseios que podem se esconder nas mais belas fachadas –, elas chegarão à chocante conclusão de que talvez não queiram deixar o passado para trás.

Confie em mim

Preocupados com o comportamento cada vez mais distante de seu filho Adam – principalmente depois do suicídio de seu melhor amigo, Spencer Hill –, o Dr. Mike Baye e sua esposa, Tia, decidem instalar um programa de monitoração no computador do garoto. Os primeiros relatórios não revelam nada de importante. Porém, quando eles já começavam a se sentir mais tranquilos, uma estranha mensagem muda completamente o rumo dos acontecimentos: "Fica de bico calado que a gente se safa."

Perto dali, a mãe de Spencer, Betsy, encontra uma foto que levanta suspeitas sobre as circunstâncias da morte de seu filho. Ao contrário do que todos pensavam, ele não estava sozinho naquela noite fatídica. Teria sido mesmo suicídio?

Para tornar o caso ainda mais estranho, Adam combina de ir a um jogo com o pai, mas desaparece misteriosamente. Acreditando que o garoto está correndo um grande perigo, Mike não medirá esforços para encontrá-lo.

Quando duas mulheres são atacadas por um assassino, uma série de acontecimentos faz com que a vida de todas essas pessoas se cruzem de forma trágica, violenta e inesperada.

CONHEÇA OS LIVROS DE HARLAN COBEN

Até o fim
A grande ilusão
Não fale com estranhos
Que falta você me faz
O inocente
Fique comigo
Desaparecido para sempre
Cilada
Confie em mim
Seis anos depois
Não conte a ninguém
Apenas um olhar
Custe o que custar
O menino do bosque
Win
Silêncio na floresta
Identidades cruzadas

COLEÇÃO MYRON BOLITAR
Quebra de confiança
Jogada mortal
Sem deixar rastros
O preço da vitória
Um passo em falso
Detalhe final
O medo mais profundo
A promessa
Quando ela se foi
Alta tensão
Volta para casa

Para saber mais sobre os títulos e autores da Editora Arqueiro, visite o nosso site. Além de informações sobre os próximos lançamentos, você terá acesso a conteúdos exclusivos e poderá participar de promoções e sorteios.

editoraarqueiro.com.br